マイ・ホームタウン・ジュウソウ

俺がまだちっちゃいころ、家から歩いて数十歩のところに掘ったて小屋のような映画館、その向かいにはカウンターに七、八人も座れば満席になってしまうボロ小屋だけどメシのうまい大衆食堂〈トラヤ〉、その隣に博打好きのヘンコ[1]な夫妻がやっているビニール製のバチもん[2]革のソファを置いて高級感を装った純喫茶〈ライラック〉があってん。

八のつく日には木川西郵便局と映画館に挟まれた道の直線二、三百メートルに夕方から夜店が立ち並び、俺なんかはその日がほんまに楽しみで、前日ともなると小躍り状態で、万が一、当日雨でも降って中止にでもなろうものなら悲しゅうて悲しゅうて、しょっちゅう外へ出ては、間違《まちご》うて店出しとるオッサンはおらんかと確認しに行ったもんやってん。

しかし、それは騒がし好きの十三《じゅうそう》のオッサンやオバハンらも同じみたいで、夜店には子供だけやのうて、大人もようけ来てて、酔うとるからか「アホかいっ！　なにさらしとんじゃい、ワリャあっ！」とケンカするステテコ姿のオッサンもおれば、「おかんっ。

1　偏屈。真直ぐな頑固よりちょっと変にイガンでいること

2　高級品のニセモノのこと。あるいは出所の怪しいものや胡散臭いもののこと。パチモン、バッタモンともいう

おか〜んっ！　早よ、ゼニ持って来んかいっ、ゼニィっ！　うちのボンクラが東京コロッケ食いたいっちゅうてはしゃいどんがなぁ！」っちゅう、子煩悩なオッサンがおったりと、ワイワイしており、俺もそんな賑やかさが好きやったし、どっちにしても帰ったかて、おかんは仕事でおらんかったから、店の閉まう十時ごろまでプラプラしながら、昼はあんまり人がおらんのに、どっから人が集まって来よんねんやろうなどと考え、その風景を眺めとってん。

駅前にしても、昼は人がまばらで、〈ニチイ〉へ買いもんにきたオバハン連中や、パチンコでメシ食うてる遊び人風のオッサンがキョロキョロと人目を気にしながらウロチョロしとったり、仕事をブッチしてきた七分を穿いたオッサンが朝から開いてる立ち飲み処でくだをまいてるのと、酒屋、八百屋、豆腐屋、おしぼり屋といった商売のオッチャンらがチャリキで忙しそうに配達しとおるぐらいで、家の近所でも、色とりどりのムームーを着て籐の買いもんかごを持ったオバハン連中が、買いもんついでに井戸端会議を開き、「あっこの子はヤンチャでかなわへんでぇ。大人を大人とも思わんとおちょくりまんねん。あっこの娘さんはまだ十六、七やいうのに、きつれ〜に化粧して次から次へとちゃう男引っ張り込んで、ほんま、ようぃわんわぁ。親御さんはどないしてはんねんやろう」などと陰口を叩きまくり、たまに、おっ！　若い姉ちゃんやんけぇと思うと派手な服にケバい化粧の〈木川劇場〉[3]の姉ちゃんやねん。

昼はパッとせんのに、夕方から人が湧いてきて、ちっちゃい子の手を引っ張るケバい化粧をしたオバチャンらは、いまからご出勤で、子供を店の託児所へ預け、スケベオヤジどもをねじ伏せて金をむしり取ろうと店へと足早に消えて行き、薄暗くなり、ネオンが灯るころになると、年金でメシ食うてる悠々自適な欲ボケジジイらが店を物色してまわり、夜も深まると駅周辺は酔っぱらいだらけで、みながみな、右へ左へ千鳥足でフラフラ、フラフラと酒臭い息を吐きながら練り歩き、そこへ現れよんのが女とは名ばかりの煮ても焼いても食えんようなヘチャババア。

しかし、へべれけのオッサンらは見境がなく、タバコのヤニで黄色くなった味噌っ歯な口で「若いコ、おんでぇ〜」と誘われると、腑抜けたニヤケ面となって、オバハンのケツについていきよんねん。

性欲まみれの脳みそを持ったエロオヤジも、ベテランのテクニカルなフェラ技に勢い余って、しわがれのオメコをこねくりまわし、フィニッシュのころには酔いも醒め、アップテンポな動悸とともに「やめときゃよかったぁ」と大きな溜息をついて、心の隙間風に震えながら、始発の阪急電車に乗って帰っていきよんねん。

俺が生まれた年には、東京オリンピックが開催され、それにともない大阪・東京間で

3　十三のストリップ劇場。現〈十三ミュージック〉。もとは大衆劇場だった

新幹線が開通し、鉄道マニアのおとんは喜びすぎて、生まれたばかりの俺を置き去りにして、ひかり号に乗ったまま帰ってこんようになってしもてん。

そこでおかんは、女手一つで俺を育てんのんはかなわんということで、俺を六歳くらいまで、いろんなところへ預けとってん。

小学生となり、世間の目が千里の万博に向けられ、月の石[4]を見てきた、太陽の塔[5]に登ってきたなどと騒いでいるさなか、おとんも例外ではなく、万博はすごかったと騒ぎながらひょっこり帰ってきよってん。

そんなええ加減なおとんやけど、俺は家族三人でメシを食えることがメッチャ嬉しかってん。

おとんは案外、子煩悩なようで、自分でも「俺は子煩悩や」とみんなにいいまくり、どこでも俺のことを「プリンス～、俺のプリンス～」と呼ぶような、ちょっとイカレた男で、俺が犬に噛まれたときも、首輪の付いた犬やっちゅうのに箒でしばき倒して殺してしまい、良心の呵責でもあったんか、飼い主を捜し出し、引き摺ってきたその死んだ犬を返してやり、「ワレとこのボケ犬が、わしのかわいいプリンスを噛みよったさかい、いてもうてしもたわぁ。ちゃんと人間噛まんようにしつけとんかいっ！」と、犬が死んで悲しんでいるオバチャンにダメ押しのヤカラを入れ[6]とった。

4　1969年11月にアポロ12号によって持ち帰られ、70年の大阪万国博覧会でアメリカ館に展示された東映まんが祭り[7]に連れて行ってもろたときも、超満員で、ほとんどの父親が子供を肩車して映画を見せている中、俺のおとんもプリンスを肩車し、よく見えるようにしてくれてん。

　しかし、その前の奴が落ち着きのないガキで動きまわりよるから、俺も動きまわらな見えへんわけで、そないしとったら、いきなりおとんが「ワレのとこのガキがせわしないさかい、うちのプリンスがよう見えへんやんけぇ。ちょっと、どきさらせっ！」と前のオッサンのドタマをしばいてん。きっと子供は楽しみにしとった念願の東映まんが祭りやったやろうに運悪かったですね。

　そんなおとんも、一緒に暮らしはじめて半年もせんうちにおかんとケンカして出ていってしもて、結局離婚してしまいよってん。

　おかんは、えらい気のキッツイ女で、そのケンカんときも、おとんに顔が倍になるほどどつきまわされとんのに、足に噛みついて離さず、鼻血をてんこ盛りに出しながら、足の肉を噛みちぎってまいよったもん。

　ほんまに土性骨の座った女で、駅前のホルモン屋に行ったとき、たまたま玄関前にアメ車が止まってて、店に入りづらかってん。ほんなら、いきなりそのアメ車をバコバコに蹴り倒して、店へ入ると「どこのヤクザや〜！　あんなとこに車止めくさってぇっ！

5　岡本太郎によって大阪万国博覧会のシンボルとして会場中心に建造された。高さ 70 メートル、基底部の直径 20 メートル。塔の中間あたりから左右に伸びる腕は 25 メートルジャマやから、どっかよそへもってってぇ」っちゅうと、若いヤクザが座敷から出てきて、おかんになにか文句ゆうとったけど、倍返しされて反対にギャフンといわされてもうて、「ほんま、十三の姉ちゃんは怖いわぁ」っちゅうて苦笑いしながら車をよそへまわしに行っててん。そんときは、ほんまごっつい女やなぁと思たもん。

十三には新大阪から歩きで二十分ぐらい。梅田（大阪駅）からは川を隔てた、阪急電車で二、三分の、大阪二大玄関に挟まれた非常に便のええとこで、とくに風俗産業で名を轟かせ、また便がええからか、ヤクザの人口密度が高く、立ち止まって、右見て左見ればおったし、サ店へ入れば必ずおってん。

とはゆうても住めば都で、気さくな気安いオッチャン、オバチャンばっかりで、ほんまええとこやってん。

しかしその十三をおかんの寝言一発で、いきなり離れることになってん。

6　イチャモンつける

7　全国東映系映画館で開かれる、親子で見る映画のお祭り。第１回上映作品は『長靴をはいた猫』（1969年）

姫路でお好み焼屋開店

もうじき小学校卒業や！　いうころ、おかんが急に「たっちゃんが、ええ物件見つけてきたから姫路でお好み焼屋すんでぇ」ゆうて、いきなり引っ越すこととなった。

たっちゃんは、おかんの妹で、もともとは西成の千本に住んでてんけど、ヤクザに金借りてもうて追い込みがきついっちゅうことで夜逃げしてん。この叔母には、ちっちゃいころようしてもろて、その証拠写真もあるし記憶もあるから、いまでも頭が上がらんねん。

なんせいきなりのことやから、とりあえずタンスなんかは置いといて、着替えだけ持っていくこととなり、俺の育った文化[1]には、いとこの晴則兄ちゃんが住むこととなった。

姫路の東新町っていう新日鉄の大きな工場のある町に、そのお好み焼屋を出すねんけど、店の名前が〈藤〉っちゅうねん。なんでも、おかんが演歌歌手の藤正樹[2]が好きやからというけったいな理由でつけた名前で、表のネオン看板もテント看板ものれんも藤色に白抜きの〈藤〉といういかにも演歌な店で、いつも演歌をかけるようなお好み焼屋や

1　文化住宅。庶民の生活レベルの向上をめざし建てられた洋風住宅。第２次大戦後の復興期に建設がはじまり、高度経済成長とともにその数を激増させた

った。

おかんはいつもお客さんに「うちのは一センチもある、ぶ厚い鉄板やから」と、その鉄板を磨きながら自慢してた。

当時、子門真人の「およげ！たいやきくん」[3]が流行って、しょっちゅう、〽ぼくらは鉄板のぉ〽ぼくらは鉄板のぉ……ゆうて、かかってたから「鉄板や！」と、おかんの頭にひらめいたんやろうけど、こっちとしては知らん学校へ行かなあかん羽目になってもうて、おまけに家から中学まで歩いて一時間近くかかったから、都会育ちでボンボンの俺には弱り目に祟り目で、しかも坊主に紺ブレ、グレーのスラックス、グリーンのネクタイで、笑わしよんなあっちゅう格好やから気が乗らんかってん。

けど、おかんがやる気出しててんねんから、まあ、しゃあないかという気持ちでサラサラのロングヘアをクリクリの坊主頭にするために散髪屋へ行って、やってもうてんけど、その散髪屋のオッサンが、またアホで、普通の坊主いうてんのに歯を間違うて一枚でやったから、クリクリゆうより、ツルツルの坊主になってしもてん。なんやねん、これでオッサンの頭もツルツルにしてもうたろかと思たけど、言葉にはせず、生まれ変わった気持ちになって店を出た。

とりあえず初めての学校やから、ナメられたらあかんからのぉと思てたら、案の定、

2　1972年、日本テレビ「スター誕生」で「新潟ブルース」を歌って、第6回グランドチャンピオンになる。同年「忍ぶ雨」でデビュー。日本歌謡大賞新人賞・サンプラザ音楽祭グランプリ受賞など数々の賞を総なめにする

三日目ぐらいに、コイツよそもんやいうことでいちびって[4]きよってん。帰りに下駄箱に行ったら自分からぶつかってきて「なにしとんどい」と姫路弁でいいよるから「アホか」いうて鼻が折れるほど顔面どつき倒し、羊の皮をかぶった狼ということを教えたったら、鼻血出しながら泣いて謝りよるんで許したってん。

　このとき、三人組で来よってんけど、そのうちの一人で、どついた奴とちゃう奴と仲良うなって、またコイツんちが学校の近くやから、そこまでチャリンコに乗って行って、家に置かしてもろて学校へ行き、帰りは二人でチャリンコに乗って、も少し街ん中にある俺んちへ来てゲームセンターに行ったり、工場近くの堀に雷魚釣りに行ってた。

　ザリガニはソーセージで釣んねんけど、雷魚はカエルを捕まえてケツに針を刺して堀に投げ込んで、ピョンピョンさせて釣んねん。

　ある日、いつものように雷魚を釣りに行ったら、急に雲行きが怪しくなってきて、いまにも雨が降りそうになってきて、それでも雨が降るまでとねばってたら、雷が鳴り出して、それでもとねばってたら、いきなり重い奴が食らいついて、釣ったろうと思て頑張ってたら、とうとう雨が降ってきよって、友人も俺もズブ濡れになりながら、とうとう釣り上げてん。そしたら七十センチぐらいある雷魚で、雷魚ゆうだけあって雷が鳴ったから釣れたんかなぁと思て、いままでは四十センチぐらいまでの小者ばっかりやった

3　「およげ！たいやきくん」はフジテレビ「ひらけ！ポンキッキ」から生まれたヒット曲。1975 年に年間 442 万枚を売り上げた

4　からかうこと

し、まさかこんなでかい奴とは思わんかったから嬉しゅうて、家で飼《こ》うたろ思て持って帰ってん。

　そんで、水槽がないからとりあえずゴミ箱の中身を出して水を入れ、そこに雷魚を放してん。そんで、いつものようにお好みのキャベツ切りの手伝いをしながら、おかんに「飼うてもええやろか？」と聞くと「そんな汚い魚はあかん！」て答え、しゃあないから明日釣ったところへ帰しに行こと思ててん。その夜は、一晩中の土砂降りで、夜中に雷魚を外のゴミ箱に見にいくとまだ元気でおってん。

　次の日曜日の朝、見にいくとゴミ箱のフタがはずれて、十メートルほど向こうに飛んでしもてたから、どないしてんやろ？　と思て、中を覗くと、雷魚がおれへんねん。アレッ？　どこ行ってんやろうと思て探したら、二十メートルぐらい離れた排水溝に虫の息で詰まっててん。きれいな水に入れたら元気ようなるかもしれん、早よ帰したろ思て急いでんけど、その甲斐もなく亡くなってしもてん。

　なんかかわいそうやから、食べて俺の腹の中に入れてもうたろう思て、鉄板に火を入れて、温まるのを待ってたら、いつもの友人が来たんで「お前も食えへんか？」と聞いたら、「食うでぇ！」ってゆうから焼いてん。そのころは、はらわた取ることなんか知らんから、ドブ臭かったけど、とりあえずそのまま焼けた鉄板の上に乗せてん。なんか皮の焦げたような臭いがしてるのを、塩で味付けして最後に醬油をかけて「ほな、俺からいくわ」ゆうて、背中の方の肉をつまんで身をほじくりだしたら、えらい臭いねん。それでも、ええいっと口の中に放り込んだら、口の中にその臭さが充満して、えらいまずうて、ソイツも一口挑戦しよったけど「まずう」ゆうて、吐き出してしまい、雷魚には悪いけど捨てるしかないなあと、ボッサッーとしてると、おかんが「なんや！　臭いなあ」ゆうて降りてきて、鉄板の上で焼かれている雷魚を見て「なにしてんや！　アホか！　鉄板が臭なってしまうやん！」ゆうて、いきなり雷魚をわしづかみにしてゴミ箱に捨てよってん。ほんで「あー、くっさーっ、ほんま、あんたらアホちゃうか」ゆうて、ブツクサいいながら鉄板をゴシゴシ洗とったわ。

そんなこんなで一カ月ぐらい経ったころの夕方、学校から帰り、おかんが呼ぶから行ってみると、キャベツを切りながら「こうやって、毎日毎日、キャベツを何個も切って、お好み焼いて、昼から夜遅うまで店開けて、こんなしんどい思いをしても日に一、二万ほどしか儲けがないから、もうしんどなってきた。なんや、アホらしなってきたから大阪へ帰ろ。この店は、たっちゃんに任すから、あんたも自分の荷物まとめとき」といわれてん。それから一週間も経たんうちに、いきなり大阪に帰ってん。

それは日曜日で初夏らしいポカポカした気持ちのええ日で、手に持てるだけの荷物を持って、残りは運送屋に頼んで電車で十三まで帰ってきてん。家に入るとタンスを覆い隠すように晴則の兄ちゃんの荷物が置かれており、晴則の兄ちゃんは休みのようで、ステレオでガンガンと内藤やす子[5]の「想い出ぼろぼろ」をかけて、曲に入っているようで、内心、ようこんな曲にノれるなあ思てんけど、俺とおかんが三畳間に立ってたら、驚いた様子で「どなしたん？」とボケッーとしてた。

　おかんは晴則の兄ちゃんになにも伝えてなかったらしく、「また、こっちに帰ってくることになったから、早めに荷物まとめて引っ越ししてな」と、引っ越しを強制し、晴則の兄ちゃんは、突然のハプニングに身じろぎもせず、キツネにつつまれたような顔をしとった。それから晴則の兄ちゃんは部屋が見つかる一週間ぐらい車で寝ていたらしいが、結局、近所のアパートに引っ越すこととなり、俺は再び十三の同窓たちと顔を合わすこととなった。

5　内藤やす子は1975年「弟よ」でデビュー。翌年、大ヒットとなった「想い出ぼろぼろ」は13の音楽祭新人賞を受賞した

十三中学一年二組

十三中学への転入手続きのとき、小学校からのツレ[1]たちは、坊主頭で紺のブレザーとグレーのズボン、グリーンのネクタイという俺のいでたちを見ていちびり、大笑いをし、「なんや、出戻ってきたんか。どのクラスになんねん」と興味津々で、「チュチュを俺のクラスに」と、いろんな奴が先生にいちびっていってくれたのがとても嬉しかった。

結局、一年二組の樋口学級となってんけど、よりによって凶一と同じクラスになってしもた。凶一は、なにしろ悪いガキで、しかもムチャクチャでかく、すでに小六で一七五センチぐらいあり、なんや一カ月ぶりに会《お》うたら、さらにもう一まわり大きく見えた。こいつは小学校のときから、親はしばくわ、女はしばくわと、見境のない奴やねんけど、涙もろい一面もあり、しかも演歌好きっちゅう珍しい奴やった。そんな凶一もなぜかカンにだけは頭が上がらんかった。

カンというのは、これまた凶暴な奴で、さらにこれに輪をかけて最凶の親兄弟に子供のころから木刀でしばかれてるため頭がゆがんでおり、ちょっとパーちゃうかと思うね

1　友達

ん。小学生のときから、ワンカップいってるわ、よその小学校に殴り込みに行くわ、先生の給料パクるわ、タバコで校舎にボヤ出すわで、しかもチン毛もワキ毛もボウボウで、妙にマセており、小六で「近所の姉ちゃんいったった」と、童貞きった話を吹聴する強者である。

そして、これまたジャンボなマクとも同じクラスになってん。背は一七〇センチ、体重が一〇〇キロぐらいあって、相撲部屋から勧誘されるような奴で、しょっちゅう部屋にチャンコ食いに行ったりしててん。これがちょっと変態入ってて、小学校のころから、センズリはコンニャクがええとか、しびれフグ[2]はどうとか論評しておった。

いまから思うと、なんちゅうガキやねんという奴らと再会し、新中学生のスタートである。

十三に帰ってきて早々、クラブに入るのもかったるいので、以前世話になってた新聞屋で朝刊だけ配達を始めてん。そこにはタンタンというヒバゴン[3]のような顔をした、南方[4]の同級生もいたが、コイツはなんかキショウ[5]て好かん奴やった。

朝四時に新聞屋に行き、自分の担当分に折り込みを入れる作業をし、それから配達をするという毎日やった。雨の日は新聞が濡れて嫌で嫌で、これに風でも吹いた日には、配って戻るとチャリキがこけてて新聞がビショ濡れで、仕方なしに濡れたままの新聞を

2　魚のフグを模した男性用の大人のオモチャ。口の部分に性器を挿入して使用

3　1970 年、広島県の比婆山で初めて目撃された類人猿に似た正体不明の動物。体長 1.5 ～ 1.8 メートル、足の大きさは 27 ～ 30 センチで、顔は逆三角形

ポストに放り込んでいた。

それと月末に集金と月に一度ほど勧誘があんねんけど、子供の俺としては、その勧誘は得意分野で、「お母ちゃんが病気で新聞とってきたらお金になるから……」と、うつむいて殺し文句をいえば、かなりの確率で契約してくれてん。そんなドラマのような話で新聞をとってくれた親切な方々にはいまでも感謝しております。

しかし、ある日たまたま民生委員さんとこで、いつもの泣き落としをしてしまい、住所を聞かれて子供やから素直に答えたため、俺の留守中に民生委員さんが家に来たらしく、おかんに「あんた誰にでも住所教えんな！」いわれてん。最初なんのことかわからず、「へっ？ 記憶にございません[6]」といったら「外でアホみたいなこといわんとって！カッコ悪いわ」と怒られたもんで、住所を聞かれた家に行ってみると「十三区民生委員」と小さな表札がかかっており、勉強になりましたと拝ませてもらったのである。

このころ巷ではスケボーが流行っていた。いまあるものとは全然違う形で、単にプラスチックの板にコマが付けてあるようなもんで、俺も駅前の〈ニチイ〉で三千円ぐらいの黄色い板のを買って、毎晩道でやってるうちに結構上手くなって、逆立ちしたり一回転したりいろんなことができててん。

近所で一コ上のハッカとよう遊んでてんけど、夜はゲームセンターに行ってコイン部

4　十三の隣町で“がた”と略して呼ばれることもある。ホテトルのメッカ
5　気色悪いこと

屋に入り、コインやコイン券、ジュース券をペチったり[7]、スロットマシンの下の反対側にまわってマイナスドライバーでこじるとコインを受けるポリバケツが出てきて、そこから山のようにコインをペチって、競馬ゲームをして家に帰んねん。ほんでペチったコインを百枚単位でセロテープで巻いて遊びに来ている奴らに安く売んねん。それとインベーダーゲーム[8]の硬貨の投入口にテニスのガットを突っ込み、99ゲームまで上げて人に売ったりとか。

そうやって、好きな服買うたり、パチンコ行ったり、シンナー買うたりしててんけど、そのうちゲーム屋でも面が割れてきて、店員に見つかりどつかれまくったりして、そのどつきかたが、またエグく、そこのオッサンは「人間トンカチ」と呼ばれ、柄が一メートル以上ある木槌を持ってて、いきなりしばき、そうやってゆわした[9]人間の顔に墨汁で「私は悪い子です」と書いて商店街に立たしよんねん。

そんで十三では、でけへんようになってもうて、梅田や千里中央などに遠征しててんけど、そんなんがアホらしなってきて、ゲームをやめて直接パクるようになっていったのである。

そのうち新聞屋にカンが入り、ミキオが入って、中一の夏にはおかんの交遊関係とかが鬱陶しゅうて家出をしてたん。

6　ロッキード事件で証人喚問をうけた国際興業の小佐野賢治、伊藤宏専務、全日空の若狭得治社長らが「記憶にございません」を連発。流行語となった
7　盗む

新聞屋の二階にある専業員の寮で寝泊まりをすることとなり、やがてカンとツルむことが多くなってきて、毎朝配達が終わると「ほなモーニング行こうかあ」と、どちらともなく声をかけてパンと牛乳をペチリにいくねん。

この当時は、どこのパン屋でも朝早うから、店は閉まってんのにプラスチックのケースに入ったパンが、どうぞ持っていってくださいといわんばかりに外に置いてあるから、貧乏人のコセガレのピラニア軍団としては放っておくことができず、ついついいってしまうねん。

ほんでバレてもうたら置いてくれへんようになるから、十三、木川、西中島のすべてのパン屋を網羅し、ローテーションを組んで、方々に出没する「さすらいのモーニング野郎ども」となんねん。

ここにドン臭いミキオとタンタンが加わったら、これまたすごく、アイツらウエハースみたいなんに挟まれたパンとかコッペパン六本入とか持って帰ってきよんねん。

あるとき、タンタンと「デザート行こうかあ」ということとなり、アイスクリームの機械を外に置いてて鍵かけへん店に行ってん。

その店は、道路より七、八十センチくらい高いところにあり、もちろんアイスクリームの機械もそこにあるので、トントンと三、四段の石段を上り、上に被せてあるブリキ

8　1978年に登場した。宇宙からの侵略者をミサイルで撃破するテレビゲーム。翌年以降、ゲームセンターや喫茶店で大ブームとなる
9　痛めつける

でできたアイスの機械のカバーを外して、中のアイスをパクんねん。

ほんでタンタンに「人がけえへんか見とってくれ」といって、ブリキのカバーを外しとってん。これが薄いブリキ板やからフニャフニャで、外すときに「ブルン」といって大きな音が鳴りよんねん。その音でちょっとビビったけど、大丈夫やろ、とりあえず持てるだけ持ってチャリキのカゴに入れといたらええわと思い、手ぇ伸ばしたら、いきなり「コラッー！」ちゅうて店のドアが開いてん。

驚いて逃げようとしたら、そんとき道路脇にある溝の角にニードロップ状態で落ちてもおてん。メチャメチャ痛おて、のたうちまわっとったら、オッサンが近づいて来よるんで、慌てて走っててちょっと先に止めてあるサンケイ号に飛び乗って逃げてん。

新聞屋へ帰ると、タンタンがいたけど、それどころやないんで、カンにいきさつを話しながらズボンをめくりあげて見ると、膝の皿のところがメチャメチャ腫れとってん。カンが他人事のように「こら皿がいってもうてるかもしれんぞ。医者行ってきた方がいいんとちゃうか」ゆうけど、「アホか、こんなもん、ほっといたら治るわい。そんなことより、こら、トンコかます[10]んやったら、トンコかますゆうてから逃げえよ」といって、タンタンのヒバゴンのような頭を叩いてん。タンタンは情けなさそうな声を出して「悪かったと思てるけど、あんな大きな音出すから怖なってんやん」とゆうてん。するとカ

10 逃げる。トンズラ

ンが「グチャグチャいわんでええんじゃい。お前がトンコかませえんかったら、マーの足はこんなんなってへんのじゃあ」といって再びヒバゴンの頭を叩き、ヒバゴンはみんなから総スカンであった。

そして当然の如く、そのパン屋のアイスの機械には翌朝からきっちりと南京錠がかまされており、俺は一週間ほど歩くのもつらく、足を引き摺りながら新聞配達をしていた。

ミキオは第四住宅近くの鉄クズ屋の息子で、空き缶や鉄クズ、スクラップを拾ってきたり、かっぱらってきたりしてシャッターを作ることをいつも自慢していた。そのミキオが自慢気な顔してパンをようけペチって来たことがあった。カンにはそれが癪に障ったらしく、[11]「宮下さんちのミキオ君、このごろ少し変ねぇ、どうしたのかなぁー」とか[12]「星は何でも知っている、ミキオがパンを取ったのもぉ」などと替え歌にして、いちびっとった。

このころ、ジャージやウインドブレーカーが流行っていた。しかし当時のジャージといえば、アディダスかプーマしかなく、中でも上下で一万二〇〇〇円する、黒い生地にオレンジや赤、白などの三本のラインが埋め込まれたアディダスのが憧れの的であった。上下八九〇〇円の、三本ラインの生地を張り付けたのはみんな着ていたが、一万二〇〇〇円のは中坊には手が届かないようで、あまり着る者がいなかった。

11　1976年に大ヒットした「山口さんちのツトム君」の替え歌。「およげ！たいやきくん」の大ヒットを受け、家族で歌えるコミックソングに注目が集まり、この曲はレコード会社11社の競作となった。作詞・作曲みなみらんぼうそれがほしくて、カンと〈ダイエー三国店〉に行くこととなった。

店内を物色すると目当ての品物があったので、サイズを見て一着ずつ頂くことにしてん。しかし、うろちょろするうちに何人かの人間からチェックされているように感じたので、カンに「私服っぽいぞ」というたけど、カンは「関係あるかい。しばいたったらええんじゃっ」ちゅうて、品物を腹ん中に入れるもんで、俺も腹ん中へ入れて、素知らぬ顔して出て行こうとすると、私服二人が現れ「ちょっと、こっちへ来い」と腕をつかまれた。

カンは上手いこと走って逃げたけど、俺はオッサンたちに捕まってしまい、「こら、なにさらしとんねん。放せや！」ゆうて、いくらもがいて暴れても、大人二人の力にかかってはどうにもならず、しかしそこへカンが「うりゃあ」といって戻ってきて、一人にラリアート[13]をくらわし、もう一人の顔面にパンチをめりこませ、オッサン二人がひるんだ隙に、思いっきり走って逃げてん。

逃げ切ったところでカンに「あんなもんはビビった時点で負けや！　堂々とパクったたらえんじゃ！」と説教をされ、戦利品のアディダスのジャージをカンのサンケイ号のカゴに放り込み、二ケツをして新聞屋へ帰った。

カンは無免許やねんけど、なぜか配達のときも普段も登下校も、新聞屋のカブに乗っ

12　1978年の大ヒット曲、「星は何でも知っている」が元ネタ。ロカビリー3人男の1人・平尾昌晃が初めて歌ったオリジナル曲。作詞・水島哲、作曲・津々美洋

ていた。サンケイ号はカンの手足のようになっていた。

ある日の下校時、校門のところで、えらいガラの悪い奴らがチェーンや鉄パイプを持ってなにかわめいていた。二コ上の先輩に「出てこい」といってるみたいやねんけど、その先輩がなかなか出て行かんもんやから、そこらでクラブ活動をしている奴らを適当にターゲットにしてグラウンド中を追っかけまわして、しばきだしよってん。隣の淀ブス[14]の女連中も含め、二十人ぐらいいたと思う。俺はゴンタ[15]な先輩たちはどないしてんやろうと思いながら、おもろそうやからグラウンドの端で見物をしていた。

そこに現れたのが我らが担任の樋口先生である。体育教師で陸上部の顧問なのであるが、初対面で「君の入る一年二組の担任の樋口です」と自己紹介されたとき、その絵に描いたような体育教師らしいガタイとさわやかな微笑に、ええ先生のクラスに入ったと喜んだものであるが、その考えは、このときを境に変わってしまった。でもしびれたなあ〜。樋口先生はガラの悪い連中を前に突然、鬼のような形相となり「ワレらわしの学校でなにさらしとんじゃい！」と叫ぶやいなやチェーンや鉄パイプなど関係あるかいという感じで、投げるわ、まわし蹴るわとアッという間に二十人ほどの人間をしばき倒し、グラウンドのド真ん中に奴らを正座させ「ワレら、どこのもんじゃい！」と説教をこいていた。俺はその一部始終を見て、この鬼教師には、決して逆らうまいと誓いをたてた。

13 ウェスタン・ラリアート。プロレスラーのスタン・ハンセンの得意技
14 淀川女子高校
15 不良

いまでも樋口先生には頭が上がらんけど、こんないい先生がもっとたくさんいれば、イジメや自殺の数ももっと少ないであろうに、と思います。

中学二年は万引き三昧

二年となり、クラス替えがあり、また知らんかったおもろい奴らとの出会いがあった。また、このぐらいの歳になると、みんなオシャレに気をつかうようになった。坊主であった俺の髪も、やっと皆と同じぐらいの長さに伸び、やれアイパーだのパンチだの、シミケンカット[1]だのと髪形から、制服やカバン、普段着のことなど、あれやこれやとゆうようになった。

当時、既製の変型ズボンは、繊維の問屋街である新大阪のセンイシティなんかに行くと、ゴクスト、ボンタン、ゴケハン、エントツ、スリム、他にスマートストレートなど、けったいな名前の付いたものもあった。ゴクスト、ボンタン、ゴケハン、エントツはそれぞれ腿巾が三十三センチ、三十五センチ、三十八センチの三種類。簡単に説明すると、すべて腿巾と裾巾の差で名前を変えており、ゴクストが十センチ、ボンタンが十五センチ、ゴケハンが二十センチ、エントツが五センチという感じです。

兄貴や仲のええ先輩がいる奴は、お古を譲り受けたり、安く売ってもろたりしてたけ

1　1976 年に「失恋レストラン」で歌手デビューし、レコード大賞新人賞などを獲得した清水健太郎のヘアスタイル。パンチパーマを前に巻いたもの

ど、俺はそんなんいややったから、とりあえずカンと一緒に買いに行ってん。

センイシティは結構大きく、そん中でも制服を売っているとこはかなりあって、そこで一番大きい店に行ってん。その店はほんまに大きく、百メートル四方ぐらいのところに長ラン、洋ランをはじめ、ありとあらゆる既製の制服が置かれ、壁にはドリフターズのジャンボマックス[2]が着るような、バカでかい制服が張り付けてあった。

俺は、なんじゃやかんじゃと悩んだ挙げ句、無難な三十五センチのゴクスト、カンは怖れ多くもいきなり三十八センチでハイウエストのエントツを買いよった。

カンに「これ目立つでぇ。けど、先輩らにも目ぇつけられんぞ」というと、「ほんなもん関係あるかいっ。俺が何着ようが俺の勝手じゃいっ」と意気盛んであった。

帰り道は、カンと「あんなけ広い店であんだけしか店員がおらんからパクリ放題やのぉ」などといいながら、新しいターゲットを得て、また遊びに行こうとウキウキした気分であった。

帰って夕刊の配達を済ませ、西中島駅前の〈マルエー〉に食料を調達しに行った。この時間は人でごった返しており、店員も血眼になって仕事をしているから堂々とパクれんねん。買い物カゴに好きなものをジャンジャンつめて、素知らぬ顔してレジ横の通路を抜け袋詰めの台へ行くか、入り口付近まで戻り、ちょっと横に移動すると袋詰めの台

2　ドリフターズの人気番組「8時だョ！全員集合」のコントのオチとして登場していた、身長約3メートルの人形。これ以外の番組にも出演していた

があるので、そこへ行くかして、大きな顔して袋詰めして帰んねんけど――当時はいまみたいにレジで大きな袋をくれるのではなく、袋詰めの台にすべての袋が置いてあった――それにキウイやマンゴを箱ごといただいていくねん。

そのころキウイやマンゴは高く、とくにキウイは五〇〇円ぐらいした。キウイを最初見たときはなんじゃこりゃと思い、しかしフルーツ売り場にあるから果物やろ、とりあえず初もんやから、いてもうたろということで持って帰ってん。ほんで食い方がわからんもんで、丸ごと食ってはみるものの皮が硬く、皮は食えんのやとわかってん。いままでにない奇妙な味で、それに当時はいまみたいにジュクジュクしてるのはなく、硬いのばかりやったから、食い過ぎると舌がシビレてまいよんねん。

というわけでキウイにとりつかれて、〈マルエー〉に行ったら、とりあえずキウイいっとこかいう感じでもろてててん。

制服を買いに行ってから一週間ほどして、案の定、カンが先輩に呼び出された。しかしその先輩もカンのことを一日置いてたらしく、何発かどつかれたようやけど和解して、カンはその後も気にせず、ハイウエ・サンパチのエントツをはいとった。

そんである日、カンと当時流行ったシルヴェスター・スタローンの『ロッキー』を見にいってんけど、こんときがまたメチャカッコ悪いねん。カンの他は誰が行ったか忘れてしもたけど、四、五人で行ってん。最初はええ調子で見ててんけど、終わりごろロッキーが黒人ボクサーと戦うシーンになるとカンはベリーエキサイトしてもうて、立ち上がってスクリーンの中のエイドリアン[3]と一緒に「ロッキーいてまえ、ロッキーなにやっとんじゃ、ゆわさんかいっ！」とわめきちらし、まわりの客から「うるさい」とか「座れ」と怒鳴られ、お菓子を投げつけられても、映画に入り込み、黒人ボクサーに対し、「こら、ワレなにさらしとんじゃあ！　ちょっとこっち来い、ゆわしてもうたる」と、隣で座ってると、ほんま幸せな奴ちゃと思うほど、クレイジー化しており、ラストのロッキーが「エイドリアーン」と叫ぶシーンとなり、やっと静かになったかと思い、ふとカンを見ると、しわくちゃ顔で涙をポロポロ流して「よかった。よかった」と独り言ゆうとんねん。アホクサと思てんけど、ほんまにカンは『ロッキー』にはいたく感動したらしく、劇場だけでも五回は見、ビデオが出たとたんに買って、四、五十回は見たらしく、シリーズ4までをプラスすると百回はくだらんほど見ている脳なし野郎です。

　そんで映画館から出ると、俺らよかなんぼか上の奴らに「お前ら、えらいうるさかったのぉ、おかげで映画がちゃんと見れんかったやんけ」とイチャモンつけられ、映画館の中ですでにロッキー化、クレイジー化していたカンは、相手が言葉を吐き終わると同時にジャブを繰り出し、華麗なるステップを踏んでいた。あ〜あ、五十メートル先は曾

3　エイドリアンはロッキーの親友ポーリーの妹。シリーズ１作目でロッキーの恋人になり、シリーズ第２作目で妻になる

根崎署やいうのにようやってくれるで、このロッキー・カンと思いながら、みんなも参戦し、映画館の人が止めに来るまで相手をボコボコにし、一目散で逃げたのである。相手もガキや思てナメてきよってんやろうけど、とんだ計算違いやったのお、いう感じですわ。

数日後、同じクラスになったセッキンが制服を買いに行くというので、こないだの下見の成果を……と思て付き合った。

セッキンは、クリスチャンでエホバの商人とかいう、死んでも他人の血はもらわんし、与えんという、わけのわからん宗教を信仰している両親に育てられ、いまではセッキンも赤十字を敵にまわす、敬虔な非献血のクリスチャンである。

そんときは、とりあえず替えのズボン一本でええから、いてもうたろう思て、大きめのジャンパーを着て行ってんけど、それが正解で、とりあえず一本余分に持ったことを店員にわからさんようにして、試着室に二、三本持って入って、一本を腹にしまうねん。これが上手いこといき、セッキンはズボンを買いその店をあとにしてん。

ほんでセンイシティの出口近くにある靴屋にええ靴があったから、俺は自分のボロ靴と交換して帰ってん。

あとで陳列棚に置かれた俺のボロ靴に気づいた店員は「なんじゃこりゃ、やられてもうた！」と、はらわたが煮えくり返るか、腹を抱えて笑い転げるかどっちかやったと思う。なんといっても新聞配達で鍛えに鍛え抜かれたボロ靴やから、そんじょそこらでは見ることがないくらい汚く、そして臭いねん。

おかんの健康保険

二年になってから、おかんの体調が悪いちゅうことで家に帰っててん。

おかんは胃が悪いようで、胃カメラを通して調べてもろたところ、一〇円玉くらいの潰瘍があるらしく、酒、タバコ、コーヒーをやめなあかんようで、そいでも気丈なおかんは「胃潰瘍ぐらいで、いちいちやめてられるか」と以前と変わらず、タバコはハイライトを毎日二箱、コーヒーはブラックで四、五杯、酒は仕事から帰ってチューハイを二、三杯必ずやっていた。

チューハイを飲んでるときのおかんは、ほんまにたまらず、夜中の一時、二時に帰ってからコップに氷を入れて、俺の枕元でカランカランと音をたてて飲みよるから、うるさいのおっちゅう感じで目が覚めてしまうねん。見ると必ず声を殺してシクシクと涙流しとおるから、このオバハン、泣いてるとこ俺に見てもらいとうて、わざと何度も大振りでコップを揺らしカランカランゆわしよったなと思て、「おかん、うるさいんじゃ！飲んで涙流しとったら、チューハイがもったいないやんけ。それに氷入れてカランカラン鳴らすな！」ゆうて、また寝てん。

ひどいときは、「マーちゃん」とかゆうて俺の顔の上に涙たらして、人の顔をベチョベチョにしよる。ほんで小六のときに寝ぼけたふりして「うるさいんじゃあ」ゆうてパンチを繰り出したら、それがまともに顔面を捉えたらしく、次の日、青タンを作っており、「おかん、どないしてん？」て聞いたら、怒った顔で「ゆうベケンカしてる夢でも見たんか、お母ちゃんがあんたの顔覗き込んだら寝ぼけていきなりどつかれたんや」といわれ、どうかバレませんように、と神さんに祈っててん。

おかんは、ほんまわけのわからん女で、俺が小三のとき、夜に泣きながら叩き起こしよるから、なんかなあと思たら、いきなりシャクリあげながら、「マーちゃん、おかあちゃんと一緒にガス管くわえて死の。おかあちゃん、もう疲れた。あんたを育てんのも自分が生きてくのも疲れたから一緒に死んでぇ」とかいいよるから、このオバハン、ゆうに事欠いてなにぬかしてけつかんねん。キレかけとんのか思て、「アホか、なんで俺がおかんと一緒に死ななあかんねん。死ぬんやったら一人で死ね、ボケッ」といって、ガス管引っ張ってきたったら冷静になったらしく、「アホか、お前はぁ〜」と夜中やいうのにわめき散らしてビンタ食らわしよってん。頭の芯からジーンとして、ほっぺたはジンジンしよるし、なんで俺がどつかれなあかんねん、ほんまこのオバハンだけはよういわんでぇ思て、相手にしとったら、またいつどつかれるかわからんから、さっさと寝てん。

これは最近わかってたんけど、おかんは自分を捨てた亭主の顔に似た俺の顔にビンタを食らわすとス〜ッとするんで、ようどついとったらしく、こないだ「あんたが子供のときは悪かったなぁ」と笑いながら謝ってたてん。

そんなおかんが胃潰瘍ごときで、酒、タバコ、コーヒーを止めるわけはなく、しかし突然痛みが襲ってくるらしく、急に「いたたたたたたぁ」といっては、鉄棒と鉄板ででてきた物置をつかんで歯をギリギリいわしよんねん。こっちとしたら怖いから「おかん、救急車呼ぼかぁ」ゆうても、「アホか、救急車呼んだら、金なんぼかかると思てんねん。それに救急車が来たら近所の人にカッコ悪いやん。健康保険がないから医者代かかるし、保険証作って自分で行くから放っといて」ゆうて、痛みが引いたらケロッとして「あ〜痛かった。マーちゃん、これ見てみ、こんなに脂汗が出よったわ。こんなけ痛かったんやなあ。脂汗ゆうだけあって、普通の汗と違《ちご》て、なんかネチョネチョしてるわぁ」と、ヘンに自分で納得する母であった。

けど、これが毎日一回はあって、あるとき、ええい鬱陶しいと思て、救急車呼んでもうたってん。すると、えらい怒りながら痛がって、救急車の人が家に来たら、「すんません、救急車呼んだらえらい金かかるゆうて聞きますけど、なんぼするんでっか？　あんまり高いようやったら迷惑かけてすんまへんけど、帰ってください。わたい、歩いて行きますよってに」と聞いてん。ほんで救急車の人が、「救急車は国民の税金でまかのうてますので無料です」とゆうたとたん、いままでの痛みを忘れたかのように、「そうですのん。ほな、行きましょうか」ゆうて、一緒に歩いて出ていきよってん。

俺もついて行ったら、近所の人がぎょうさん出てきて、おかんには「吉永さん、どないしはったん？」と、俺には「おかあちゃん、どないしたんや？」と、ほんまようけの人に聞かれ、おかんは必死こいて、「息子が呼んでしもて、ほんまカッコ悪いわぁ」ゆうて、一生懸命言い訳しとった。

救急車に乗っても、「見てみぃ。あんなけ、ぎょうさんの人に見られてほんまにカッコ悪いわぁ。この子だけは、よういわんわぁ」と小言をいってんのか、救急車の人にゆうてんのかわからんけど、ともかく十三市民病院に入院することとなった。

俺はおかんに「あんたようおぼえときや、帰ったらバシバシにしたるからなぁ！　それとおかあちゃんの着替え持ってきてちょうだい」といわれ、着替えを取りに帰り、渡して帰ろうとしたら、「保険がなかったら高くつくから、明日区役所行って、保険作ってきて。保険ができてくるまで病院の方はごまかしておくから。母子家庭やからすぐ作ってくれると思うから。それと今日入院してんから、今日の日付で作ってや」いわれて一万円を渡されてん。

そんで次の日、区役所行って「おかんが胃潰瘍で入院したから、保険作ってくれ」ゆうたら、住所や住民票や収入のことやら、おとんのことやら、いろいろ聞かれて、それで当時、俺とおかんで三六〇〇円ぐらいやったと思うねんけど、それを払って、日付のことゆうたら、後日郵便で届くからといわれ、その旨をおかんに伝えに行ってん。

おかんはそれを聞くとたいそう得意になって、「ほれ見てみい、私のゆうた通りやろ」ゆうて、こっちがアホちゃうか思うぐらい子供みたいな顔をして喜んどった。それからは、それで味を占めたらしく、病気になったときに作ればいいということで、いまも健康保険には入っていない。

イボガエルとケンカ

数日後、今度はモモンガが制服を買いにいくとゆうから、なにかいてもうたろ思てセンイシティに付き合《お》うてん。

モモンガは第四住宅に住む、貧乏人のコセガレで、顔はけっこう男前やねんけど、背が低くて毛深く、野球部やけど補欠で、女からもてへん奴やねん。モモンガとは、授業中、先生にあてられて「ムササビ」という答えやのに「モモンガ[1]」と大声で自慢げに答えたことからついたあだ名で、本人もごっつう気に入り、しょっちゅう「モモンガァ〜！モモンガァー！」と叫んでるもんで、その名は決定的なものとなった。

センイシティではモモンガがズボンを買い、俺はマネキンに被せてあった野球帽をもろて、帰ろうとチャリキのところに向かった。いつも、チャリキは万が一のときのために少し離れたところに止めてあった。途中、ガラの悪そうな五人連れの学生服の男に声をかけられた。

その声をかけてきた男が、これまたエゲツナイ顔で、まるでイボガエルをそのまま将

1　飛膜を持ち、滑空することができるリス科の動物で、ムササビよりも小型のもの（ムササビは体長約40センチ、モモンガは約15センチ）。日本にはエゾモモンガとニホンモモンガがの2種類が生息

棋盤に転写したみたいな角張った顔しとおんねん。ソイツらの制服の襟章が東淀となっており、巷でセンイシティに行くと東淀工業の奴らがカツアゲしてきよるという噂を耳にしていたから、それかなと思ったら、案の定、「金かしてくれへんけ？」と来よった。

モモンガはビビってしまい、「千円くらいなら」といって金を出し、俺も怖かったもんで早くその場を立ち去ろうと、「ほな行こか」とモモンガを促し、行きかけてんけど、「ちょっと待たれや！　そっちの兄ちゃんにも、金借してほしいなぁ」といわれてん。ほんまに金を持ってなかったんで、「すんません。ありませんねん」と答えると、イボガエルは「なに寝言こいとおんねん」いい、「ちょう、お前調べてみい」と子分みたいな奴に命令しよってん。いわれた奴が、ポケットに手ぇ突っ込んできよってんけど、そのとき俺は勘違いして、「なに、人のチンコ触りにくるんじゃあ〜」といって、いきなりどついてしもうてん。

それで五対二でケンカの始まりとなんねんけど、相手は高校生やからでかいし、しかも五人やから、ええ感じで負けてしまうねん。ほんで、単に負けるのも癪に障るんで、とりあえず逃げるふりして、握りこぶしの二倍ぐらいの大きさの石拾て、それでどつきまわしたってん。そないしてるうちに大人が「なにやっとんじゃあ」と止めに来て、相手が逃げようとするんで、最後の一撃じゃあと思いっきり蹴り上げたら、車対策で角に埋め込んである岩を蹴って転んでもうてん。

オッサンに「大丈夫やったか」と声をかけられたけど、それどころやなく、「イッタア」と叫んで転げまわってた。ちょっと落ち着いて起きあがると、爪先がなんやヌルヌルするから靴脱いでみると、血だらけになっていて、どないなってんねん思て、靴下脱いだら、右足の人差し指の爪が割れて剝がれててん。左足指にも激痛が走るもんで、靴脱いだら血がにじんでて、アレッと思て靴下脱いでみるとこっちは爪が割れているだけやったけど、薬指と小指の二本もいってもうててん。エキサイトして蹴り上げてるときになったんやろうけど、履いてたんが当時流行ってた月星のブラバス[2]で、これが薄い靴なんで、それでいってもうたんやろなあ思て、痛いの我慢しながらチャリキに乗って家に帰っててん。

そのころは、おかんが胃潰瘍で入院したからオバアが見舞いに来ててん。そこに俺が機嫌悪く帰って、しかも足が血だらけやから、「どないしたんじゃ」と岡山弁で尋ねてきてん。気色悪がったらあかんと思て、「ケンカしてん」とだけいって、奥の部屋に行って襖閉めてん。

それで靴下脱いでオキシフル塗ったら、痛おて痛おて、そんで痛みに悶えながらオバアに、「近所の薬局行って、薬買うてきて」と頼んだら、「いやじゃ」といわれ、「頼む

2 1970年代に発売されたメンズカジュアルシューズ。現在も変わらぬスタイルで根強い人気を誇る

から、薬買うてきてぇや」「いやじゃっちゃ」「歩かれへんから頼むわ」「たいぎいでいやじゃ」と何度も押し問答しているうちに、なんじゃあ、このババア、孫がこんなに血だらけになって痛がっとおんのに、こんなけ頼んでんのにと、だんだん腹が立ってきて、「ガタガタぬかさんと買うてこいゆうたら買うてこい、このクソババァ」といって、襖を蹴ってもてん。そしたらなんやしらん襖がきれいに外れて飛んでいって座っていたオバアをぶち倒したもんやから、オバアが慌てふためいて、「ヒィエ〜、このクサレ外道は、なんちゅう孫や。ほんに極道息子や。極道クサレ息子や。ほんに極道の子は極道の子や。これじゃ節[3]がかわいそうや。わしがここにおったら殺されるぅ〜」といって、ピューッと風の又三郎のようにトンコかましてまいよってん。

しゃあないから足引き摺りながらながら近所の薬局行って、薬塗って包帯巻いて、ふて寝してん。

3　節子。チュチュの母親

パクリの師匠ウエッチ

　このころは、俺の人生で最大のパクリ期で、なんでもかんでもパクってきては売りさばき、たまに注文とったりして受注品をパクリに行ったりしていた。

　俺にはウエッチと呼ばれるパクリの師匠がいて、コイツは並外れたパクリ道の持ち主である。

　しかし奴には、また別の顔があり、一言でいい表すならば「超変態」である。その証拠として奴は「スキスキ手帳」なるものを持っている。これは読んで字の如く好きなことばかりをメモった手帳で、そこには細かい字で、男ならほしがるであろう情報が膨大な量で記されている。

　同学年の女子の誕生日はぶっさいくな奴を除いてほぼ全員。それにプラスして一級下のかわいい女、そしてどうやって調べたか定かではないが、そいつらの生理日、生理周期まで書かれていた。

　そして日記として、日々の変態行為が記録されていた。誰それの乳を揉んだ記録（柔らかかった、硬かった、大きかった、ノーブラであった、乳首が立っていた、など)。誰それのスカートをめくった記録(パンティの色)。誰それのパンティに手を突っ込んだ(陰毛の濃い薄い、土手の高低、他)。誰それのケツを触った記録(その形)。他には誰それに自分のペニスを押しつけただの、握らせただの、上級生下級生に関係なく、犬が電信柱にションベンを引っかけるように、自分の手の感触だけを頼りに、実体験をそのまま記してあった。

それに非常に几帳面な奴なので、誰それに五〇円貸した、返してもらった、誰それに一円もろた、などビックリするほど事細かに書かれており、「ほんま、いっとおんのぉ」と溜息つくしかないお人なのである。

その上、お金のためならなんでもありのお人であった。チョコレートなど甘いものが大好きで、とくに当時流行ったセコイヤチョコレート[1]なんかは大好物で、それにションベンをかけて「ウェッチ、五円やるからコレ食うてくれっ」ちゅうと、「うっそぉ、五円もくれんのぉ〜ん」ゆうて、顔をニタつかせて食べてしまう。

あるときなど、コーヒー牛乳が半分ほど入ったビンの残り半分にションベンを入れ、コーヒー牛乳とションベンのハーフ&ハーフを作り「一〇円やるから飲んでみい」ゆうたら、いっぺん臭いを嗅いでウッとなりながら「こら一〇円ぐらいはでけんでぇ。殺生

1 フルタ製菓より発売のスナックチョコ。名前の由来は北アメリカ大陸に分布する、世界最大の樹木 Sequoia の木。セコイヤチョコを食べてセコイアの木のように大きく育ってほしいという願いが込められているという

やわ〜」ゆうので、二〇円、三〇円と吊り上げていき、四五円のところで「うっそぉ〜四五円もくれるんやったら飲むわぁ」ゆうて、一気に飲んでしまいよった。

しまいにエスカレートして、セコイヤチョコにウンコ乗っけて「これ食うたら一〇〇円や」ゆうてもやってくれず、吊り上げられて「一九〇円でどうや！」ゆうたらセコイアチョコのウンコのせ食うてまいよってん。

ほんま、この人にだけは頭下がるわ、というようなお人なんやけど、こんなウエッチでも恋をすることがあり、でも、ウエッチはウエッチなりの独特な愛情表現をしていた。同級でバレー部の女が好きやってんけど、「ヨシコはん、ヨシコはん」ゆうて、こんな変態に付きまとわれる女はたまらんやろうけど、とにかく付きまとい、家族構成から、家にヨシコはんがおる時間、塾などで出ている時間から入浴時間までチェックしていた。

ある日、ウエッチに「ヨシコはんの入浴シーンを見にいくから付き合《お》うてくれ」と頼まれ付き合うてん。路地を入っていくと、夏やったから窓が五センチほど開いて、そこから湯気がモクモクと出ており、誰かが入浴中に違いなく、ウエッチに「誰か入っとおるぞ」ゆうたら、「この時間は、ヨシコはんのお父さんや。次がヨシコはんやねん」ゆうから、オッサンの裸見てもしゃあないのぉ思て、次に誰かが入ってくんのんを待っててん。

オッサンが出ていって、誰かが入ってきて、湯かけをする音がして、ウエッチが「チュチュ、たぶんヨシコはんやと思うねんけど、先に見てくれへんか」ゆうんで、ソーッと窓の隙間に目を近づけてん。ほんなら、演歌のような鼻歌が聞こえてきて、それが石川さゆりの「津軽海峡冬景色」で、アイツ、石川さゆりなんか好きなんや思て覗いてみると、なんか髪の長い女が頭を洗ってて、アレ？　ヨシコはあんなに髪長かったかなぁ、えらい太って腹がダブついとるのぉと思ったときに、ハッと、ヨシコのおかんやと気づき、ちょっと佇んでしまっていると、目と目が合うてしまい「キャーッ」ゆうて湯をかけられてん。

慌ててウエッチと一緒にトンコかまして、ウエッチが「もう、二度と覗かれへんようになってしもたやん」と泣きベソをかいていいよるから、「アホかい。ウエッチがヨシコいうから見たら、おかんの方やから呆然としてもうたんや。そんでも、ウエッチすまんなぁ」ゆうて、この日は別れてん。

そんで数日後、またウエッチが「ヨシコはんのシミ付き臭い付きのパンティがほしいねん」といい出した。ウエッチは洗濯後のヨシコのパンティは何枚か持っていて、それをズリネタにしていたらしいけど、このごろそれも飽きたらしく、付き合うてくれゆうから、再び付き合うこととなってん。

ウエッチ調査の結果、ヨシコのおかんが、パートから帰ってきて家の空気の入れ換えをして、買い物に出かけたときは窓の鍵はかかっておらず、それと前後して妹が帰ってくるから、妹が帰ってくる前にいただこうということになってん。妹が戻ってもダッシュして逃げたらええわと思て、パクリにいってん。ウエッチは、ヨシコの家の中のこともよく知っており、俺が見張っている五分ほどで、とりあえず洗濯カゴの中に入っているパンティを全部盗ってきて、公園に行って形と柄と臭いを嗅ぎながら選別し、おばさん臭いおかんのと、子供っぽい妹のを捨てて、ヨシコとヨシコの姉ちゃんの分だけ「これもろうとこ」といって、目印をつけた木の根元に埋めよった。

そんなウエッチの家はとても厳しく、両親共に教師で、とくにおかんは教育ママで、家にパンティを隠してて、万が一見つかったらということで、エロ本からパンティ、しびれフグなど、性に関するものはすべて、お菓子のカンカンに入れてこの木の根元に埋めとおんねん。

と、ウエッチの変態話が長くなってしもたけど、彼はきちんと部活にも出る野球少年である。頭も坊主やし。ただ超変態で銭ゲバ、そして手癖が悪いだけのことである。

このころ、淀屋橋にある〈美津濃本店〉によく世話になっていた。御堂筋線の西中島南方駅から一本で淀屋橋に行くねん。

そこでのウエッチのパクリ方といえば、心臓に毛が生えていると思えるぐらい大胆で、カバンは一切持たず、大物ばかりを狙う。自分が野球部やから、手袋やアンダーシャツ、帽子、ユニホームは勿論のこと、グローブやバットまで、腹の中へ入れて持ち帰る。〈美津濃本店〉に着くと、店員のかく乱のため、一人ずつになって、みんなが銘々自分のほしいものや受注品をパクリに行って、適当な時間に出てきて、近くの中之島公園で落ち合うねん。

この日の俺は頼まれたプーマやアディダスのスポーツバッグとジャージを腹にしまい、ウエッチはなんとブルーワーカー[2]を腹にしもうて、公園に来よった。来たときには、嬉しそうな顔をして、右膝上ぐらいから胸あたりまでがブルーワーカーで太くなっており、「チンコがえらいごっつうなってもうたわあ」ゆうて歩いてきよってん。ほんま、心臓に毛が生えてるというより、脳にある神経が何本も切れてるという感じである。

こうしてパクリまくっているときには、蛇の道は蛇という諺にもある通り、そのテの情報がいっぱい入ってきて、もっともっと商売上手になってゆくのである。なんせ当時は、電気屋でも、店の外に置いてある商品にも、中にある商品にも防犯対策はしておらず、釣り糸やチェーンとかで止めてないから、歩きながらラジカセを持っていったりも

2 胸・脚・腹・太股の内側などあらゆる部位を鍛えるのに効果を発揮するという運動機具。50 種類の運動が可能。現在までロングセラーとなっている

可能であった。

エロ本の自販機もようけあって、濡れ新聞をガラスに貼って割れば大きな音もせず、エロ本はパクれるし、タバコもいまみたいに漏電防止装置なんか付いてないから、海水よりも濃い塩水を作って、コイン投入口に流すと漏電して、すべての電気がつきっぱなしになり、タバコとお釣りも出てくるから、とりあえずは人が来るまでは盗り続けられるし、単車《たんこ》にしても、ヒューズボックスをブチあけて線を直結すればエンジンかかるのが多いし、それであかんかったらマイナスドライバーをイグニッションにブチ込んで、無理矢理まわせば、大概のはかかった。

当時はスーパーカー・ブームだったということもあり、ポルシェなどのエンブレムもようけパクったった。

サイクリング車も流行って、俺も自転車屋の壁に掛かってあるようなプジョーなどの一〇万円ぐらいするのがほしくて、まさかあんなんはパクれんわ思て、小学校一年から六年まで、お年玉を使わんと貯めとった郵便貯金があるから、それで買おうと思て、おかんに「預けてあった通帳を返してくれ」とゆうてん。俺には親戚が多く、しかもおとんの仕事関係の人からもお年玉をもろてたから、最後に通帳見たときには六〇万円貯まっとってん。おかんは「ちょっと待ちや」ゆうたっきり何日も待せるから、しまいにはキレかかって「早よ、出せや」ゆうたら、「実は使ってしもてん。あんたの制服やら学費やらで使てしもた」いいよんねん。そんでケンカになって「ほんなら、俺は自分の金で中学を卒業したと思てええんやな」ゆうたら、「それでええがな」ということになってん。あとでわかったことやねんけど、その金は、おかんの弟が使い込んでしもたらしい。

金がないということで、しゃあないな、パクってもうたろう思て、ツクラと二人で行ってん。そこはオッチャンとオバチャンが夫婦でやっていて、ママチャリの店とサイクリング車の店とが離れてあり、昼間、オバチャンが暇なときは、夫婦が一軒ずつ店番をしてんねんけど、夕方の忙しい時間帯には、オッチャンが一人で両方の店を見よんねん。そんでツクラにママチャリ買うふりさせて、オッチャンをそっちの店に釘付けにし、おっさんの目を盗んでサイクリング車の店に入って、ほしかった一三万円のベージュ色のプジョーを壁から下ろし、一目散に走って逃げてん。

当時の自転車屋はいまみたいにペダルを外しておらず、すぐ乗れるようになっていた。その後は、店の扉が開くと十秒ほどブザーが鳴る警報機をつけ、すべてのチャリンコをひとまとめにできるほどの長いチェーンで前輪を通して南京錠をかけるようになったらしい。ほんま、こんときは、肝が潰れるほどヒヤヒヤ、ドキドキした。

このころから、ディスカウントショップなんかもようけできてきた。ディスカウントショップは、たいてい店の二階や奥が倉庫となっていて、そういう店を探しては店内を物色し、店員にサイズのないのんとかを聞いたら、倉庫へ走りよるから、それをチェックしておいて、どうやったら入れるか調べて、隙を見て入ってまうねん。それで倉庫の窓の下にツレを待たしといて、品物を放り投げて最後に自分もそっから出んねんけど、盗り過ぎは店のチェックも厳しなってヤバいから、受注品と自分のほしいもんだけにしとくねん。

センイシティの制服の店も二階に倉庫があるということを突き止めて、しょっちゅう行っては制服ケースのまま堂々と貰ってきてたもんなぁ。あるとき倉庫の中の金庫が開いていて万札がえらいぎょうさん入っているから、とりあえず金だけ持って帰ったら、百万近くあって、五人で分けたから、一人二〇万弱になんねんけど、次の日の新聞にそのことが載っていたのを誰かが見つけ、えらいビビッてもうて、ヤバいからちょっとの間やめとこかということになり、それからはあんまりせんようになってん。

でもウエッチだけは違っていたなあ。あいつは誰かと組んでやってたみたいで、二十歳ぐらいのときにも、自分がバイトしているコンビニで二〇万ほどパクったそうで、そんとき店にはウエッチしかおらず、当然疑いの目を向けられ、ポリにもかなり何度も呼び出されて調べられたらしいけど「知りません。なぜなくなったかわかりません」の一点張りでシラを切り通したらしい。

ウエッチはやっぱりどっか切れてもうてるとしか思えん奴です。もちろんコンビニにはクビになりよったけど。

バレー部のガスタンク女

学校では、前年のオリビア・ニュートン・ジョン[1]の来日以来、オリビアがカワイイとか、ピンクレディのミーとケイではどちらが好きかとか、キャンディーズの解散宣言で、ランちゃんが好きだったただのスーちゃんだのミキちゃんだの、もったいない、惜しいだのという、もっぱら芸能関係の話でもちきりで、女子にしても、ベイ・シティ・ローラーズ[2]の話をしている奴らが多かった。

と同時に、異性に対しての興味もかなり高まってきており、誰それと誰それは付き合っているだの、誰それは誰それが好きだの、誰がかわいい、カッコいいだのという話も耳にタコができるほど蔓延していた。

俺としてみれば、男友達とパチンコしたり、単車《たんこ》に乗ったり、パクリやゲーセンに行ったり、ラリったりしている方が面白かったので、女にはあまり興味がなく、また見た目も悪く、ゴンタそうなナリしているから女生徒も相手してくれなかった。

そこへいくと、ツレのセッキンはクリスチャンの強みか、ちょっと透明感というのか、

1　イギリス、ケンブリッジ生まれ。歌手としての活動の他、映画「グリース」、「Xanadu(ザナドゥ)」等に出演

清潔感のようなものが漂い、男前でもないねんけど、結構モテててん。

巷では告白ゲームのようなものが流行ってるようで、男からも女からも好きな異性に愛を告げ、しかしなにをするわけでもなく、交換日記をしたり、お手々つないで帰ったりして、幸せな愛の日々を満喫していた者も少なくなかったようである。

セッキンは何人もの女生徒から告白されたようで、やっぱクリスチャンはちゃうのぉと思っていた矢先、このダークホース吉永にも告白するという奇特な方が現れ、放課後教室に残っとくようにと、バレー部の強面女たちに脅されたのである。話によるとセッキンもいっちょ嚙んでたようで、俺のことを根ほり葉ほりとその女に聞かれては情報を流してたらしい。

うららかでよく晴れた日の放課後、気持ちよく斜光が降り注ぐ教室で、ゆうべの遊び疲れのせいか机にうつぶせになって寝てしまった俺を、セッキンがこづいて起こした。目を覚ますと、かなりヨダレをこいてしまい、机の上をダッラーと濡らしていたので、それを制服の袖口で拭き、さらに口元から頬を伝っていたヨダレを制服の肩の部分で拭いて顔を上げると、女二人が立っていた。

二人とも話したことはないが、見おぼえのある顔で、左の女は小学校のときかわいいなぁと思たことのある女で、右の女は俺の生活には侵入してほしくないなぁと思えるガ

2　イギリスのポップグループ。1975年「サタデーナイト」で10代の少女たちに大人気に。トレードマークのタータンチェックも流行

スタンクのような女で、寝ぼけたオツムで、神様、どうかお願いします。左の女でありますように……とお祈りしました。しかし、こんな寝ぼけた神頼みは効くわけがなく、左の女が右の女をつつき、「さあ愛を告げるのよ」というように促し、俺はオツムの中で、ヒェ〜ン、やめてくださいとお願いしていたが、それもむなしく、モジモジしていたガスタンクが意を決し、顔を赤らめ、それでもモジモジしながら「吉永君、好きなんです。よければ私と付き合ってください」といった。

その途端、左の女の講釈が始まり、ガスタンクがどれほど俺を想い、こうして女の子が告白することがどれほど勇気のいることか、そしてこのガスタンクが友人の間ではどう扱われ、どんなにかわいくてよいコかということをトクトクと説きだした。

俺は、こんなときイヤとはっきり断っていいものかどうかわからず、救いの手を求めるようにセッキンの方を見てもニタニタしているだけで、ガスタンクはモジモジしたまま時々緊張して泣き出しそうな表情を見せ、その顔を見ていると、こっちまで硬くなっていき、頭の中では、どないしたらええんや、どないしたら上手いこと断れんのやろうとドギマギしながら、照れ隠しなのかなんなのか自分でもようわからんのやけど、とりあえずなんかいわな、なんかいわなあかんでぇ思て、焦って言葉を発したら、「お前、なんか、ガスタンクに似てんなぁ。そんなん誰かにいわれたことないかぁ」と、オツムの中をグルグルまわってたガスタンクという言葉をそのままいってしまった。まわりの三人は呆気にとられてポカンとしてしまい、俺は必死で平静を装い、そしたら急にガスタンク女が泣き出してしまい、付き添いの女は怒って俺をキッと睨みつけ、「あんたなぁ、女の子が勇気を出して告白してんのにゆうに事欠いてなんちゅうことをいうねん。いろんなところでアホやってるとはよう聞くけど、そこまでアホとは思わんかったわ」といい、ガスタンク女を連れていこうとした。

俺は内心ホッとしたが、それも束の間、ガスタンク女はイヤイヤというような仕草をし、再び俺の前に来て「吉永君、誰か好きな子おるん？」とシャクリあげながら聞いてん。

ここでおらんゆうたらひょっとしたら一生、付きまとわれるかもしれんぞと考えていると、今度はセッキンが俺の横に来て、「早よいわな」というように肘でつつくから、つい口からでまかせで「おる」とゆうてもうてん。

そうしたら女二人共に顔色が変わり、「誰やのん、誰やのん」と聞いてきよるから「そんなもん、お前らに関係ないやんけ」というと、なんかまたガスタンクが泣きベソをかきだし、セッキンにも「誰やねん、コイツらに教えたれや。教えへんかったら、きっとバレー部全員で聞きにきよんぞ。また呼び出されて〝誰か白状しいや〟ゆうていわれんぞ」といわれ、背筋に悪寒が走り、つい隣の席の女の名前をゆうてしもうてん。

そうなると付き添い女が出しゃばってきて、「それやったら、その女に告白しいや！そうやないと、このコがあきらめつけへんやないの！」といい、俺はこの女を小学校の一時でもかわいいと思ったことに後悔し、「なんで、お前にそんなこといわれなあかんのじゃ。そんなこと、お前らに関係あれへんやんけ」といったものの、バレー部の強面女連中の顔を思い出すとゾ〜ッとし、そこにセッキンが追い討ちかけるように「チュチュ、ゆうこと聞いといた方がええぞ。そやないとバレー部の連中にしょっちゅうネチネチとイジメられんぞ」といい、とりあえず、その場では「はい。承知しました」といってしまったのである。

それからの数日間、セッキンは俺の動向を気にし、俺がその女に愛を告げる様子がないのに業を煮やし、またバレー部の連中に「どないなってんのん」と追及されたこともあり、「日曜に服を買いにいくのを付き合ってくれ」といってきたのであった。

俺も、流行のMA－1が欲しかったので付き合うこととなり、セッキンと一緒にミナミ[3]のアメ村に行った。セッキンはIVY少年なので、ラコステのポロシャツの上にヨットパーカー、チノパンにリーガルのコットンシューズ、俺はボーリングシャツの上にヨットパーカー、カーペンターパンツにリーガルのコットンシューズという、結構、流行を意識したカッコをしていた。アメ村に着くとセッキンは〈ラハイナ〉でTシャツとト

3　ミナミとは御堂筋、堺筋の南側一端のこと。若者向け米国製古着店が4、5件集まった事から始まり、流行発信地となった

レーナーを買い、俺は紺のMA－1を一万二八〇〇円で買った。

その帰り、セッキンの家が地下鉄の西中島南方駅の近くなんで「ちょっと、寄って行けや」ということとなった。セッキンとこはマンションをもっており、家族はその一階に住んでいて、そこはクリスチャンの聖域のようで、聖書の言葉を記された紙があらゆるところに貼り付けてあった。

そこでセッキンに「いつ付き合うてくれというねん。バレー部の奴らに〝まだゆうてへんの！〟としょっちゅう聞かれんねん。早よ、ゆうてまえや。なんやったら今日いえや！」いわれて、「アホかい、そんなん知らんやんけ。それになんで好きでもないのに付き合うてくれゆわなあかんねん。こないだは、そうでもいわんとややこしくなるからゆうただけやんけ」

「お前嘘ついたんか？　そうちゃうかなぁとはうすうす思てたけど。ほな、バレー部の女連中どないすんねん。アイツら敵にまわしたら、キッツいぞぉ、先輩と付き合うてる奴もおるし、ぎょうさん敵作ってまうでぇ」

と、いわれるとなんか怖ぁなってきて「ほな、どないしたらええねん」

「とりあえず、その女に付き合うてくれゆうたらどないや。ソイツがチュチュのこと好きとは限らんし、どっちかというたら、好きやない確率の方が高いやんけ」というので、俺もそれもそうやなぁ、隣でしょっちゅうヨダレこいて寝てるし、消しゴムや輪ゴム飛ばして遊んでるし、隣やゆうてもほとんど口聞いたことないから、そらいえるなぁと思い、「よっしゃ、いまから電話するわ」といった。

　セッキンはソイツんとこの電話番号を前もって調べていたらしく、番号を書いたメモを俺に渡し、「外の公衆電話でやろうかぁ」ゆうて出ていった。

　電話ボックスにセッキンと二人で入り電話をすると、ソイツが直接電話に出た。

「チュチュやねんけど……」と、とりとめない話をしていたら、隣でセッキンにせかされ本題に入った。

「俺、お前のこと好きかどうかはわからへんねんけど、俺と付き合うてくれへん？」

　ちょっとの間沈黙が続き、「ええよ、こんな私でよかったら……」と予想していなかった答えが返ってきた。今度は俺が沈黙してしまった。え〜、どないすんねん。付き合うゆうて女と付き合うたことなんてないのに、どないしたらええねん。おい、おい、おいっ。ちょっちょっちょう待ってくれや！　あのバレー部のあのガスタンク女の祟りじゃ〜[4]と思うが今度は言葉が出ない。「あの、あの、あのー……」といって、セッキンと代わってしまった。

　セッキンはなにか俺のこと喋ったり、世間話をし、俺に代わろうかと手振りをするが、

4 「祟りじゃ〜」は横溝正史原作の 1977 年の松竹映画「八つ墓村」の宣伝コピー

いらんわと手振りを返し、セッキンは電話を切った。

そしてセッキンに「どないしたらええねん。女と付き合うたことなんかないから、なにしてええかわからんわ。どないしよう？」と尋ねると、セッキンからは「相手もまんざらやなかったっちゅうことやから、映画見に行ったり、買い物行ったり、遊園地いったり、交換日記したりしたらええやないか」と無責任な言葉が返ってきた。

「そないゆうても、俺、あの女に惚れてへんのに、手ぇつないだり、どっか遊びに行ったりするんかい？　それとあの女と共通するような遊びてなんやねん。一緒にパチンコしたり、万引きしたり、サ店行ったりするんかい？」

どないしていいかもわからんし、なんか納得いかんし、ほんま、ニッチもサッチもどうにもブルドォッグ[5]っちゅう感じで、その女との付き合いが始まってん。

次の日、その隣の女と目を合わすとなにかこっぱずかしく、同じく女も恥ずかしそうにうつむき、なんかいつもと違う雰囲気で、なんかキッツいなぁと思いました。

そして、俺とその女が付き合いだしたことは、すでにバレー部の連中の知るところとなり、それとなく動向を探っているようであった。

困ったなぁと思いながら、その女と、とりとめない会話を交わすが、なんかギクシャクしており、どないしたもんかと気を揉んでいた。

5　1967 年デビューの元祖ジャニーズ、フォーリーブスのヒット曲「ブルドッグ」の歌詞

数日が経ち、見かねたセッキンに「交換日記でもしたらどうか」といわれ、そうすることにした。俺は、なにを書いていいのか、相手にどんな言葉を贈ればいいのかわからず、しょうもないことばかり書いてしまい、一カ月もせんうちに白紙で返すようになり、相手の一方的な手紙のような形になり、それも返すのを忘れてしまい、そのままとなって、電話も二、三度したぐらいでデートもせず、ほとんど自然消滅状態で終わってしまった。

いまにしてみれば、悪いことをしたなぁという思いと、もったいないことをしたなぁという気持ちが入り混じった、わけのわからん思い出となって甦ってくる。

初体験いろいろ

大学を卒業したばかりの若い女教師、森下満美子先生が赴任してきて理科2（生物）を教えることになった。

そのいでたちは、いまでは珍しくないが、当時の中学校の先生としてはかなりデンジャラスで男子生徒に夢を与えていた。タイトなミニスカートにジョーゼットのような薄い生地のブラウス。髪は薄い茶髪でソフトにカールがかかったロン毛で、足はスラッとして細く、足首は締まっており、胸はでかくないが、男子生徒全員が生唾を飲み込むほどはあり、ウエストはキュッとくびれており、ルパン三世の峰不二子を小型にしたようなチャーミングな身体つきで、美人ではないが、決してブスではなく笑うとエクボの出る、かわいくてちょっとキツメの小悪魔的な顔をしていた。

もちろん男子生徒からは人気があり、憧れの的で、抱かれたい女ナンバーワンだったのはいうまでもない。逆に女子からは総スカンであった。

みんなからは、略して「モリマン」だの「サゲマン」だのと呼ばれていた。

その先生は好き嫌いがはっきりしているのだが、なぜか俺は「好き」の部類に入っているらしく、すごく親切で、おまけに理科2の委員に任命され、授業用の実験道具などは他の生徒が取りにいっても渡さず、「吉永が委員だから、吉永に取りに来させなさい」といって、俺が準備室に取りにいくとやけに身体をベタベタ触られ、よく勃起したものだった。

試験問題や、答えなども他の生徒には教えないが、俺には教えてくれ、あとで俺が他の男子生徒に教えるから、俺のクラスの男子生徒はみんな理科2の成績が良かった。そういう職権濫用を屁とも思ってない先生だった。

俺はその先生から時々「家に遊びにおいで」と誘われていた。先生は十三まで三、四十分ほどの郊外に両親と暮らしているらしく、そこには庭があり、犬を飼っているという結構ええとこのお嬢さんみたいで――当時の俺からしてみれば、一戸建の家に住んでいるということだけで、ええとこの子に思えていた――両親もすごくええ人で教え子が遊びに来れば、きっと喜んで歓迎してくれるということであったが、なんか気が進まず、生返事ばかりしててん。

しかしある日、「明日から両親が旅行で寂しいから、次の日曜日にでも遊びに来てよ。そして犬の散歩でも手伝って。先生、腕によりをかけて美味しいもんご馳走するから」

といわれ、しゃあないか行ったろうかと思い「ほんなら誰か誘《さそ》て一緒に行ってええか？」と聞くと、「あかん、吉永一人でおいで。それと他の友達とかに先生とこに行くことゆうたらあかんでぇ。他の子には誘たことはいわんから」といわれ、一人で遊びにいくことになった。

淀屋橋から京阪電車に乗り、牧野という名の駅で降り、先生に電話をして迎えに来てもらった。先生は車で迎えに来てくれ、それはフェアレディZという名のスポーツカーで、運転している先生を見るとなんかカッコエエなぁと思った。

先生の家は旧東海道から少し入った閑静な住宅街に建っており、古いが昔からの日本家屋という感じの二階建で、庭も広く木が茂っており、ほんまに環境のよいところであった。

家に入ると畳のいい匂いがし、案内された部屋は、窓が開け放たれ、心地よい風が緑の香りを運んできて、とても気持ちのよい空間であった。

先生とは俺の家の話や先生の学生時代の話など、世間話をして過ごし、そして昼飯のときには先生の手作りの特大ハンバーグを食べさせてくれた。それから再び、現在のことや将来の夢などとりとめない話を始めた。

そうしていくうちに異性の話となり、先生のことをどう思うとか、好きなコはいるのかと具体的な話となり、性体験の話となり、俺はしたことがなかったので、そういうと、お決まりの「先生が教えてあげる」ということとなり、心の中では、オイ、オイ、オイ、教師が生徒にそんなことまで教えなあかんもんかいとは思いましたが、俺もまんざらではなかったので童貞を先生に捧げました。

初体験の記憶はいつまでも頭に残っており、あのときほど、刺激を受け、気持ちよかったことはなく、ああ、なんと女性はええもんだと思いました。

初体験完了後、先生に車で俺の家の近くまで送ってもらいました。

しかし、そんなにええ体験をしたのにツレには話せず、その後も、先生の個人授業は一年ほど続き、口や態度には出せへんかったけど、正直いうと先生の大人の色香というかオメコにメロメロで、寝ても覚めてもそのことばかり考え、なんやしらん、いつもモヤモヤしており、先生もよりによって困ったことを教えてくれたもんだと思いました。

初体験といえば、ラリの初体験もすごかったなぁ。俺がサンケイ新聞の販売所の上で下宿しているとき、一コ上のハッカは毎日新聞の販売所にいた。ハッカは幼なじみやねんけど、運動神経は抜群で、しょっちゅう外で遊んでいたから真っ黒で、野球部やから坊主やってん。この男がまた悪い奴で、よくゲームセンターへ一緒に行っててんけど、まず事務所に入ってゲーム機の鍵をパクってきて、コインやら小銭をいただくという、頭は悪いくせに悪知恵だけは働く知能犯であった。

当時のゲーム機の鍵はシャバい[1]から、鍵一つで、似た機種であれば十ぐらいは開けることができ、その鍵でしょっちゅう小銭をパクっていた。

あるときは、子供が乗る一〇円で動く機械の鍵を開けてるところを見つかって、とりあえず持ってるだけの一〇円玉を持ってきたら五〇〇円ほどしかなく、「そんな一〇円の機械なんか狙うからや。そんなんやったらビン集めする方がよっぽど銭になる」と、みんなにバカにされていた。

そんな頭の悪い知能犯のハッカが、均一という、ちっちゃな一コ上の先輩を連れてきた。

均一は一つ上なのに、とっちゃん坊やで、身長は一四〇センチほどしかなく、高校へ行っても小六で電車に乗れるスゴイ先輩で、その上、そんなかわいい顔をしてて、ボン中[2]のため歯はボロボロで、ほんま摩訶不思議なチビッコギャングであった。

二人で俺の部屋に来て、ビニール袋を渡すと「チュチュもせえへんか？」と、自転車のパンク修理のゴムのりの缶をポケットからこそっと出して見せた。なんじゃそりゃと思てんけど、気持ちよくなるらしいから、とりあえず淀川の河川敷までついて行った。

均一はボン中やけど、ちょっとは脳みそが働くらしく、「万が一、ポリにパクられた

1　大したことない。チョロい
2　シンナーなどの有機溶剤の中毒者。ボンド中毒の略

らあかんから、袋はチュチュが持っといてくれ。そんで逃げるときは別々に逃げて、捕まったとしても、あとはシカトすれば袋だけやったら大丈夫やから」と歩きながらいった。

河川敷に着くと、何人かの先輩がすでにやっており、みんな呂律がまわってなかった。均一がポケットからゴムのりの缶を取り出し、袋に入れた。そして吸い始めたが、俺はあまり効かず、そうしていると均一がゴムのり缶を俺に見せて――もうすでに呂律がまわらなくなってる――「こ〜れ〜は〜、ゴ〜ム〜の〜り〜の〜中〜の〜王様〜で〜ト〜ル〜エ〜ン〜の〜量〜が〜九十九パ〜セント〜の〜ダ〜イ〜ヤ〜モ〜ン〜ド〜やねん。だ〜か〜ら〜よ〜う〜効〜く〜でぇ〜」とヨダレを垂らしながらアホみたいな顔をして喋ってきよんねん。

そうしているうちに、ほんまに効いてきて、フッと一瞬のうちに、そよ風の音や、草と草のぶつかり合う音、電車の音、川の流れる音、虫やカエルの鳴く声などがすべて澄み切って、すごくきれいな音に聞こえ、目に飛び込んでくる対岸の中津のマンションや梅田のビルの灯り、大阪タワーのイルミネーション、阪急電車の灯り、そして川面に反射するさまざまな灯りすべてがすごくきれいに見え、まったく別世界に自分をおいているような錯覚をおぼえた。とくに電車が橋を渡るガタンガタンという音はまるで音楽のように聞こえ、身体が宙に浮いているようで、ほんまに気持ちよく、いっぺんで病みつきになってしもた。

その後、ゴムのりよりコーキング[3]、シンナー、ラッカーうすめ液、G10[4]、果てには建築現場にトルエンをパクリにいったりして、それもないときはガソリンやライターのガスなど、俺も瞬く間にボン中になってしまった。

しかし不幸中の幸いか、俺は他の奴らより歯が強いらしく、欠けた歯は何本かあるが、ボロボロにはならんかった。

ここで自慢が入んねんけど、俺は学校もようサボっとったし勉強もせえへんかったけどテストの点だけは良かってん。先生からは三年の頭ぐらいまでは「お前は、やったら北野[5]に行けんねんから、がんばって勉強せい」といわれててんけど、家の関係でちっちゃいころからの夢であった警察官になれんことを知り、なんや勉強すんのんがアホらしなって、ツレと遊んで万引きやゲーセン、パチンコ、それとラリっている方が楽しく、めでたく二年で初エッチも済ませ、遊びほうけているうちに三年になってしもた。

3　コーキング剤。サッシなどのまわりなどに詰め、水密性、気密性を高める
4　読みは「じーじゅう」。工業用ボンド
5　北野高校。大阪の進学校

健全な不良少年たち

三年になるときクラス替えがあり、いままで顔見知りだけであった連中とも遊び仲間となり、また一コ上の怖い先輩たちがいなくなって自分たちの天下となり、ようやく心身ともに羽を伸ばせるという感じになった。

権《ごん》野《の》十三《じゅうぞう》（ゴンジ）との出会いは、体育の剣道の授業であった。三分交代で向かい合う相手と自由に打ち合い、グルグルとまわっていくというのがあり、適当にやっていたら、そん中に盲滅法、遮二無二打ちまくって、嫌がられている奴がいた。ソイツのすることは剣道という代物ではなく、バットを振りまくってるイカレた親父のようだった。順番がきて、とうとう俺と向かい合うこととなり、いきなりムチャクチャ叩かれ、面とか胴とかそんなもんは関係なく、防具を付けていない肩や腕まで、嫌なことでもあったかなぁと思えるほど、わめきちらしてやってくるもんやから、俺もキレてしもて、しばき倒して、しまいには相手の竹刀をもぎとって取っ組み合いのケンカとなり、先生に止められて、面を取るとゴンジであった。

ゴンジも俺であったことで驚いたらしく、「なんや、チュチュやったんか。スマンスマン」となり、これがゴンジと仲良くなるきっかけであった。互いに顔見知りで言葉もかけあったこともあったけど、遊んだことはなく、それから急速に遊ぶことになった。

ゴンジの家は、いまにも崩れ落ちそうなバラック長屋に、父と兄との三人暮らしで、遊びにいったときも、家ん中に入ると平衡感覚を失うほど傾いており、まるで遊園地にあるヘルハウス——家の中自体がブランコ状になって、前後に傾き、ついでにまわりの壁などがグルグルと廻るやつ——のような家であった。

十三にあるのに天然ガスや都市ガスではなくプロパンで、便所はさすがにボットンではなかったけど、よくみんなに「お前んとこのオンボロ長屋に行こか。あのサーカス小屋は風が吹いても倒れへんのか？」などと、いちびられとった。

ゴンジの父は鉄工所勤務で、いつも頭に柳屋のポマードをべったりと塗りたくったオールバックで、そのことでみんなから「永ちゃん」と呼ばれ親しまれていた。兄貴は弟には似ず、超秀才であった。

ゴンジは電車好きの男で、俺はよく宮原操車場に電車のプレートを盗りに行くのを手伝わされたり、新大阪駅でキセルのやり方を教えてもろてん。

プレート盗りは、ゴンジんちから物干し竿を持っていって、電車が点検のために夜遅う宮原操車場に入ってきたとこを、その竿でこづきあげて落として盗ってくんねん。ゴンジの家には様々な電車のプレートが飾られており、永ちゃんも、息子がパクってきたもんとは考えへんかったんかなぁと思てたてん。

キセルは、新大阪駅で働く人たちの駐車場が駅の地下にあり、そこに入って一番奥のドアの向こうにある階段を上ると新大阪駅構内に出れんねんけど、そこには一応、「一般の方立入禁止」の看板があり、チェーンが張ってあるから、入るときと出るときには要チェックで、人に見られさえせなんだら、楽勝でどこでも行けて、時々学校をサボっては奈良や京都とかに遊びに行って、田舎駅の柵を乗り越えて知らん町をウロチョロしたりしてた。

またゴンジは入場券を集めるのが趣味で、けったいな駅名があるとそこで降りて、塀や柵を乗り越えて買いに行っとった。このころの入場券は、いまと違って固い紙でできており、マニアとしてはそれもよかってんやろう。しかし見つかることもしばしばあり、そんなときは隣の駅まで線路づたいに歩いていって、そこでまた入れる場所をチェックして、人がホームに集まってきたら入って新大阪に帰んねんけど、そんな旅も結構面白かったなぁと思う。

電車のプレートを盗りにいったり、キセルで電車旅行にいったりすんのなんて、かなり健全な不良少年で、なんかいま思い出しても笑てしまうねん。

三年になってから、あまりパクリもせんようになり、そうすると金がなくなるから、時々新しくできたゲーセンに行っては電子ライターのカチカチ部分を使ってクレジットを上げて売ったり、知らない人からお金を借りたりして遊びの金を捻出しててん。

そのころは遊び仲間も変わり、よくサ店でタムロしては、インベーダーゲームをしたり、淀川の河川敷で単車《たんこ》に乗ったりしてた。単車はもっぱらパクってくんねんけど、それをいまではホモの溜まり場となっている南方《がた》の新御堂筋の高架近く葦の生い茂ってるところに隠すねん。

単車をパクるときは、夜中に一コ上の先輩らと二人一組となって、いろんなところに行くねん。あるとき一コ上の均一がピンセットの先をヤスリで削った単車のキーを模したものを持ってきて、「これは魔法のキーや。俺が作ってんけど、このキーで何台かのうち一台はきよんで〜」と寝ぼけたようなことをいうんで、このとっちゃん坊や、ラリで相当頭がイカレとんのぉと思い、「ほな一緒にパクリに行こうぜいっ！」と新大阪近くの単車や自転車がようけ止めてあるところに行ってん。

単車一台一台のイグニッションに、そのピンセットを半分にしたキーを差し込み、ガチャガチャやっていると、ほんまにニュートラルランプやらライトやら全部点いて、均一は得意満面に「見てみぃ、きよったでぇ！」ちゅうた。それで、それに二ケツして持って帰ってん。

そうやって学校をサボっては、淀川で単車を乗りまわしとってん。ポリが来たらそんときに乗っている奴だけが逃げて、他の人間はシカトすんねん。

ある夜、ハッカと二ケツして、単車の隠し場所に置きに行ったら巡回のチャリポリ[1]に見つかって、そのまま単車でUターンして逃げてんけど、途中でガス欠になってしもて、走って逃げて、ハッカと二手に分かれてハッカは真っ直ぐに行って、俺は土手を下ってん。ほんなら俺は、石に蹴つまづいて草むらの中にこけてしもて、しもたぁと思てんけど、幸い草ボウボウで俺の身体は隠れてるから、とりあえず起き上がらんと様子見とったら、チャリポリが二人、俺には気づかず、ハッカを追いかけていってん。ホッとして、少ししてからゆっくりと起き上がって、溜まり場になっていた、二コ上のメガネザルと大山椒魚に似たメガネサンショウと呼ばれている先輩のところへ行ってん。

そうやって淀川で遊んでいたら、ヘンなオッサンともようけ知り合った。

やたらと足が速いオッサンがいて、「あっこまでオッチャンと競争しよ。ほんで、オッチャンが勝ったら一〇円ちょうだい！」ゆうて、百メートルぐらい走って勝負すんねんけど、日ごろまともに飯食うてへんはずやのに、このオッサンに勝てた奴はおらず、

1　自転車に乗った警察

この噂が広まり、いろんなところからオッサンと勝負しに来よったけど、しまいに五〇円やないと勝負せえへんとか、一〇〇円やないとせえへんとかいいだすようになってん。

俺はオッサンが住んでいる高架下に行って、「勝負じゃぁ〜！」と寝ているところに爆竹を放り込んだってん。さすがにこんときは寝込みを襲たせいか、オッサンはいつもの力を発揮することができず、俺の勝利となってん。

この他にも春さんというダンボールや缶カンを集めているオッサンがおって、このオッサンがまたかわいくて、どこで会うても、「オッシュ！」ゆうて挨拶してくれるし、遠くから「ハ〜ルサ〜ン」て呼んだら必ず「オッシュ！」ゆうて返事してくれるねん。ほんで、リヤカー引くときは妙に腰振って、ヒョコヒョコヒョコヒョコヒョコと歩きよるから、それがまたおかしくて、「春さん、なに腰振り倒して歩いてんねん」ゆうたら「これが我の商売ジャカリャ〜」とわけのわからん答えが返ってきたりして、結構仲良うしてた。

このころは悪質なイタズラもよくしたもんで、ツレの家や玄関の開いている家に爆竹を放り込んでまわったり、マンションなどの上からツレを呼び出して生卵をぶつけたり、水鉄砲で水をかけたり、たまにはそれを知らん通行人にしたりと、ほんま悪ふざけで笑い倒していることが多かった。

よくタムロってた店は淀川沿いにある〈リバー〉というサ店で、二コ上の先輩のコーちゃんが雇われマスターをしていた。そこによく来るメンバーは、同級ではゴンジ、ハヤっさん、タクボン、チュウリン、三コン、金キン。女ではあけみ、しょうこ、かぼちゃ、キョーコ。一コ上では均一、ハッカ、満タン。二コ上ではワンちゃん、北見君、入江君、メガネサンショウ。一コ下では龍一。あと朝鮮学校に行っている精一や、四つ上ぐらいのタカオちゃんなど、〈リバー〉の近くに住む面々がよく来てはインベーダーゲームでの勝負をしていた。

サ店では、イーグルス[2]の「ホテル・カリフォルニア」やアバ[3]の「ダンシング・クイーン」や、ビージーズ[4]の「スティン・アライヴ」、「恋のナイトフィーバー」、ビリー・ジョエル[5]の「ストレンジャー」などがよくかかり、精一は自分がモンキー顔だからか、しょっちゅうアラベスク[6]の「ハロー・ミスター・モンキー」をリクエストしていた。

この精一という男が、またおかしい男で、俺はコイツからポテキ[7]やタンベ[8]などの朝鮮語を習ってん。

このころはよくツレと風呂屋に行ってて、時々精一もついてきていた。精一のチンコはなにしろでかく、風呂屋の椅子に座って、下に届くくらいのビッグなイチモツで、それを誇示したいのかそれとも単にラリぼけでオツムが飛んでいっているのか、コンドー

2　1972年デビュー。76年にリリースされたアルバム「ホテル・カリフォルニア」は世界中で1,100万枚を超える大ヒットとなった

3　1973年デビュー。「ダンシング・クィーン」は76年、全英チャート1位

ムをはめて風呂に入ってくることがあった。勃起していなくともコンドームはパンパンではちきれそうで、ピンクや青や緑や黒などと、そのときの気分によって色を使い分けていた。誇らしげにコンドーム付きチンコをブランブランとさせている姿は、アホとしかいいようがなかった。それにそれを見せつけられている他の客もあまり気にとめる様子もなく、俺としては「なんじゃ、ここの風呂屋は」と、ただただ呆れ、あんぐり口をあけて精一のコンドーム付きチンコを眺めているだけであった。

金キンは、べつに親しいツレではなかったが、〈リバー〉の上のマンションに住んでいるので、〈リバー〉の常連である俺らの輪の中に勝手に入ってきたような奴で、名前は金沢というのだが、親が金融屋をやっているため、金キンというあだ名が付いていた。コイツは金を見ると手癖が悪くなり、友人の家などに行くと知らぬ間に金の臭いを嗅ぎつけ、そのまわりをウロチョロして、気がつくと金がなくなっているらしく、付き合ったことのある連中から要注意人物扱いされていた。

そのうち、みんなで金キンの家に遊びに行っては、金キンの好きなミル・マスカラス[9]のテーマ曲「スカイ・ハイ」などのレコード盤を「円盤投げや〜」と窓から放り投げたり、逆に金目の物を貰ってきたり、「俺はあの女が好きや。アイツとはキスまでいったからもう俺の女や！」とまでいっていた女を貰ってしまったり、生卵をぶつけたりして

4　1963年デビュー。映画『サタデー・ナイト・フィーバー』のサントラに参加し「スティン・アライヴ」、「恋のナイトフィーバー」が大ヒット
5　「ストレンジャー」は彼の人気を不動のものとした1977年のヒット作

いるうちに〈リバー〉に顔出さんようになってしまった。

ハヤっさんは、これまたあなどれん男で、とにかく足が臭く、強烈な酢の匂いがするんで、「将来は鮨屋しかないぞ！」と誰もが認める人物であった。

そのハヤっさんの誕生日にお呼ばれして家に行くと、巻き寿司が出てきて、みんなから「お前の足で酢漬けにして酢飯作ったんかいっ！」とからかわれ、巻き寿司には誰も手をつけず、サラダのマヨネーズにまで、みんなから「このマヨネーズちょっと酢がキツすぎんでぇ。なんぼなんでもマヨネーズまで酢漬けにすんなや！」といわれ、突然怒りだし、テーブルの上の酢漬けイカなどのお菓子を放り投げ、サラダと巻き寿司を持って、泣きながら「おかんがこんなもん作るから、みんなに馬鹿にされるんじゃぁ〜っ！」と玄関に撒き散らしよってん。俺らは「そんなことしたらおかんに悪いやんけっ！」といい残し、場がシラケてもうたのぉと、そそくさと退散してん。その後の親子ゲンカは誰も知る由もなく、この事件については誰も触れようとせんかった。

ハヤっさんには二コ下の弟がいて、このクニという男もおもろい奴であった。俺らと同じクラスに、顔が赤いためトマトと呼ばれる奴がおり、コイツは下級生や弱い者をイジメるのが大の特技であるのだが、クニがソイツらにしばかれたらしく、「サシでやったらトマトになんか負けへん」と豪語したので、シングルマッチを組んだってん。最初

6　西ドイツでアバやボニーMの向こうをはるグループを作ろうと企画された。78年リリースの「ハロー・ミスターモンキー」は40万枚のヒット
7　朝鮮語で女性性器のこと

はええ調子でやってててんけど中一と中三では体格も体力も差があり、しまいには上に乗られてしばかれまくり、涙と鼻水を垂らしながら「助けてぇ〜！」と訴えよるから、俺はトマトにはしょっちゅうおごってもらったり、映画のタダ券もろたりして恩があるので気が引けてんけど、かわいい後輩の頼みやからと思て、後ろから蹴りを食らわし、クニと五分五分になるぐらいまで、しばき倒してから、再び対戦さしてん。トマトはすでに戦意喪失しているらしく反対にクニにボコボコにされて泣きながら「お前ら、汚いのぉ〜」といいよるから、なんだか悪いことしてもうたなぁとは思てんけど、「勝負は時の運っ！」ときっぱりいいきってん。

しかし世の中とはわからんもんで、そのトマトがいまではヤクザになっていると風の噂で聞き、このときの仕返しをいつされるか、クワバラクワバラと神に祈っている私であります。

8　朝鮮語でタバコのこと
9　メキシコの覆面レスラー。毎試合違うマスク被り「千の顔を持つ男」と呼ばれた。1977年の来日から入場曲にジグソーの「スカイハイ」を使う

川口まりことの恋

三年のクラスには川口まりこという女がいた。

美人でかわいいのではあるが、不良なので茶髪にパーマ、眉はなく、へそが出るほど詰めたセーラー服に、短くて先の方だけ小ちゃく結んだタイ、床に摺りそうな長いスカート、踵を踏んだ体育館シューズといういでたちで、すごくボインちゃんなので短いセーラー服がよく似合っていた。

ちょっとしたワルの男子生徒もビビりあげる彼女ではあったが、なぜか俺とは気が合い、最初はあまり学校に来なかったが、俺が「もうちょい来てくれなおもんないやんけ」といったことから、徐々に来る回数が多くなり、「チュチュがおるから来んのがおもろなったわ」と彼女も俺のことを気にかけてくれていた。

彼女はいろんな先輩たちと付き合い、またヤクザと付き合っているという噂もあり、二年のときには子供を堕ろしたいからわざとポリにパクられ鑑別に行ったとか、話題に事欠かず、男のワルからは「アイツはいろんな奴とやってガバガバやから川口やのうてガバグチやっ！」いわれて、裏の名はガバグチで通っていた。でも俺はそんなことも気にせず、よく一緒に遊んでおり、遊ぶといっても、サ店へ行ったり、パチンコしたり、昼休みに抜け出して飯を食いに行ったり、ラリったりするぐらいやねんけど、屈託がなくかわいい彼女を見ているとと噂はほんまかな？　と思えるほどであった。

ただ気になっていたのは、なぜかいつも彼女は金を持っており、遊び金のほとんどは彼女のおごりで、コイツどうやって金を得てんのかなぁとは思ててん。

俺がよく川口と遊んでいることを知ったツレからは「お前、ようあんな誰でもヤらせる病気持ちの女と遊べんのぉ。伝染されんように気ぃつけえよ」などとからかわれたりもしたが、あまり気にもせんかった。

そうこうしているうちに、ガキやゆうても男と女で、俺んちでラリこいているときに、なんかそういう雰囲気になってしもて、ヤってもうてん。俺にとっては二人目の女で、同級生では初めてで、でも彼女は先生より乳がでかく、とうてい中学生とは思えぬグラマラスなダイナマイトバディで、なんかそれを見たり触ったりするだけでドギマギしてしまい、最初から最後まで彼女のリードで手の内をすべて握られているというか操られているというか、すごく慣れていて、あの噂はほんまやってんな……と思ってしまった。

たぶん川口に恋してたと思うねんけど、彼女とはその一回こっきりであった。そのあとすぐに修学旅行があり、彼女も一応参加したのだが、それからほとんど学校に来なくなり、一度顔を見せたときに「どないしてんねん？」と聞くと、「いま、家出してヤクザと同棲している」という返事であった。卒業式も名前だけが呼ばれていた。

その後は、梅田で見ただの東通りのピンサロで働いていただのという噂を耳にするだけであった。

修学旅行で「チン毛抜いたる〜事件」発生

修学旅行は九州へ行きましたが、これがまた散々なもんで、まず行きの新幹線で他の中学と乗り合わせたことから始まってん。カンや図一は『嗚呼!! 花の応援団』[1]の青田赤道の影響からか長ランを着ており、ハイカラーで顎が上るため、見た目は結構アホみたいやねんけど、奴らは得意満面でイキって[2]おり、他校のイキっている奴らをしばきあげたことから、全員がションベン以外は席を立つことを許されず、九州まで窮屈な思いで行ったのであった。

到着してからはバスで移動し、いろんなところを観光して宿に着いた。

みんなはしゃいでおり、風呂の時間、壁づたいに女風呂が覗けるところまで行くと先着が随分おり、いうまでもなく、その中にはウエッチもいた。

ウエッチとはこのころツルんでなかったが、夜中に十三で出会うことはよくあった。その際、いつも風呂桶を抱えており、「なんや、風呂の帰りかい。えらい遅いのぉ」と聞くと「違うねん。パンティパクリに行ってたんや。風呂桶持ってたらポリと出会うて

1　どおくまんプロの人気漫画。1976年コミック化されると半年で400万部を売り上げげた。主人公の青田赤道は大阪の南河内大学応援団本部親衛隊長で、「クェッ、クェッ」、「ちょんわ、ちょんわ」が口癖

も職質されんから」と、桶のタオルの下にはパンティがぎょうさん隠されていた。幸い十三の近くには二十四時間風呂もあり、それでいつでも行動できるという、ウエッチのない頭を使《つこ》たにしては、なかなかやるやんけと思える作戦であった。なんでもヨシコの事件以来、パンティ泥が病みつきになったらしい。風呂に行くふりして、方々までパンティをパクリに行っている姿を連想し、「これからコイツどないなんねんやろ？」と行く末を考えゾッとしたものであるが、いまでもかなりの変態らしい。

話は飛んだが、女風呂を覗きながら様々な女の裸を物色していると、覗きながらセンズリを掻きだす奴もいて、こちらもザワついてきて、とうとう誰かが見つかってしまい、女が暴れて誰かの投げた風呂桶でガラスが割れ、先生にえらい怒られる羽目となった。

厳重注意となったものの、まだまだ監視の目は甘く、部屋では枕投げをし、女生徒のところに遊びに行く者もおり、それといろんな奴が共同トイレでタバコを吸うもんやから、トイレには煙が充満しており、しまいにはボヤ騒ぎとなり、誰がやったかわかるまでめぼしい人間全員が廊下で正座させられることになった。

俺らは屋上で花火をしていたので、それには巻き込まれなかったものの、部屋にいなかったということで正座させられた。

しかし、そうやって先生が躍起になって生徒を捜したり部屋チェックや持ち物チェッ

2 イキがって、生意気な様

クをしているさなか、淫行に耽っている者もおり、押入れで女とアヘアヘやっているところを先生に見つかったらしい。顔が悪魔のようなのでデーモンと呼ばれている奴で、ソイツも連れてこられて正座させられた。女子のめぼしい奴らは下の階で正座させられた。

デーモンの担任であった理科1の鈴木先生は、なにを血迷ったか、デーモンをしばき倒し、俺らの目の前で「お前のような奴は」といって、いきなりデーモンのパンツを脱がしてしまった。するとデーモンのチンコがでかく、また女が生理だったからか血が付いており、鈴木先生はそのチンコを見てエキサイトし「キィッ〜お前のような奴はチン毛抜いたる〜」と旅館中に聞こえそうな大声を出したのである。いくら自分の頭の毛が薄いからといっても、普通、先生が生徒のチン毛抜くかぁと思ったのであるが、抜かれている方はたまったもんではなく、性器を包み守っている毛をごぼう抜きされるのは痛いらしく、毛根部分には血が滲んでおり、おまけにチン毛の代わりにチンコが引っ張られることも多々あり、デーモンは泣きながら謝っており、見かねた諸先生方が鈴木先生を取り押さえるという事件に発展した。

これが有名な「チン毛抜いたる〜事件」で、このあとから鈴木先生はホモであるという噂がいたるところで囁かれていた。

そして、この事件から三年後、鈴木先生は同僚の若い女教師に猥褻行為をした疑いでポリにパクられ、懲戒免職となるのである。

修学旅行中は、あまり他校と遭遇することはなかったが、草千里で城東の菫中学とかち合ってしまい、そこはイケイケで長ラン、顎ひげをかついでいるカンと凶一の出番となり、相手の不良どもと睨み合いの末、大喧嘩が始まった。広い草原の中で合戦ムードが高まったのか、ちょっとしたワルならば、みんな出ていき、しばき倒し合いとなった。両校の先生やバスの運転手、挙げ句の果てにはバスガイドさんまでが止めに入り、一応は決着がついたものの、ふと横を見ると、女同士のケンカの真っ最中で、ちょっと冷静になってみると、なんか野獣のようやなぁと思い、おかしさがこみ上げてきた。

帰りの新幹線でも他校と乗り合わせたため、席に軟禁状態となり、窮屈な思いで帰った。

十三スクールウォーズ

修学旅行が終わると、まわりは受験ムード一色で、俺は進学のことなど考えたことなかったから、なんか居づらく、相変わらず単車《たんこ》に乗ったりパチンコしたりラリったりと、ツレ同士で遊んでた。

そんなときカンが東淀の奴らに袋におうたらしく、えらい顔を腫らして学校に来よってん。みんなで殴り込みやという感じになってんけど、カンがカッコつけて、「これは俺の不始末や。自分のケツぐらい自分で拭くから、お前らは黙って見とってくれ。やった奴の顔は一人残らずおぼえてる」と、よっぽど頭に来ててんやろうけど、その一言でカチコミ[1]はなくなってん。そんでカンは一人で文化包丁とバットを持って行ったらしく、二、三日後には「一人残らずゆわしてもうたった」とサバサバした顔して来てん。ほんまかいなぁと思てんけど、待ち伏せしてやったらしい。

それで調子に乗ったんか、「まわりの中学全部ゆわしてまおうぜ」ということとなり、とりあえず隣の新北野へ行ってん。みんな木刀や鉄パイプやチェーンを持って集まり、

1　組織間の抗争における攻撃。主な目的は威嚇

中にはなにを考えたのか空気銃やパチンコ、銀玉鉄砲を持ってきているアホまでおった。空気銃を手にした奴なんかは「弾に虫ピンを通してるから当たったら痛いでぇ。猫やハトで試してみたけど威力抜群やっ！」と得意になっており、カンに「アホかい、制服の上から刺さっても効くかい。お前は弾を込めている間にボコボコにされたらええんじゃいっ」といわれ、みんなに馬鹿にされた。

校門前で待っってても生徒も先生も誰も出て来ず、代わりにポリがようけ来てパクられてもうてん。「門前払い食うてポリにパクられんのかいっ」と笑い話となってんけど、おかげでみんな凶器準備集合罪[2]で家裁行きになってん。

一応、家裁も考えているらしく、日にちをみんなズラされて、別々に行ってん。とりあえず家裁では、メンチ切りまくり、トイレには自分の名前彫ったろう思て便所のウンチスペースへ行くと、結構十三の奴が来てて彫られてたから、ちゃうとこにと思て移動してん。当時『オーメン』[3]という映画が流行り、いろんなところに、「オーメン、コーヒー、ライター」[4]と落書きされており、なーるほど〜と感心したのであった。

その後もカンらは様々な中学へ放課後のクラブ活動のように遠征し、殴り込みをかけていたようで、俺も都合のいいときはアシストしててんけど、カンらのグループほど、そのことに興味はなかった。

2 刑法208条ノ2。2人以上のものが凶器を準備のうえ、あるいは準備があることを知りながら集合あるいは集合させることを禁じた法律しかしカンは、それだけでは物足りず十三中学の独裁者にでもなりたかったようで、校内でも暴れまくっており、ちょっと生意気な奴がいれば締め上げていた。

ある昼休み、隣のクラスでえらい大きな音がすんので覗いてみると、カンや凶一、イーマン、ケンジが四、五人をしばきまわしている最中で、狂気の鬼と化した形相で乱痴気騒ぎのように暴れていた。しばかれている奴らは確かに調子に乗っとんなぁと思われる奴ばかりであった。奴らは必死になって逃げまどい、血だらけになって命乞いでもするかのように泣き叫びながら謝っていたが、キ印連中がキレたらば手のつけようがなく、そのクラスの他の生徒はただ呆然としており、他のクラスの奴らもトバッチリ受けてはたまらんと自分の教室でおとなしくしていた。あとが怖いから先生を呼びにも行けないという感じであった。

俺は、同校の同級にここまでやるかぁと、ちょっと憤慨した面もちで、その教室の隅に立って見物していたが、しばかれてる奴の一人が俺のとこまで逃げてきて、「チュチュ、助けてくれ〜」と血と涙とでクシャクシャの顔して訴えたから、よーしやったるでぇ〜と憤慨した気持ちを前面に押し出して一歩行こうとすると、化け物のような顔をしたカンと凶一に「チュチュ、お前には関係ないからどいてくれっ！」といわれ、その面を見るやいなや、先ほどの気持ちはどこかへ飛んでいってしまい、「ハイ」といって、

3　1976年製作。リチャード・ドナー監督。『ヨハネの黙示録』にあるハルマゲドン（最終戦争）にヒントを得て製作されたオカルト映画

4　「オメコ開いた」

サッと身体をスライドさせ、しばかれている奴を前面に押し出し「なんだったら、俺もお手伝いしましょうか？」と情けなくいってしまった。

カンと凶一は「チュチュには関係ないからええわいっ！」と繰り返し、まざまざと、彼らとお友達でよかったっ！　これからも仲良くしてい～こおと思ったのであります。

やがて先生たちが止めに来て、その中には転任してきたばかりの、なにも知らんのにツッパリたがる社会科の玉石という食い倒れ人形に似た先生がいて、ソイツがエラそうに説教こいたもんやから、イッちゃやてるカンが激怒し、ネクタイを締め上げ、「こら玉コロ、グチャグチャゆうとったらほんまに食い倒れの人形にしてしまうぞっ！」と、またもやおのれの凶暴さを披露しようとしたため、先生たちに取り押さえられ幕を閉じた。

静かになった教室に取り残された私はしみじみと、狂犬は檻から出すもんではないなぁと思った。

そうして、独裁者になりたかったカンちゃんの次なるターゲットは先生たちへと移り、恐怖のどん底に陥れたかと思うと、ポリたちが現れ、新聞記者たちが現れ、沈静化したのであった。

が、しかしそれもつかの間、今度は一年の女と二年の女が昼休みに校庭のど真ん中で決闘を繰り広げ、髪の毛のむしり合いやら、黄色い悲鳴やら、キィーキィーいいながらしかも互いに韓国籍らしく「この朝鮮」「お前なんか早よ国に帰れ」と互いに母国をけなし合い、パンチにキックの応酬で血は垂れ流すわ、片方の女は生理中だったらしく、アンネちゃんの血まで垂れ流すわのすごいファイトで、女としてはようやったと褒め称えるべきはずのケンカであったにもかかわらず、独裁者カンちゃんのまいた種にあやかり、すぐに警察、救急車、新聞記者が来て、ジ・エンドとなったのであった。この試合は、俺の人生でもベスト5に入る名勝負で、女子プロレスも真っ青。もし彼女らが女子プロの道に入れば間違いなくクイーン・オブ・ザ・クイーンの座につくことができたであろう。

しかし、このときほど、やっぱり人間の祖先は猿なんだなぁと感じさせられたことはなかった。

お好み焼き屋騒動

学校には、まともな時間に行ったことがなく、いつも塀を乗り越えていた。昼飯に行くときも塀を乗り越えるのだが、女と一緒だと、その塀越えがすごく楽しみで、必ず先に越えさせ、下からパンティを覗くのである。

これがスカートめくりとはまったく違う快感で、まるでパンティが太股の動きにあわせて「こんにちわ！」と微笑しているように感じ、スカートが開いたり閉じたりする様が「いらっしゃいっ！」と誘っているように感じ、ゾクゾクとするのである。

いまから考えると、スケ番と呼ばれる女達もやっぱり中坊で、かわいらしい下着をつけているのである。たしか当時はヒモパンが流行っていたように思う。

また、このヒモパンを外すのが男のロマンで、ヒモの先っちょを持ってスルスルスルと、あたかも女の気持ちを代弁するような少しの抵抗が心地よく、それが解けたときのスカッとした解放感は言葉ではいい表せないものであり、しかしもつれて団子状になったとき、これは最悪の事態である。

俺は、おかんが夜の蝶というか夜の放浪者であったため、学校に弁当など持っていったことはなく、コロッケパンも焼きそばパンもすぐ飽きて、昼はいつも学校を抜け出して外食していた。そのとき必ず誰かを誘って行くもんやから、それが三年も続けば、誘ってない奴はいないぐらいになり、学年男子の四分の一ほどが昼休みに外食して、先生の厳しい指導を受け、昼は先生と一緒にご飯を食べることを強制される羽目になったのである。

外食してたときに人気があったのは〈おっさん屋〉というお好み焼き屋で、ここには机型の鉄板が一台しかないのだが、奥と手前に座敷が二つもあり、手前の座敷ではテレビが見られ、奥では寝られるという、まことに環境のよい店だった。値段もブタ玉、イカ玉などは一九〇円で、デラックスでも三〇〇円という安さで、我々十三中学生の憩いの場となっていた。

また、ここのオッサンがおもろいオッサンで、ダンボールを拾い集めてこの店を持ったらしく、なんせ偏屈で文句をいえば、「そんなガタガタいうんやったら、オッサンとこのお好み食わんでいいから、もう帰ってくれっ！」とすぐに客を放り投げてしまい、神経質なゴンジなんかは、しょっちゅうケンカして放り出されとった。

なんせこのオッサン、ケチケチしていてマヨネーズとかもチョロリンやから、ゴンジなんかは「なんやオッサン、またマヨネーズチョロリンかぃっ。もっといってえや！」ゆうねん。オッサンの機嫌によって、「またお前か、いっつもマヨネーズ少ない少ないゆうて文句いいやがって。そんなガタガタいうんやったら、出ていってくれっ！」ということもあれば、金を払うときにマヨネーズ代として別に三〇円取られることもあんねん。俺は金を取られたときは頭にきて、キューピーマヨネーズを買うて持っていき、ボトルキープならぬマヨネーズキープしたこともあったもん。

ある後輩なんかは、ラリったあとで〈おっさん屋〉に行き、オッサンの偏屈ぶりが頭にきて、オッサンが奥にキャベツを取りに行って千切りしている隙に鉄板にウンコを垂れ、「オッサン、誰がウンコ焼きなんか頼むんじゃいっ！」と、イチャモンつけたらしく、当然ウンコ垂れた当人と一緒に来ていた奴全員が出入り禁止になった。オッサンをよう知っている俺としては確かに、ババ[1]でもかましたろかぃっ！ と思うこともあるなぁと思うほど、ブツブツブツと独り言のように文句をしょっちゅういっているオヤジなのである。

ある日、〈おっさん屋〉に行ったゴンジとハヤっさんが、えらい顔を腫らして泣きながら、俺らの溜まり場である満タンの家の前に現れた。「どないなってん」と聞いても、二人とも鼻水垂らして「くやしいっ！」というだけで、それだけじゃぁわからんのぉと

1 うんこ

思てたらゴンジがやっと口を開き「絶対に仕返しせんといてくれよ！　また仕返しされたらいややもん」と、また泣き出すのである。ハヤっさんは顔がボコボコだけであったが、ゴンジは石でどつかれた拍子に八重歯で切ったらしく、鼻の下に穴が開いており、ちょっと油断すると八重歯が「ハロ〜！」と顔を出す始末である。満タンが気を利かして「これで口の中でもすすいで気を落ち着かせろっ！」ゆうて、水を持ってきた。ハヤっさんは痛々しくすすぐだけであったが、ゴンジの場合はすすぎながら傷口からピュッピュッと水を放出するので、ゴンジには悪いがみんなで笑い転げてしまった。そうしているうちにゴンジも落ち着いてきたらしく、なにがあったのか話し始めた。

まず、ゴンジとハヤっさんが〈おっさん屋〉に行くと満員御礼で、独裁者カンと凶一、それに一コ下の後輩が七、八人いたらしい。そこで帰りかけたら凶一が「ちょ〜待てや、ビールでも飲んでけやっ！」といい、みんなでビールを飲みながら「最近生意気な奴おらんか？」という話になったらしく、「べつに俺らそんなん気にしてないから知らんのぉ。お前らもええ加減学校で暴れんの止めとけやっ！」てな感じで話してたら、後輩の誰かが「凶一さんに対して生意気や！」と、いきなり殴りにかかってきて、外に連れ出されて七、八人に袋にされたらしい。

それを聞いて、ゴンジとハヤっさんの痛々しい姿見ていたら、居ても立ってもいられず、俺と三コンで行こうとしたら、ゴンジとハヤっさんが必死で止めるんで、とりあえずやめとくことになった。この日ばかりは普段薄情な満タンも笑いながらではあるが、「お前らえらいやられたのぉ、よ〜し、俺が仇とったるっ！」と、ほんまか嘘かわからんようなことといって怒っていた。

次の日、やはり俺はムカつくんで、勇気を振り絞って震える足や身体を押さえつけながら悪魔の独裁者カンのところに行き、「なんで俺のツレをしばくねん！」と切り出した。するとカンは「なんで俺がマー[2]のツレをゆわさなあかんねん。ゴンジとハヤっさんが下の奴にやられたらしいけど、俺は奥で寝とったから知らんぞっ！　そんなことするんは凶一しかおるかいっ」というんで、帰ってゴンジらに聞くと確かにそうやったらしく、ゴンジらは「もうやめてくれや！」というけどおさまらんので、今度は凶一の家に向かってん。

途中、満タンと出会い、「一緒に行く」というので連れて行き、凶一を呼んで問い詰めると、寝ぼけ眼の凶一は「俺は知らんぞ。後輩が勝手にやったことや！」といい、

「ほな、なんで止めへんねん」

「アホか、止めたけどあんなけエキサイトして七、八人もおったら、すぐに止まるかい。止めたときにはあないなってもうとったんじゃいっ！　ゴンジとハヤっさんには悪いけ

2　本書の語り手・吉永マサユキの呼び名。チュチュ

どしゃあないやんけっ！」

「ほな、やった奴の名前を一人残らず教えろっ！」

「あかん。やりに行くん決まってんのに教えられへんわいっ！」と押し問答していたら、満タンが問答無用とばかりに「凶一〜ぃっ！　勝負じゃ〜っ！」と、いきなり俺の横をかすめて蹴りをかましよった。突然のことで凶一はパジャマ姿のまんま、もんどりうって倒れてん。しかしそこは巷を騒がしている凶一である。先輩でも関係あるかいっという感じで外に出てきて勝負が始まった。

体格では一八〇センチ以上と上背のあるジャンボ凶一、動きでは貧乏人のコセガレで、かっぱらいで鍛え抜かれ運動神経抜群の満タン。そして片やいっぱしのワルであるという意地、片や先輩であるという意地、意地と意地のぶつかり合いで五分五分で戦い、結局は凶一の親が止めに入ってジ・エンド。しかしお互いが納得できる試合をしたようであった。

パトカーひっくり返さんかったか？

夏が近づいてくると暴走族が動き出し、あのサウンドを聞くと淀川の河川敷でならしている俺たちも血が騒ぎだすのである。

そんなとき、先輩で関連[1]にいるニンケが「走りにいかんか」と誘てきた。「ほな、行こうかぁ」ゆうて行ったんはええけど、走っている最中にパッツン[2]が前をチョロチョロ走ってるんで、「ゆわしてまおか」ということとなり、取り囲んで止めてポリがビビっている間にひっくり返してん。

そのパッツンは三方面交機[3]のもので、そこにはおかんの弟がいた。三方面交機は淀警にあるので十三は管轄地区で、叔父さんは時々飲んだ帰りに同僚を連れて俺んちに遊びに来ることがあった。なんでもひっくり返したパッツンに叔父さんの同僚が乗っていたらしく、叔父さんに「お前はこないだの土曜の夜、パトカーひっくり返さんかったか？」と聞かれドキッとしてん。もちろん俺は「知らんでぇ。でも、パトカーて人間の力でひっくり返るん？」と、とぼけんけど、「同僚が、甥子さんによく似とる奴がいたという

1　関西連合
2　パトカー
3　大阪府警の交通機動隊

もんで聞いてみたんや。でもほんまに知らんねんなぁ」と何度も問い詰められてん。それでも「知らん」ゆうてシラを切り通してん。しかし親戚が近くのポリであるということはやっかいなもんで、迂闊なことはでけんなぁと思てん。

夏になると暴走もすんねんけど、いまみたいに少数でチンタラ走るのではなく、五、六十台、多いときには二百台ぐらいで結構スピード出して走っていた。特攻隊が先頭切って突っ込んで走り、親衛隊が一般車を停めて、走りの潤滑油的な役目をし、箱乗りやローリングを繰り返し、警察署の前だけスピードを緩めグルグルとまわりながら挑発するのである。

夏の淀川河川敷

毎年夏になると淀川河川敷で十三の花火大会が行われたが、それとは別に俺たちだけの花火大会をしょっちゅうやっていた。

しかし実際には、一人五〇〇円ほど出して打ち上げ花火をごっそり買って、二組に分かれて互いに撃ち合うという、花火大会というより花火戦争に近いものであった。

相手が泣きを入れるまで撃ち合うのだが、やはりこの年ごろは程度というものを知らず、ケガや火傷をする者が続出。しかも遠くから撃ってもおもんないから接近戦となり、最後は、へたれかへたれでないかという自分との戦いとなるのである。

たまに女が「面白そうやから混ぜて〜」といって参戦するのだが、相手が女だろうが容赦する者なく、みんなの餌食となり火傷した者も少なくなかった。俺たちの花火大会は、歳の上下も男女差もなく、みんなで楽しむのである。

あるときは後輩のヤスベエが途中でババをしたくなり、川にほど近い葦の生い茂ったところならば見つからないと思いそこでしていた。しかし葦の中に入るところを我が隊の者が見ていて、みんなに報告をし、一斉に十連発の花火をぶっ放そうとソーッと取り囲んだ。お互いに認め合うところまで来てもなおヤスベエは奮闘中で、まわりにはババの匂いがプ〜ンと漂っていた。ヤスベエの間抜けな姿を見ても、誰も容赦することはなく、ただニ〜ッと笑うだけで、一斉に火をつけ十連発をぶっ放した。ヤスベエはチンコもケツも丸出しで、たぶんクソをつけたまま慌てて逃げ出し、泣きながら「チュチュやめて〜や〜」と懇願するが、そんなことはお構いなしでパンパンと撃ちまくり、ウンコの匂いも火薬の匂いに変わったころ、とうとう服に火がつき「熱い〜熱い〜」と泣き叫んで、淀川の中に飛び込みよった。

川から出てきて「身体中がヒリヒリして熱い」いいよるから、街灯の明るいところで見ると、火薬の残りカスで白くなっているところ、黒くなっているところが多々あり、おまけにケツにも火傷の痕があった。その上ハッカに「お前、俺らをナメとったらこうや。でもチンコやのうてケツでよかったんけっ！」といわれ、ヤスベエはしばらく泣きベソをかいていた。

あるときは一コ上のセイボンを取り囲み一斉射撃をくらわした。「熱い、熱い」ゆうて泣いてたセイボンは、やがてキレたようでルール違反である土手上に逃げてしまった。「セイボン反則すんなや、降りてこいっ！」と、みんなで連れ戻しに行ったら、石をバンバン放ってきたんで、俺も負けずに打ち上げ花火を打ちまくって近づいていってん。真っ暗でなにも見えへんとこに石がボンボン飛んでくんねんけど、関係あるかいっちゅう感じで突き進んだら、それが頭に当たって俺もキレてもうて、アイツしばいたる〜と走っていったら、さらにでかいのが腹や肩に当たり、こらあかんゆう感じで逃げようとしたら、トドメの拳ぐらいのんが背中に当たって、息が詰まってもうてん。

これを見ていた全員がキレてしもて総攻撃となり、そのころにはセイボンも投げる石はなく逃げまどい、それを追いかける全員が花火をブッ放したもんで土手の草に引火してしまい、そうなると手の施しようがなく燃え広がり、みんなで「逃げろっ！」と退散したのである。

俺は気になったので一時間後に何食わぬ顔をして様子を見にいくと一面焼け野原で、何台もの消防車が来て消火活動をしており、そこらにいた野次馬のオバハンが「近所の中高生が花火の当て合いしてて火がついたらしいでぇ、警察がその子らを探しているらしいわぁ」といっており、ゾッ〜としてみんなに報告しに戻ったのである。

その後もセイボンは俺に恨みを持っていたらしく、ある日、俺らが満タンちの前でタムロってると、自分とこの鉄工所で作ったナイフ型手裏剣を俺に投げつけてチャリキで逃げたのである。それは、こりゃまともに当たったら突き刺さってまうでぇ〜というような代物で、ゴンジとハヤっさんが「いっぺんしばいて、わからしたらなあかんでぇ」といいだし、三人で追っかけてん。

まずセイボンの家に行くと、セイボンのチャリキがあったんで待ち伏せしていたら出てきて、「オイ、こら」ということになってんけど、敵も必死で、逃げられてもうて、やっと南方《がた》の駅前で捕まえてん。そしたらえらい屁理屈こきよるから、なんや知らん俺もエキサイトしてもうて、行き交う人がようけおるにもかかわらず、いきなり当時流行であったコードバン[1]のベルトを外し、その革の部分でビシッビシッとしばき倒してん。

いまから考えると、ＳＭってんのかと道行く人々に勘違いされとったかなぁと思うねん。

1　馬の臀部より取られた革。この部分は繊維が緻密で大変堅牢で、なめすと独特の深みのある光沢の美しい革となる

プールとビーチの夏休み

夏、夜も蒸し暑くなってくると、みんなで「プールでも行こうかぁ」ゆうて、中学校や小学校のプールに風呂桶抱えていくねん。ついでに頭や身体を洗《あろ》てまおいうことで、シャンプーや石鹸も持っていくねん。ある程度泳いだら、身体を洗てシャンプーして、ほんでプールで潜水でもすれば、泡や石鹸はきれいに落ちるという寸法やねん。

夜でも用務員のオッサンやガードマンがおるから、飛び込みなんて問題外なんやけど、クロールで泳いだぐらいでも結構音が立つから要注意やねん。巡回に来ても、よっぽど怪しいと思わん限り鍵を開けてプールの中までは来ぇ《け》へんから、音を立てずに水の中でジッとしてんねん。そんときは心臓の音がよう聞こえるほどドキドキしながらおんねん。そのスリルも涼しなって気持ちええねん。

ほんまは中学校のプールの方が深いからええねんけど、小学校の方が警備が甘いからよう行っててん。小学校のプールはプールサイドにビワやブドウやイチジクが植えてあるねん。あるときプールに浸かって運動後のデザートのブドウを食いながら、「どっかキャンプでも行きたいのぉ」ということになってん。

「テントとかキャンプ用品どないする？　誰かに借りようか。でも誰が持ってんねん」ゆうて、小学校のときボーイスカウトに入っていたバラキなら知ってるやろという感じで、みんな一斉にバラキの顔を見てん。

　バラキは「知らんなぁ。ボーイスカウトのキャンプのときは小学校でテントを貸りとったからなぁ」というんで、「ほなら、このまま帰りにいってまおうか」ということになり、バラキも「俺がある場所知ってるし、学校やったらランタンや飯盒やキャンプ用品が揃ってるから全部いてまおうや」ゆうて、さっそく小学校の講堂に行ってん。

　表口には鍵がかかっており、どっかのドアか窓の鍵が開いているやろと、みんなで手分けして探してんけど、どこも開いていないから「しゃあないのぉ」ゆうて、プールで使《つこ》たタオルを水で濡らしてきて、一番目立たん場所の窓の鍵に近い部分に貼り付けて割ってん。濡れタオルの効果で、あまり大きな音は立たず、そこから入って講堂の映写室によじ登ってん。

　中は真っ暗でなにも見えへんから、「そこらへんになにか紙ないか」ゆうてみんなで探して、適当な紙にライターで火をつけて見たら懐中電灯やらロウソクやらいっぱい出てきてん。とりあえずテント二張り、飯盒・鍋各二セット、ヘッドランプ四個など、キャンプ用品すべてをもろて帰った。

「これでどっかにキャンプ行こうぜぃっ」ちゅうことになり、「ほな、盆は人が多いから盆明けにでも行こうかぁ」ゆうて別れた。

次の日、テントを広げてみると「木川小学校」と、でかい文字で書いてあるから、こらあかんなぁ思てペンキ屋でスプレー缶をパクってきて塗ってん。

「そんでキャンプどこ行くねん」と話してたら、ゴンジが「鳥取の白兎海岸か浦豊海岸にしようぜぃっ！　日本海やから海もきれいし、夜中に京都から夜行の鈍行が出よるからそれに乗って。山陰線は無人駅が多いから、適当に降りてキセルして行こうぜぃっ」といい、一応地図で山陰線の海の近くの駅をピックアップしておいた。

ゴンジはこういうことに関しては抜かりのない男で、四六時中時刻表を開いては、あ～でもない、こ～でもないと考えている時刻表フェチなのである。こうして鳥取方面のどっかへ行くことが決定した。

その前に、ハヤっさんとこのオバチャンから天理教の落ち葉帰りに行こうと誘われていたので、俺とゴンジとハヤっさんは、オバチャンらと一緒にバスで奈良の天理市へ向かった。

途中、奈良公園に寄って鹿に餌をやったりしててんけど、このハヤっさんのオバチャンがまた典型的な大阪のオバチャンで、よう喋ってお節介焼きで、その上、どんなけ人がようけおっても、こっちがなにをしとってもマイペースで、「チュチュちゃん、これお食べ。このカステラなぁ、ごっついおいしいでぇ。長崎屋のカステラやねん」ゆうて無理矢理食わされんねん。俺は「いまどきの中坊が長崎屋のカステラなんかで喜ぶかいっ」と思いながらも、オバチャンに悪いから「ありがとう」ゆうてもらうねんけど、ハヤっさんの「おかん、もうカッコ悪いからやめてくれっ！」という救いの手がなければ「このオバハン、いっぺん首絞めてもうたろかいっ」思うぐらい、マーブルチョコだの岩おこしだの酢昆布だの、古臭いお菓子をすごいお菓子のように提供してくんねん。

ほんで天理市にある天理教の総本山の、でかい講堂みたいなところに行って、集まった信者たちと一緒になって太鼓や鐘を鳴らしながら踊らなあかんねんけど、俺とゴンジは信者でもないのに、なにが悲しゅうてこんなことせなあかんねん思て、ゴンジに「キャンプやゆうて早よ帰ろうぜいっ」ちゅうて、そこで一泊だけして、次の日オバチャンに事情を話して、ゴンジと二人で帰っててん。

そうして盆明けに、落ち葉帰りに行っててるハヤっさんを置いて、俺とゴンジとバラキとイクッチョの四人で新大阪駅にキセルして入り、京都で山陰線の夜行の鈍行に乗り換え、日本海を目指した。

明け方四時ごろ、チェックしていた東浜に着くと無人駅であったので、そこで降り、海沿いに建っている学校の横にちょうどよい空き地を見つけ、そこにテントを張った。

少し寝て、目が覚めると昼前になっており、近くの駄菓子屋兼日用雑貨屋兼食堂でメシを食い、「ここに夜来てパクれば結構日用品が揃うなぁ」と、みんなで話し合いテントに戻った。

目の前が砂浜ではあるが盆過ぎということもあって、まったく人がおらず、俺らだけのビーチやっちゅう感じで海に入った。飛び込みができる岩を見つけ、そこで飛び込みをしたり泳いだりして遊んでいると、神経質なゴンジが「えらいようけクラゲがおるぞ」というので、見てみると、クラゲが大量発生しユラユラと浮かんでいるので、みんな慌てて陸へ向かった。ほんま死に物狂いでクラゲの中を泳ぎ、ヌルッ、チクッ、ヌルッ、チクッの繰り返しで、やっと陸へ上がったころには、全員が何箇所刺されたかわからんほど全身が真っ赤に腫れあがっていた。

気がつくとすでに夕方になっており、「とりあえずメシでも作ろうぜい」となり、学校のプールで海水を洗い落とし、カレーを作ることになった。慣れているバラキがメシ炊きで、残り三人が買出しに行った。みんなあまり金を持っていないので、パクれるもんはすべて腹の中に仕舞い込むこととし、カレーの材料の他、お菓子やコーラなども調達してきた。カレーはカレースープのようになってしまい、あまり上手くいかなかった。

食後にブラついていて、畑でスイカやナスやキュウリを見つけ、パクっているところをそこらのオッサンに見つかってしまい、俺は畑の畝で足をとられたものの、とりあえずまいて、テントに帰ってん。夜はスイカを食いながら花火をした。

バラキは疲れていたのか知らぬ間に寝てしまったが、俺とゴンジとイクッチョはなかなか寝つけず、バラキの鼻の穴にキスチョコを入れたりして遊んでいた。テントの中は蚊だらけになってしもて、刺されまくって痒いので、それでも目を覚まさないバラキを置いて、「駅の待合室で寝ようぜいっ」とテントをあとにした。

イクッチョの家は消防署前にあるオンボロ長屋で、イクッチョのオバチャンは「ドロ沼の魔女」と呼ばれていた。

その名前が付いた由縁は、俺らが淀川で釣ったハゼやウナギを持って帰ったところ、「いまからすぐさばいて、おいしい蒲焼き作ったるから食べて帰りっ」といわれ、嘘やろぉ、あんな汚い淀川で釣ったうなぎが食えるんかいっと思いイクッチョに「お前、いっつも淀川の魚食うてんか？」と聞くと、自慢げに「おう、おかんは料理上手いから、なんでも作ってくれんでぇ。そん中でも、とりわけウナギの蒲焼きがうまいねん。ウナギが食いたなったら淀川へ行って釣ってくんねん。弁当で学校に持ってったことあんで」と、みんなからどよめきが起こるような話が出た。

そしてオバチャンがウナギの蒲焼きとハゼの天ぷらを持ってきた。みんなで恐る恐る食べてみると、汚い川で釣ってきたとは思えぬほどうまく、そこで誰かが「お前んとこのおかん、あんなドロ沼のような淀川の魚を、こんなにうまいもんに変えてしまうとは、ドロ沼の魔女やのぉ」といい、それからオバチャンは「ドロ沼の魔女」と呼ばれるようになった。

そんなドロ沼の魔女や、ゴンジのとこの永ちゃん、俺んとこのおかんなど、自分の親のことや将来のことなどを喋りながら、夜風の涼しい東浜の駅の待合室で眠りに落ちていった。

一番列車で目を覚まし、テントへ戻るとバラキはまだ寝ていた。身体中あちこちに蚊に刺された痕があり、おまけに鼻の穴のチョコレートが溶けて鼻血のように流れ出しているので、みんなで大笑いしていると、バラキも目を覚まし、午前中はクラゲが少ないのでひと泳ぎして、昼は隣の岩美駅に行った。

もちろん電車にタダ乗りし、岩美駅の改札には人がいたので、柵を乗り越えて表に出て、食堂でカツ丼を食べた。そのカツ丼は、いまでも「岩美のカツ丼」と語り継がれるほどうまかった。しかし、そんとき誰も金を持っておらず、仕方なしに素知らぬ顔して食い逃げをし、走って逃げたあと、そのまま海岸沿いの道路を歩いてテントへ戻った。

晩メシは前日の店で食い、帰りにまた畑でスイカをもらった。

暗くなってテントんとこで食後のデザートをいただいてると、突然ポリが現れ、「お前ら、そのスイカどないしたんや」と聞かれ、アワワとなっているうちに、イクッチョが「そこの畑で盗ってきた」と吐いてしまい、ポリに「畑のものを盗むのは窃盗の中でも重罪やぞ。なんせ百姓が汗水たらして作ったもんやからな」とビビらされ「被害届が出てるからお巡りさんについて来い」いわれた。畑の持ち主の農家でポリに怒られ、謝ったら、「子供のしたことやから」といって許してくれ、おまけにもう一個スイカをくれた。

ポリには「お前らみたいな奴がおったら迷惑やから、そのスイカ食うて、今晩寝たら明日帰れ」といわれ、渋々スイカを食うて、ゴンジが「夜行で帰ろうぜっ」というので、夜中二時半ごろの京都行きの鈍行で帰った。

命拾いしたゴンジ

キャンプから帰ってからもまだ夏休みで、暇こいている連中が六人ほど集まって、「肝だめししようぜいっ」ということとなり、ニコ上のメガネサンショウのGX《じーぺけ》で一人ずつ北摂霊園[1]へ運んでもらうこととなった。ジャンケンで順番を決め、一番負けたものが最初に行ってテントを作り、その代わりに金を払わんでよく、二番が五〇〇円、三番が一〇〇〇円というように、いまから思うと、誠にもってアホな遊びをした。

ジャンケンの結果、俺が負けて一番に行くことになった。みんな「丁度ええやんけ、チュチュやったらテントの作り方も知ってるしのぉ」というが、墓場の真ん中へ行く身としてはとんでもない話である。ほんまにやんのんかいっと思てたら、みんなしてニヤニヤして、「早よ行けや、時間がのうなるやんけっ！」といわれ、根性決めて、メガネサンショウのケツに乗って十三をあとにした。

信号待ちで「メガネサンショウも大変やなぁ、五往復もせなあかんねんでぇ」

「ほんまやのぉ。そんでも夜中やからすぐやし、それにガソリン代もくれるし、ツーリ

1　大阪北摂霊園。大阪府豊能郡豊能町に位置する

ング気分で気持ちええでぇ」などと話しているうちに、北摂霊園に着き、テントを張るのにええ場所を探した。

墓場のちょうど真ん中くらいに、ちょっと車を停められるくらいのスペースがあり、おあつらえ向きにその真上に電灯があったので、そこに張ることにした。そしてすぐにメガネサンショウは「時間がないから」と引き返した。

北摂霊園は南方《がた》から信号のない新御[2]に乗り、最終の箕面まで行き、そこの勝尾山登り口という道を登った中腹ぐらいにあり、十三からは一番近い山で、バイクだったら二、三十分の距離にある。

そこで独りぼっちになってしまった。見渡す限りの墓である。ところどころに電灯がついており、その光が届く墓だけはこっちを見てニタついてるかのように、ポッカリと浮き上がっており、その他は闇々と静寂で、その闇の下には無数の墓が蠢いているに違いない。せめてもの救いは眼下に広がる箕面市と豊中市の街明かりだけである。

さっさとテントを張って、中に入ってランタンを燈し、こんなときには……と用意してきたラリ缶とビニール袋を出して、「ラリってもうたらわかるかいっ」とラリ始めた。

最初は恐怖心の方が強かったが徐々にラリの快楽が勝ち始め、完全にラリった状態でヨダレをタッラ～っとなって、なおも必死でラリこいてると、いきなりテントの入り口

2　新御堂筋。国道423号線。新御堂筋は箕面市に入ったところで主要地方道に接続する

を開けられた。なんじゃいと思い「ラレヤ〜」などといっていると二番手のノグっさんであった。ノグっさんはペラペラと大ボラを吹くため、「知ったかノグチ」「大ボラノグチ」「ペリカンノグチ」と呼ばれている人物で、ラリもタバコもしないという変わり者であるが、理由は単にオッチャンが元ヤクザで怖いからという、父親を怖れている中学生であった。

ノグっさんがラリらへんから、一人でやってんのが悪いなぁと思い、やめてノグっさんと話しはじめた。

「チュチュ、こんなところでようおったなぁ」

「こんなところいうても、ラリってもうたらわかるかいっ」などと話しているうちに夜中の三時になり、「三番手えらい遅いのぉ。ノグっさんの次、誰やった?」

「ゴンジやねんけど、また頑固一徹ダダこねとおんのちゃうかぁ」とゆうてるうちに眠くなり、いつの間にか寝てもうた。

朝になって誰かが揺するんで目を覚ますと、ハッカで、必死こいた顔して「メガネサンショウがゴンジ乗せて事故りよった。勝尾山の入り口から少し登ったところのコーナーでこけて、GXはオシャカでメガネサンショウはちょっとケガしただけやねんけど、ゴンジは頭から落ちたらしく、意識不明や!」いうんで、えらいことになってもうたな

ぁと思いながら、

「それで病院は？」

「箕面の救急に入院しとるわ」ということで、ハッカは誰かにGSを借りて、満タンは誰かにKHを借りて、俺とノグっさんを迎えに来てくれた。満タンは免許があるからええねんけど、ハッカはこないだババっぱね[3]したばかりで免停中で、しかも中免[4]を持ってないので、「ハッカ大丈夫か？　こないだババっぱねしたばかりやんけ」と聞くと、「アホか、こんなときに関係あるかいっ。ポリが来たら逃げたらええんじゃ」という調子で、急いでテントをしもてゴンジの入院する病院へ向かった。

病室に入るとゴンジはケロッとしており、こっちは面食らうどころか気が抜けてしまい、「お前、なんや死んでないんかいっ」

「アホいえ、ちょっと気ぃ失《うしの》うただけじゃ」

「で、結局どないやねん？」

「とりあえず頭の検査だけして、それが終わったら退院や」

「なんやそんだけかいっ、おもんないのぉ。頭の擦傷だけやんけ、焦って来て損したわいっ」

「お前なぁ、他人事や思て、ムチャクチャいいやがって。一歩間違うたら即死やってん

3　ハッカがdax50でお婆さんと衝突したこと
4　中型限定免許。1975年、自動二輪車免許は125cc以下が運転できる小型限定免許、400cc以下の中型限定免許、そして限定なしの3つに分けられた

ぞ。あんとき、ほんま死んだぁ〜と思たもん。頭から落ちてヘッチン[5]被っとったから、そのままツーッと滑っていって、溝にヘッチンが挟まってもうて、死んでもたぁ思て意識が遠のいていって気がついたらここにおったんじゃいっ。お前らみたいにドカヘル[6]やったら完全に死んでもうてるわ。ほんまヘッチンかぶって、ちゃんとベルト締めといてよかったわ」

俺らは一安心して、

「ほな俺らは帰るわいっ。そのベットで寂しん坊将軍して泣いとけっ」

「待ってくれやっ！　もうちょいで帰れるからっ」

最後は「一人寂しく泣きながら電車で帰ってこいっ」といい残して帰った。

ゴンジはほんまに神経質で用心深く、俺らはノーヘルやドカヘルでも、いつも一人だけジェットヘル[7]や変な鉄カブトみたいなのを被っており、みんなからいちびられとった。

しかし今回はゴンジの用心深さが幸いし、命拾いしよった。

5　ヘルメット
6　工事現場用のヘルメット
7　頭部と両耳部分までをガードしたヘルメット

十三市民病院泌尿器科

俺らはいつもツレと風呂に行って、上がってからもゲームをしたり談笑したりで、風呂屋が憩いの場となっていた。

ある日、ハヤっさんのいとこのコーちゃんも一緒に風呂に行くことになった。コーちゃんは俺らの二コ上の先輩で、商業高校に行っており、なにかといえば「商業はええぞぅ。女がいっぱいおってヤり放題や〜。だからうちに来い、うちに」と、俺らを自分の高校へ引っ張り込もうとしていた。しかし「ヤり放題や〜」ゆう割にはコーちゃん自身、あまりパッとせず、俺は絶対にコーちゃんのところには行かんとこう思ててん。

そんな話をしながら湯船のヘリに腰掛けていると、コーちゃんがいきなり陰部を掻きむしり、「あ〜痒いのぉ〜。気がいってまいそうになるぐらい、痒いわいっ！」といい、またボリボリボリボリ掻いた。「俺なぁ〜、タムシ[1]やねん。インキン[2]みたいにグチュグチュにはなれへんねんけど、皮がボロボロ剝けてきてメチャクチャ痒いねん」

ゴンジが「ほな、コーちゃん、タムシやったら、こうやって風呂一緒に入っとったら、

1　医学的には、水虫と同じ皮膚病で、白癬と呼ばれる。白癬菌という糸状のカビが皮膚に寄生して発生する
2　タムシを含む白癬の俗称

伝染るんちゃいますのん？」と聞くと、「伝染れへん、伝染れへん。風呂で伝染っとったら、誰がなにもっとるかわからんから、銭湯来ている奴全員、インキン、タムシになりよるわいっ」といっててん。けど、ゴンジらはヤバいんちゃうかと疑い、いつでも逃げれる体勢を整え、ビクビクしていた。

案の定、コーちゃんは不敵な笑みを浮かべ、そのタムシ汁の付きまくった手をかざしたんで、みんなは「やめてえなぁ」と逃げ出したが、俺だけボーッと座ったままで、コーちゃんは逃げ遅れた俺を見てニターッと笑い、「そんなんゆうて逃げんかってええやんけ。のぉ、チュチュ」ゆうて、手を伸ばしてきた。ヤバい思て腰を浮かしたとたん、「そうやって逃げようとする奴はこうじゃぁ〜」ゆうて、俺の陰部にそのタムシ汁をなすり付けよってん。

「コーちゃん、なんやねん。汚いのぉ！」

そんでも俺は、洗ったら大丈夫やろう思て、すぐに石鹼つけてゴシゴシ洗ってん。

しかし一週間ほどするとえらい痒なって、股の付け根に丸いポツポツみたいなんができ、金玉やチン毛のところもカサカサになって、ボリボリと掻くとフケみたいなのがパラパラと落ちよんねん。ほんでも痒いんでボリボリボリボリ掻いてたら、しまいには切れて血が出てきてん。

そうやってボリボリ掻いとったら、おかんが「なんや、あんた汚いなぁ。インキンか？」ゆうんで、「いや、インキンちゃうみたいやねん。皮がボロボロ剝けてきよんねん」ゆうと「見せてみいっ」ちゅうから、デカパンの脇から付け根と金玉の部分見せてん。

おかんもよう知ってて、「汚なっ。これタムシやないのっ。早よ、薬局行って、タムシチンキ[3]買うてきいっ」ちゅうんで、早速買いにいってん。

タムシチンキは、プラモデルの別売りのセメダインの容器に似た三角形やけど、もちょっと四角形に近い茶色い瓶で、ねじって開ける蓋の先っちょに無数のちっちゃい穴の開いたラグビーボール型のものがついてあり、奥の部屋で襖を閉めて塗ってみたら、全部塗り終わるころには火がついたように熱くなって、どないしよう思て走りまわるうちに、死ぬほど熱うなってきたんで、しゃあないから下敷きを探して、チンコを押さえながら襖を開け、おかんに「熱うてたまらんから、これであおいでくれ〜っ」ゆうてあおいでもろてん。

最初はチンコんとこ押さえてんけど、金玉の裏んとこが熱うてたまらんかったから、しまいには、先っぽだけもって大股開きであおいでもろてん。

なにが悲しゅうて、母親にチンコ丸見えで、あおいでもらわなあかんねん。

おかんはどない思っとったか知らんけど、「汚なっ汚なっ、あ〜汚なっ」と連呼しな

3 正式名称は小林タムシチンキ。小林製薬製造。現在も販売中

がらもあおいでくれとった。

その後は、おかんにあおいでもらうことはなくなり、ツレを呼んであおいでもらっててん。

チュウリンも、これまたひどいインキンで、コイツとはしょっちゅうあおぎ合いっこをしててん。

チュウリンはごっつい男前で、同級生や下級生の女たち憧れの的である。しかし、こうして俺の前で大股開きになり、チンコの裏を向け、紫色でグチュグチュになったインキンをさらしている姿を、その憧れてる女たちが知ったら、さぞや幻滅しよるやろう想像してたてん。

チュウリンとツルんでるとき、はにかむような素振りを見せる女がいたら、捕まえてインキンのことを話すのが、そのころの俺の楽しみの一つであった。

それを聞いた女が、不潔ぅいう感じで顔色を変えると、チュウリンは「チュチュ、なんやねん。そんなんいうんやめてぇやっ！」とムキになって、カッコ悪さの上塗りをし、そうなると俺は嬉しゅうて嬉しゅうてゲラゲラ笑い出してまうねん。けど、そんなん関係ないっちゅう顔をする女もおり、そんなときのチュウリンは得意満面で、俺はおもんないから、さっさとその場を離れんねん。

そんな状態のときにでも、女との仲は進行中で、当時付き合っていたキョーコにも下敷きであおいでもらわねばならないときもあった。最初はどないしようかなぁと迷てんけど、痒うて痒うて辛抱たまらんようになって、カッコ悪いなぁと思いつつも、オメコしてる仲やし、「いっぺんセンズリしているところを見せて」といわれて目の前で掻いたったこともあんねんから、べつに関係あるかいと居直って、タムシチンキを塗り、大股開いて、「もっときつう、もっときつうあおいでくれ〜」とあおいでもらったのであった。

そうこうするうちにゴンジが退院してきて、糸を抜き頭を洗《あろ》てええようになったんで、一緒に風呂に行ってん。

ゴンジが頭洗うと、血のこびり付いたんとか汚れとかが、真っ黒になって落ちよんねん。ほんで、ハッカがいちびって洗髪している後ろから、ゴンジのシャンプーをちょっとずつかけるもんで、ゴンジは一生懸命泡を流そうとすんねんけど、あとからあとから泡が立ち、おかしいなぁ、おかしいなぁ思いつつもゴシゴシゴシゴシやって、ゴンジの退院後の最初の運動は泡取り作業になってん。俺らは後ろでクスクス、ケラケラと笑い、ゴンジもやっとその異変に気づき「お前ら、なにかやってんやろう」ゆうて振り返ったころには、ゴンジのシャンプーがほとんどなくなっていた。それを見たゴンジは怒って

「ハッカ、なんやねん。さら同然やったのにもうないやんけ！」と、えらい剣幕やったんで、今度は俺が「ゴンジ、傷跡どないなってんねん。見せてくれや」ゆうて、ゴンジが頭を向け「この辺やねん」と髪に分け目を作ったところで、「こうじゃいっ」ちゅうてコンパチ[4]食らわしたった。傷跡から血が滲んで、またそれが痛かったみたいやけど、これが俺らの退院祝いの儀式やとゴンジもよう知っとおるから、ヘラヘラしててん。

　俺も他人のことで喜んでる場合ではなく、ある日、なんや知らん、ションベンの出が悪なって、精液ぐらいの量でピュッピュッとしか出えへんから、なんべんも行かなあかんようになった。そのうち、えらい痛なってきて、ションベンの色もクリーム色みたいなんに変わってきてん。ションベンすんのはつらいわ、我慢しとったらもっとつらなってくるわ、それに輪ぁかけてなんべんも行かなならんわ。しまいには新聞配達の自転車に乗るんもつらなってきて、ションベンすんのんが怖ろしゅうて、痛いもんで全身に力を入れるから、身体中が筋肉痛になってもうて、辛抱たまらんようになった。

　最初ツレに相談したら、「梅毒[5]かもしれんぞ。もし梅毒やったら鼻がとれたりしよんねんやろ。そないなったらどないすんねん」いわれて怖なって、おかんに相談したら、「汚なっ、そりゃ淋病[6]や。医者行ったら尿道に焼け火箸突っ込まれんでぇ」ゆうもんやから、怖ぁて医者にも行けず、それでも、えげつなく痛いもんやから、焼け火箸でもなんでも

4　中指で相手の前頭部を弾くこと。デコピン

ええわい、突っ込まれたろうやないけ思て、十三市民病院の泌尿器科に行ってん。

診療室に通され、若い看護婦さんに病状を話すと、ズボンを脱いで診察台の上に仰向けになって待つようにいわれた。待っているとバスタオルを渡され、「これを下半身の上にかけてパンツを脱いでください」といわれたんで、いよいよやんねんなぁと思いながら、その一方で、やっぱあの若い看護婦にもチンコ見られんのかなぁなどと考えていると医者が来て、手にゴム手袋をはめながら、「股を開いて足を曲げてその上からバスタオルをかけてください」といい、俺のチンコをいじくり始めた。もちろん、その後ろでは看護婦がチンコを見つめており、それを意識したとたん勃ってきてしまい、医者に「あれっ？　なにか興奮してきましたねぇ」といわれた。

医者がゴム手袋を換えて人差し指にワセリンのようなものを塗り、「身体の力を抜いて、大きく深呼吸してください」というんで、その通りにすると息を吐いた瞬間、いきなりケツの穴に指を突っ込まれ、こねくりまわされた。

ビックリして「ワァッ」と叫ぶと、医者が「リラックスしてぇ〜。病気の原因を調べているんだからねぇ」といった。看護婦が含み笑いをしているように見えたんで、「チンコ痛いのんが、ケツの穴と関係ありますのん？」と聞くと、医者に「肛門付近の大腸菌が入ると同じような症状になることがあるんで」といわれた。

5　性感染症の一種。1929年の「ペニシリン」の発見により、梅毒の大流行はなくなった。腫れから、発疹、赤い斑点（梅毒斑）へ進行。最終的には、脳や脊髄などを犯し、痴呆や感情障害などのいわゆる脳梅が起きるおかんにいわれたことをフッと思い出したんで、「このあと、ほんまに尿道に焼け火箸を突っ込みますのん？」と聞くと、医者は笑いだし「昔はそうでしたけど、いまは注射一本で治りますよ」といわれホッとした。

ケツに注射を打たれたあと、「最近誰かと性交渉を持ったことは？」と聞かれ、こないだディスコで引っかけた女のことを思い出してんけど、看護婦がいてたんで、なんか恥ずかしくなって「ありません」と答えてしまった。

診断の結果は淋病で、「注射を打ちましたから二、三日で排泄時の痛みはなくなるでしょう。一応薬を出しときます。その中には痛み止めも入ってるんで。一週間以上経ってもまだ痛みがあるときはもう一度来てください」といわれた。とりあえず梅毒ではなくホッとした。

一週間もすると嘘のように治り、注射一本でよく治るもんなんやと感心してしもた。

6　性感染症の一種。感染後、7日以内に尿道から黄色いウミが出る。尿道炎から膀胱炎へ進行すると頻尿、排尿痛、残尿感などの症状が出る

恐怖の淀ブスのお姉様

夏休みが終わると再び学校である。

二限目、三限目、四限目と、行く時間はマチマチなのであるが、とりあえず昼メシだけは学校の誰かと食うことにしていた。

いつも登校していると、隣のバカ学校の淀ブスの女らがイチャモンをつけてくる。

俺の場合、上は普通だが下にはちょっと太いものを穿いており、靴は踵を踏んでいるので、だらしない歩き方で、淀ブスの校舎の横を歩いていると、休み時間なのかなになのか知らないが、二、三階のお姉様たちが「ボク〜、なにいきって歩いてんの〜、カッコい〜いっ。お姉様しびれちゃう〜。お姉さんが遊んだろうかぁ〜」などと、おちょくってきよる。

一人ではとうてい太刀打ちできないが、なにもいわんのも悔しいので、「じゃかしいわいっ！　犯してしまうぞ！　このブスっ」と、なんとも大胆なことを口走ってしまう。

すると、中坊のガキがなにナメた口きいとおんじゃとばかりに「こらっ、ワレッ！

女や思てナメとったらしばきあげんぞっ！」と口々にみんなで寄ってたかって、一人の中学生男子をイジメるのである。

あるときは、ツレと昼メシを食おうとチャリに二ケツして校舎の前を通ると、「ボクたち〜、二人乗りはダメよ〜。お巡りさんにいいつけちゃうから〜」と、いつものようにおちょくってきよったんで、ツレがおったら怖いもんあるかいとばかり、「なに、ゴチャゴチャゆうとおんねん。ひょっとしてオメコん中で試験管破裂さしたん、お前やろ」とか「お前かいっ、野菜やサラミ相手にオナっててんのは」などと叫ぶと、いきなり上からゴミ箱やら椅子やら飛んできて、危うく当たって頭がパックリ割れるという惨事になるところであったが、何人もの先生が「お前ら、なにしとんじゃいっ」と窓から顔を出したので助かった。しかし俺らにも「お前ら、十三中学の生徒やな。ちょっとそこで待っとけっ！」ときたんで、バレたらヤバいとダッシュで逃げてん。

ほんまにあっこはどうしようもない女の吹き溜まりで、俺が淀ブスの体育館の近くの壁に立ちションしてたら、体育が終わった女ら四、五人が「ボク〜、チンコ見せてぇ〜」といって走ってきたんで、ションベンしながら慌てて逃げ、ズボンや手がションベンまみれになったこともあった。

親があんなんやから

俺んちはおかんが水商売だったため、夜になると俺は遊びに出かけ、俺が家にいるときは必ずといっていいほど、誰かが遊びに来ていた。

そんときはチュウリンと三コンが遊びに来ていて、テレビでは三菱銀行北畠支店の梅川事件[1]が報じられていた。その事件がテレビに映し出されるや否や、三コンが「あっ、この銀行、俺んとこのおとんがおるところや！」といいだした。俺は「嘘こけ〜、ほんなら銀行に電話してみい、梅川が出よるかもしれんぞ」といい、三コンが銀行に電話するも通じず、家にかけると、ほんまにそのようで、オバチャンに「あんた、お父さんが大変なときにどこでなにしてんのん。はよ帰ってきなさいっ」といわれ慌てて帰っていった。

その後、三コンは俺らから事件について質問責めに合い、「俺はなにも知らん。おとんのことやから」と辟易としていた。

そうやってテレビに熱中していると幼なじみの仁ちゃんが遊びに来て、「ツレが来て

1　1979年1月26日、三菱銀行北畠支店に梅川昭美（30）が猟銃を持って乱入し37人を人質に籠城。行員と警官を射殺した他、行員に同僚の耳を切り落とさせたり女子行員を全裸にするなどした。42時間後に梅川は射殺された

んねん」ゆうてんのに、図々しく「ちょっと、マンガ借りに来ただけやからええやん」と上がり込んできてん。

以前、仁ちゃんと俺はチャリキで紀伊半島に行ったことがあった。一緒にテント生活をし、苦楽を共にしてきたにもかかわらず、俺が金を落として、ほぼ一文無しの状態になったとき、いくら頼んでも仁ちゃんは金を貸してくれず、「ほな、これから先、別行動しようか」ゆうて、さっさと行ってしまい、俺は和歌山から十三まで百五十キロを飲まず食わずでチャリキこいで帰ることになってん。

そんな根ババ[2]の仁ちゃんが、長いこと座り込んでマンガ見てるもんで、「早よ、帰れや。ツレがおんねんから」といってても「もうちょっと、もうちょっと」となかなか帰らんので、腹立ってきて、ギターを取り出し——当時はフォークギターが流行っていた。ちなみに仁ちゃんは音感がないのか超ヘタクソやった——音程をずらして月亭可朝[3]の真似をしながら「〽ギターヘタクソな奴が帰りよれへんで～、ギターヘタクソな奴はダッチョやで～、ギターヘタクソな奴は変態爆弾やで～」とおちょくったってん。

仁ちゃんは、ちっちゃいころ脱腸で、ミニタリーマニア。戦争や拳銃なんかの本を読破しまくり、花火をバラして火薬を集め、仕掛け爆弾などを作っていた。小学生のときには火薬でパチンコ玉を飛ばす鉄砲のようなものを作り、俺と二人で近くの広場で試し

2　性根が腐っている様

撃ちをしたところ、これが予想以上の威力で、広場の向こうの家の窓ガラスと桟を破壊して、えらい怒られたことがあった。それ以来、「恐怖の爆弾男」とみんなから怖れられていた。

そうやっておちょくって歌っていると、いきなり怒り出し、玄関まで行くと「もう、お前んとこなんか、マンガ借りに来たれへんからな」とホザいて唾を吐き、戸を思いっきり締めて出ていきよってん。

俺もそこまでされては黙ってられんとばかりに靴も履かずに追いかけて、仁ちゃんの家の前で捕まえてケンカになった。こうなると百戦錬磨の俺の方が有利で、ボコボコにしまくってん。仁ちゃんは鼻血を出しながら泣き叫び、近所中の人が出てきた。

そして十人くらいのオッサンが、俺んとこのおかんがおらんことをええことに、俺が悪いと決めつけ、責め立て、親のことや俺の日ごろの生活態度までも罵った。そのうち、まあまあとなだめる大人も出てきて、一応落着したものの俺の気は治まらなかった。

次の日、とりあえず一番罵っていたクリーニング屋に勤めているオッサンを捕まえてん。「なんじゃい！」と睨んできたんで、いきなりビンタを食らわしたったら、睨みをきかすために役立っとったサングラスが吹っ飛び、下からちっちゃい垂れ目が現れてん。吹き出しそうになったけど我慢して、「おいコラッ。俺の親のこと、なにくさしと

3　チョビヒゲ、メガネ、カンカン帽がトレードマーク。1959年、林家染奴の芸名で落語家としてデビュー。69年に月亭可朝と改名しギター漫談で人気を集める

おんじゃ」ゆうて蹴りを二、三発食らわすと、そのちっちゃい垂れ目には大きすぎるほどの涙を浮かべて「スマンかったスマンかった」いいよるから、なんや情けのうなってやめたった。

そして、そのオッサンと一緒になって罵ってたソイツの嫁ハンとこに行って「お前、ここにおったら、いつかツレとみんなでタライにしてもうたるからのお。それとお前んとこの娘が大きゅうなったら気ぃつけよ」とゆうたった。その一家は知らん間に引っ越してもうた。

さらに、一緒になってグチャグチャゆうてた奴の家に行って、オッサンにパンチを一発食らわして、その夫婦は夫の浮気によって離婚するせんと近所で噂になっとったから、「オッサン、俺のことグチャグチャゆう前に、お前の浮気のこと気にせぇ。しまいにはチンコ切り取ったろうかぁ。オバハンもそんなに根ババで口も悪けりゃ顔も悪いから浮気されんのんじゃあ」ゆうて帰ってきたってん。

その後も近所中で、「あの子は末恐ろしい」だの「親があんなんやから子もあんなんや」と俺の悪い噂でもちきりやったけど、「お前らみたいな奴がおるから、グレる奴が多いんじゃぁ〜」と声を大にしていいたい。

十三のゆく年くる年

師走になるとどこも忙しく、俺は毎年公設市場の八百屋でバイトさせてもらってた。バイトといっても店頭に出ることはほとんどなく、配達や奥でジャガイモやタマネギの袋包みなどをするだけであるが、たまに表に出ると買い物に来た同級生なんかと顔を合わせてしまい、なんや知らん恥ずかしゅうて、極力出んように努力しとった。

一方、独裁者カンは毎年餅屋でバイトしていた。カンの場合は恥ずかしがることなど微塵もなく、威勢よく店頭で餅売りに興じとった。

八百屋のバイトの一番の楽しみは〈木川劇場〉への配達である。踊り子さんの控え室まで通され、注文の野菜を届けるのだが、そこで「ボク、ちょっと休憩していき」とコーヒーを出してくれる。部屋に入るや否や、天花粉の匂いかなんの匂いか知らんねんけど、大人の女の化粧のドギツイ匂いがプーンと立ちこめ、ああ、これが大人の女の香りなんだぁと胸の高鳴りを抑えつつ用意された椅子に座り、コーヒーを飲みながら奥へ目をやると、その香りの主である踊り子さんたちが露出の多い服を身にまとい、化粧したり談笑したりしていて、この人たちがストリッパーなんやとやけに感心し、けど、ストリッパーという女の人はえらい化粧しよんなぁ。まるで子供のお絵かきかピカソの絵のようにいろんな色を顔に塗りたくりよんな。でも、これが大人の世界なんやと思ったもんである。

小学生のころ〈木川劇場〉が火事になったことがあり、慌てて見にいったら、女の人が乳も毛も丸出しで、薄いスケスケのネグリジェみたいなもん着て出てきて、えらい興奮してもうて、そんときばかりはテレビカメラにピースすんの忘れてしもた。

配達に行くとほんま当時の興奮が沸々と蘇ってくるのである。

バイトは大晦日の紅白歌合戦が始まるころに終わるので、そんときにはバイト料をくれ、たぬきをとって年越しそば[1]を食わせてくれるのであった。そんときのあったか〜いたぬきは配達で冷え切った身体に染み入り、メチャうまかってん。

〈木川劇場〉に来ていた踊り子さんの中でも南米の姉ちゃんはメチャメチャフランクで、俺がチャリキに乗っているときなんかに「ヘイ、ボーイ」と呼び止められ、駅まで連れていけとケツに乗ってきよんねん。それだけやったらおもんないから「サ店、行こうや。遊ぼうや」と誘うねんけど、全然通じず、ちょっとぐらいは日本語わかってんねんやろうけど、わからない振りをしよるから、とりあえず「スタンダップ」ゆうて荷台

1　甘辛く煮たあげの入ったそば。関東でいうきつねそば

に立たすねん。

そうすると道中、歩道のへリなんかでチャリキが揺れたら頭にオッパイがプルル〜ンいうて当たりよるから、それがごっつい楽しみで、ついつい頭をちょっとずつのけぞらせていってまうねん。ほんなら相手もわかるようで、わざとオッパイを頭にひっつけてきてくれんねん。そんなんが数回あって、みんな別の人やったけど同じような反応で、ほんま南米の人はええなぁと思たもんや。

そんなこともあって、「正月はストリップや！」という思いが高まり、みんなで行くこととなった。〈木川劇場〉の社長とはサ店でよく会っていたので、「タダ券やるぞ」とゆうてくれるけど、そないいわれても、近所なんで、出てきたときにどこのオバチャンと鉢合うかわからんし、万が一そないなったらカッコ悪いんで、天満の〈東洋ショー〉[2]に行くことにした。

俺とゴンジ、ハヤっさん、ノグっさんの四人で行くこととなり、みんな中坊やとバレんようにスーツなどを着たりして、中津の駅前から出てる送迎バスに乗っていった。〈東洋ショー〉は大阪一安いストリップ劇場と謳っているところで、当時の正月料金でも確か一五〇〇円で十人近くのダンサーたちが様々なショーを見せてくれた。で、俺らは一番前のかぶりつきに陣取って、ショーが始まるのをいまや遅しと待っていた。

2 東洋ショー劇場。大阪天満にあるストリップ劇場まずは、普通のヌードショーがあり、次に三、四人の女のご開帳ショー、これは目の前まできて大股開きになり、指でアソコを開いてみせるというもので、そのとき、えらい若い十六、七歳の金髪女がいて、その女がジーッと俺を見つめてんねん。かわいい顔の人で、なんかその眼にはポッカリと穴の開いたようなむなしさが漂い、なんか悲しなってもうて一人ジーンとしてたら、隣で「ヒィーッ、やめてくれっ息がでけへんっ！」と悲鳴がするんで見ると、オバハンがニターッとして、ノグっさんの頭を股間に思いっきり押しつけており、俺の方を見て「ボクもしたろかぁ～」といいよんねん。そのニヤついた顔を見ると先ほどのドラマチックな気分も吹っ飛び、「結構です」と使《つこ》たことのないような言葉で丁重にお断りした。きっとオバハンは、この子ら、えらい若いわぁ思てちょっかい出して、とりあえずは水谷豊似で一番男前のノグっさんを餌食にしてんやろうなぁと思う。そのオバハンから解放されたノグっさんが、プハーッと深呼吸して「えぐ～。メチャ臭かったぁ」ゆうてこっち向いたときには、ノグっさんのえらい高い鼻が、オバハンの汁で濡れてピカーッと光っとった。

そして白黒ショーがあり、これは外人の男と女が出てきて目の前でヤりよんねんけど、ほんま外人のチンコがごっつうて、また、それを外人の女が口でくわえよんねんけど、その仕草が、やりよんなぁという感じで、そんなでかいのんが入りよんのかなぁ思てたら、きっちり根元までブチ込んでケツ振っとおるから、えらいもんやなぁと感心してん。まわりを見まわしたら、オッサンもツレも目をカッと見開き、生唾ゴックンで見とれていた。

俺はチンコがギンギンで痛いんで、試しに隣におったゴンジのをつかんでみると、こちらもギンギンであるが粗チンで、俺のハートのビクトリーランプが点灯した。ニヤッとしながら今度はノグっさんのに手を伸ばすと、これまたギンギンで、しかもかなりのビッグモンスターで、このとき初めてノグっさんの巨大さを知り、鼻がビッグキャブ[3]なら下も超ビッグと感心し、俺のハートのビクトリーランプは壊れたものの、依然俺のチンコは立ちっぱなしで、えらいこっちゃーと思たもんであった。

次のまな板ショーでは俺がターゲットにされ、オバハンに「ボク、上がっていらっしゃいっ！」と手を握って舞台に引き摺り上げられそうになり、まわりのオッサンらが妬み半分の声援を送ってくれるも、まだまだ根性が足らず、思わず「ごめんなさいっ！」と口走ってしまい、それがまた運悪くオバハンには刺激的であったようで、「まっ、かわいいやんボク〜ッ、お姉さんがちゃんとやってあげるから怖がらなくていいのよっ！」といわれてしまう始末で、心は揺れ動くのであるが、えらいオバハンやしと躊躇するうちに段々半ベソ状態になってきて「お願いですからやめてくださいっ！」と叫

3　キャブはキャブレターのことで、ガソリンと空気を混合する部分。この口径を広げ、加速性を高めたものをビックキャブと呼ぶ。転じて、鼻が大きいこと、鼻息が荒い様をいう

んでしまい、場内笑いの渦となってしまった。オバハンは少し気分を害したようで、その後は俺と目を合わせようとはしなかった。そして他の客のチンコをおしぼりできれいに拭いて、口でゴムをかぶせて、まな板ショーを興じていた。

次に、手にコケシのようなものを持った女が三、四人出てきて、入れポン出しポンのショーが始まった。客の前で股を開き、コケシを入れたり出したりするのであるが、まるで次のターゲットはゴンジだと決まっていたかのように、スッと俺らの前に来てコケシをゴンジに手渡した。しかし、これまたオバハンで、「俺らの前にはなんでもっと若い女が来んのじゃぁ」と憤慨するも、それもむなしく、ついついゴンジの手に握られたコケシとその前にある光景を見てしまうのである。

ゴンジはギッチョで生真面目な男で、普段から動作がカチコチしているように見えるのだが、このときは一層輪をかけてガチゴチに固まったロボットみたいで、眼球を血走らせ鼻息荒く、なおかつ吸った吐いたを出し入れに合わせるかの如く、手を振るわせながら入れポン出しポンをしていた。そのチグハグな動きは見ているこっちまでギクシャクするほどで、とうとうオバハンも顔をいがめて「イタイイタイ、イタイなぁ。ボク、もっとリキまんと力抜いて優しゅうやってえな」といい、ゴンジはそれで余計舞い上がってしまったのか、より一層鼻息を荒くして、まるでピンボールゲームでエキサイトしているような顔つきで、顔面いっぱいに脂汗たらしながら、すごい勢いでやっていたら、突然オバハンが怒りだし「もうヘタクソ！　痛《いと》おてあっこがヒリヒリしてきたわ。もっと練習して出直してきっ！」と、どこで練習すんねんとは思うねんけど、向こうへ行ってしもた。

ゴンジは火照った顔で、メラ～ッと濡れて湯気のでそうな指を見たあと、いきなりしゃぶりつき、「このまま拭いたら汚いから舐めたった」ゆうて、今度は舐めた指を一張羅のスーツで拭いとった。

ショーが終わり外に出て、「すごかったのぉ」と、ええ経験したという顔つきをしていたが、みんなまだチンコはピン立ちで、パンツの前もガマン汁でグッショリ濡れて気持ち悪いので、「とりあえずどっかで抜こうぜいっ」と、今度は十三の日活ロマンポルノに行った。

正月の三本立で「未亡人下宿シリーズ」[4]がやっており、みんなでまたもや一番前に陣取り、男四人並んでセンズリの飛ばし合いっこをした。

「未亡人下宿シリーズ」は、毎回毎回、新しい下宿人が入り、その新入りにおかみさんが夜這いをかけ童貞を奪うところから始まる。それを古株の下宿人、尾崎君[5]が覗いてセンズリを掻くのだが、この尾崎君は劇中、センズリが仕事かと間違えるほど、しょっち

4　山本晋也などが監督して多数製作された。内容は未亡人の主人公が営む下宿で起こる騒動記というもの。1984 年には愛染恭子主演の「未亡人下宿」も製作された

ゅう掻いている。常に先のわかるストーリーなのだが、尾崎君がひじょうに面白くて、ついつい見に行ってしまうという映画なのである。

そのようにして十三の年末年始は慌ただしく過ぎていくのであった。

留置所はイヤ、押入れがスキ！

ちょい肌寒くなって、夕暮れ時なんかごっつい寂しさを感じる季節になった。

ある夜、凶一が嬉しそうな顔をして遊びに来よってん。「単車《たんこ》を借りたんで遊びに行こうぜいっ」というんで、線路沿いの道で単車に乗って遊んでたら、そこらのオバハンが通報してんやろうけど、前後をパッツンに挟まれて無免で捕まってん。そんときは俺一人で乗ってたんで、一人だけ捕まってん。

単車は先輩から借りてきたゆうとったけど、それを吐いたらまずいんで、新大阪駅前でパクったことにしてん。

そのとき、俺がなかなか戻らんからと心配した凶一が探しに来て、俺が目で「来んな」と合図してんのに来よって、ポリに、その単車が先輩から借りたものだと喋ってしまい、しかも先輩の名前まで出しよったから、こらヤバいことになんでぇと確信してん。

俺は、身元引受人が迎えに来たらすぐ帰れるはずやってんけど、その肝心のおかんがポリポリとケンカしてしまった。

ポリに職業を聞かれたおかんが「なんで子供が悪さしたのに、ウチの職業をいわなあかんのん」と食ってかかると、ポリも「お母さん、普通はうちの息子が世話かけてどうもすみませんでしたゆうて子供を引き取りに来るもんや」と反撃したさかいに、おかんは激怒して「なんで、うちが謝らなあかんねん。それにたかが無免許くらいでグチャグチャエラそうにゆうな。もっと悪さしとおる奴、いっぱいおんねんから。そんな暇あんねんやったらさっさとソイツら捕まえろっ！」と啖呵を切り、互いに引っ込みがつかなくなってしまった。

「それやったら息子さんを留置所に入れる」

「何日でも入れてちょうだいっ」ちゅう予想外のヤバい展開に、パクられた俺がポリとおかんの間に入って「マアマアマアマア」とやってたんけど、結局おかんは帰ってしまい、俺はヨンパチ[1]を食らうことになった。

ほんで、もちろん家裁に行くねんけど、その前に先輩から呼び出しがあった。

指定された公園に行くと、先輩がようけおり、そん中に凶一やイーマン、ケンジ、一コ下の奴らがおった。先輩に「なんでポリに俺の借りたとゆうたんや」といわれたんで、「俺はゆうてない。凶一が来てゆうたんやっ！」ゆうと、みんな驚いて凶一を見た。「なにぃっ、ほんまかぃっ！」

1　48時間拘留。警察は被疑者を逮捕した瞬間から48時間以内に検察官のもとに送致するか、釈放するかしなければならない凶一は「ハイっ！　どうもすみませんでした」と白状し、ボコボコにされ、泣いて鼻水垂らしながら「すんませんでした〜。すんませんでした〜」と、ひざまずいて謝った。先輩やイーマン、ケンジたちが、さっき俺に文句ゆうたことを侘び、そのあとイーマンの家に行った。それからはイーマンとごっつい仲良うなって、しょっちゅう家に遊びにいくようになった。

イーマンとこは、オッチャンが刑務所に入ってて、お婆ちゃんしかおらず、家は二階建のオンボロ長屋で、いまにも倒れそうなので、つっかえ棒をしてあった。

イーマンの家に行くと、しょっちゅうラリっていた。お婆ちゃんの目を盗んでは押入れの中に入り、その隙間からこぼれる光を見つめながら様々な幻覚を体験した。また女を連れて入って、キスしたりオメコしたりした。とにかく便利な押入れであった。

イーマンの家にいると、ほんまなんでもありで、寝て起きたら目の前でイーマンが、横ではハッカがオメコをしており、その無修正ノーカットポルノグラフィーを見せつけられ、否応なしにセンズリ掻くこととなり、「とりあえずラリってまおっ」て感じで押入れに入ったり、俺に女がいればヤったりしていた。

かわいそうなのはゴンジで、常に女がいないため、しかもラリもあんまり好きではないため、自ずと選択肢もなく、センズリ一本に絞られてしまう。

それでも結構みんな仲良うよう溜っとたんがイーマンハウスなのである。

先輩の彼女とＡＢＣ

巷では、なにかといえば口裂け女[1]の話題で、「自分で口を耳元まで裂き、普段はマスクをしており、かわいい男の子を見るとマスクを外し、男の子がひるんだ隙にズボンを脱がしチンコをパックリしチュッパチャップスする」という素晴らしい噂が飛んでおった。かわいらしい男の子のボクとしては「まあ、どうしましょう」と、いつ犯されるかわからない危機感に昼夜さいなまれ、寝つきが悪くなるほどでした。

そんなあるとき、先輩んちで溜ってたら、先輩の彼女が「今日は親が帰ってくんのが早いから帰るわ」ゆうて帰ることになり、そして「口裂け女が怖いから誰か送って」と、いまから考えるとすご〜くヘンだが、当時の状況からするとよくある要求をした。

当然、先輩が送ることと思っていたら、「今日は少し夜風に当たりたいから……」といって、なぜか俺が指名されてしまった。先輩は彼女の尻に敷かれていたのでいいなりで、「ほな、チュチュ悪いけど、チャリキで送ったってくれや」ゆうので、なんで俺が先輩の彼女を送らなあかんねんと思いつつも、そこは後輩の弱みで行かねばならなかっ

1　1978年12月、岐阜県に初登場。翌年には日本全国で目撃の噂が流れる。「わたしきれい？」と尋ねてきて「きれいだよ」と答えると、「これでも？」とマスクをはずし、耳まで裂けた口をみせるという。都市伝説の一種

た。また先輩の彼女はそこそこかわいく、その女の指名ならば、まんざら悪い気もせず、しゃあないのう。先輩の彼女やけど〈木川劇場〉の姉ちゃんで鍛えた俺の得意のローリングヘッドスリスリで乳を堪能させてもらうでぇ〜と思て送っていってん。

夜風に当たりながら、「荷台に座るとケツ痛いから立てば」といって立たして、スリスリいっとったら、先輩の彼女も気づいたのか、胸を押しつけてきた。そして「チュチュ、私の方が歳上やのに、チュチュの方がしっかりしてて、なんかお兄ちゃんみたいやね。私お兄ちゃんみたいな人がタイプやねん」とかなんとかいって雲行きが怪しくなり、俺は「そう」とか「ふ〜ん」とか、素っ気ない返事をしててんけど、「実は、今日親が早いゆうのん嘘やねん。チュチュと二人で話してみたかったから嘘いってチュチュに送ってほしいゆうててん。だから、家に来てえな。ちょっと話しよ」と、なんとも大胆なことになってきた。

「そんなんしとったら、先輩に悪いから……」といったまま会話は途切れ、ヤバいなぁ思いながら啞然としてしまい、必殺技のローリングヘッドスリスリを忘れていたら、逆スジ返しのローリングヘッドスリスリをいとも簡単に決められ、敵もやるのぉと思てるうちに家の前に着いてしまった。

俺は先輩の彼女の家が借家ではなく一戸建であるのに驚いてしまいローリングヘッド

スリスリの余韻でポーッとした頭には策が浮かばず、かわいい顔で「寄っていきっ。ねっ！　いいでしょっ！　アイツには適当にいっとけばいいやんっ」と微笑まれては、微笑み返しもできず、従順な子犬となり、ただ一言だけ「ハイ」と頷くだけで、彼女に手を引っ張られて連行されたのでした。

家に入り、キッチンにはテーブルがあり、居間にはソファがあり、なんや知らん、整然と、高いんちゃうんと思われるものが置かれているのを横目で見ながら二階に上がり、彼女の部屋へ行ったのである。まず彼女が自分の部屋を持っているということが、なにより驚きであった。

部屋にはベッドがあり、全体的に淡い感じの配色でフリルやレースの物が目立つ中に、キャロルや永ちゃん、ソウルミュージック、竹の子[2]っぽい衣装や族のステッカーなどの不良御用達のアイテムが散りばめられ、女の部屋の中に不良があるという感じであった。自分専用のテレビがあり、それにもまた驚かされた。

先輩の彼女と二人でベッドに座わり、ジュースを飲み、ポテチを食いながら話した。そして、先輩とはノリで付き合いだしたものの日は浅く、部屋にさえ入れてないということや、深夜のテレビ番組の「ソウルトレイン」[3]を見て、ファンキーダンスやバンブーダンスの振り付けを練習していることなどを聞いた。

2　1980年ごろから、東京・原宿の〈ブティック竹の子〉で売られている独特の衣装を身につけた若者たちが、毎週日曜日になると代々木公園に集結し、踊りまくるようになった。彼らは店の名前から「竹の子族」と呼ばれた

このころの女の不良どもは「ソウルトレイン」でダンスをおぼえ、ディスコに踊りにいくのに熱中していた。日曜にはナビオ[4]前のホコ天[5]で踊っている者も多かった。一方、俺らは、ほとんど永ちゃん一本槍で、だからラリソング[6]もほとんど永ちゃんで、たまにユーミンやサザンをかけたりしていた。

そうこうしているうちにセックスの話となり、AだのBだのC[7]だのいう言葉がこのころ流行っており、「Cまでいったことあんのん？」と聞かれ、俺は得意満面で「あるぞっ！」と答え、そしてついには「チュチュのことが好きやねんっ！　アイツとはすぐ別れるから私と付き合おっ！」と愛の告白をされ、俺は付き合うてる女がいることをいったが、「そんなん関係ないっ！」と一喝され、かわいい顔でまっすぐ見つめられると、もうどうなってもええわいっとヤケのヤンパチでギュッと抱きしめたのでありました。

俺は帰り道、こんな口裂け女やったらなんぼでも来てくれぇ〜と思いつつも気は重く、ツレんちへ行って相談し、翌日先輩に詫び入れにいくことにし、とりあえずその夜は、あ〜あ、気持ちえがったなぁ〜。グフグフフフフッ！　とラリったのでありました。

翌朝、家に帰って制服に着替えてると、ツレが来て、えらい先輩が怒っていることを告げた。ツレの話によると、ゆうべ先輩んとこに彼女が泣きながら電話をかけ、俺とのこと、彼女の気持ちなど洗いざらい話したらしく、先輩は俺に対して激怒しているが、

3　ドン・コーネリアス司会の人気ダンス番組
4　HEP NAVIO。大阪駅前に位置する主に若い女性を対象としたデパート
5　歩行者天国

なんか気の抜けたような感じでもあるようで、俺はチャリキですっ飛ばして先輩んちへ行った。

先輩は確かに気の抜けたような顔をしていたが、俺の顔を見ると怒りが激増したらしく、俺の「すんませんでしたぁ〜っ」という声を聞く間もなく、殴りかかってきたが、俺をボコボコにしながら、しまいには泣き出してしまった。

先輩は彼女に思いっきり惚れ込んでたようで、最後に俺に「アイツのこと、大事にしたってくれいっ！」といったけど、でけんことがわかっていたんで「俺、付き合うてる女がいますからできません、すいません」というと、一瞬怒った顔をしたものの、泣き崩れてしまった。ツレが来て「とりあえず、ハイゆうとけ。ハイと……」というんで、「ハイわかりましたぁ」といい、なんとかその場は一件落着であった。

騒動は俺の彼女の耳にも入ったらしく、えらい剣幕で「私とあの女のどっち取るかはっきりしてっ！」ゆうとったけど、俺にとってはどっちでもよく、女より男のツレと遊んでいる方がおもろかったんで、「お前の好きにしたらいいやんけっ！」と、かなりの無責任男となっていた。

その後も適当に付き合っていたけど、先輩の元彼女に新しい彼氏ができ、いつの間にか、その騒動も終わり、時の流れの早さを感じたものであった。

6　ラリっているときにきく音楽

7　現在では死語となってしまった言葉だが、Aはキス、Bはペッティング、Cが性交を指す

坊主頭で卒業式

学校ではすでに先生から諦められて、英語などは、なんで、日本人の俺が異国の言葉を勉強せなあかんねやという気持ちも手伝い、テストの点は一桁しかとったことがなく、たまに鉛筆サイコロの出来がよくて、二桁をとると「吉永君、よく頑張りましたね」と褒められる程度であった。

体育と昼メシ以外の時間はほとんど寝ており、たまに起きると、地面に書いた的を狙い三階の窓から傘を落としてダーツゲームをしていた。しかし校舎のガラスを割る者が多いため、窓に金網が張られてしまい、唯一の楽しみであった傘ダーツもでけんようになり、とても退屈な学生生活を送っていた。

昼休みを先生と一緒に過ごすという罰は解けたが、外出するには警戒が厳重であったため、学校でメシを作ろうということになった。その呼びかけで集まった面々が家から缶詰などを持ち寄り、米だけは米屋で買って、教室に炊飯器を持ち込んでご飯を炊くのである。四時限目の授業前に米をとぎ、授業中に炊飯器のスイッチを入れるのだが、席が窓際の後ろでコンセントに一番近い奴がその係に決まり、おかずはソイツの上の天井が開いていたので、そこに袋詰めにした缶詰を隠していた。

教室にストーブが入るとフライパンで目玉焼きを作ったりウインナーを焼いたりした。お湯を沸かしてカップヌードルだけのときもあったのだが、それでもやはりみんなで一緒の食事はとてもおいしく、それが楽しみで学校に行っていた。

そうしてしばらく楽しくやっていたが、卒業の一カ月前にバレて職員会議にかけられ、おかげで卒業式にはクラスの男子生徒のほとんどが坊主頭で出席する羽目となった。

その気にさせられ全寮制の学校へ

中学を卒業した俺は、先生を始め様々な人に騙され、三重県にある全寮制の学校へ行くこととなった。

先生がおとんに「息子さんを大阪に置いていてはいけません。いまのうちに手を打たねば取り返しがつかなくなります」と忠告し、俺には「寮はすごくいいところで、そばにいつも友達がいて、いまの生活のように寂しい思いをすることがない」といい、先生のいうことを真に受けたおとんが俺に「ええ学校らしいやないか、わしが金出すから心配せんと行け」といい、おかんも一緒になって「すごくいいところやと聞いたんで、行ってみれば」といい、そうやってみんなから「ええところや」「ええところや」といわれるうちに俺もその気になってしまい、行くことになったのであった。

入学式は親が同伴で、おとんは「ええ学校やないか。設備も整っているし環境もええし、いうことなしやっ！」と、ご満悦な様子で、喜んで帰っていった。

寮は六畳ほどの広さの部屋に四人が入り、初日は部屋の割り振りだけで終わった。

そうして、いろんな奴と友人になっていくと、ここは不良の肥壺のような学校で、来ているのはワルばかり、ワルでない奴はちょっとオツムのイカれてる奴で、いずれにせよロクでもない奴らで構成されていることがわかってきた。どうりで試験があっても、国語は「平仮名の五十一音の空いているところを埋めよ」、数学では足算引算がほとんどで、たまに掛算があり、割算は滅多になく、社会にしても「地名を当てよ」、英語もアルファベットの空白を埋めたり「ディス・イズ」問題ばかりで、高校生相手のわりにはシャバすぎたわけやと、その真相を知ったのであるが、時すでに遅しという感じであった。

寮生活は、朝五時三十分玄関前集合に始まり、点呼、ラジオ体操、ジョギング、乾布摩擦、玄関や共同便所、廊下などの清掃、廊下で正座しての朝礼、朝食、本日の予習、登校前点呼、登校、下校、点呼、夕食、部屋の清掃、清掃の点検、本日の反省、勉強しながら交代で風呂というスケジュールになっていた。入学二日目の清掃の点検がメチャクチャ厳しく、箒の掃く方の一本をむしって、それで廊下の隙間をこそぎ、埃が出てきたらやり直し、プラス三十分の正座とムチャクチャで、ほんまえらいとこに来てもうたあという感じであった。

なんか事件や問題があったり、寮監の機嫌の悪いときは、三時間の正座なんてざらで、部屋に戻れといわれても、まともに歩いて戻れる奴なんておるわけもなく、みんな這って戻っていた。

そんなワルばかりの吹き溜まりやから、ケンカなんてしょっちゅうで、その度に、全体責任やと正座させられるんで、自習時間といっても、ほとんど正座時間で、風呂に入れん日も多かった。

その上、一週間後には先輩らの清掃点検というのがあり、それはほとんど公然リンチで、竹刀を持った先輩らが四人一組で来て、悪いところがあれば、互いに「顔だけはやめいよ」と制しながら、腹や背中を蹴り放題で、ちょっとでも刃向かえば四人がかりでやっつけるというもので、みんなはそれを「嵐の日」と呼んでいた。それが大体月イチあり、女の生理みたいやなぁと思てた。

ゴールデンウイーク前の四月末、みんな初帰省ということでワクワクしているところに先輩らが来て「たるんどる」といっては、めぼしい奴をボコボコにした。

これは以前、寮生同士のケンカで、和歌山の奴が大阪の奴何人かにボコボコにされ、やられた奴の兄貴が三年におり、やった奴らが停学になる前に見せしめとして、ヤキを入れておこうという意図のもとに行われたものであった。

連休が終わり、寮に戻ると、また先輩がやってきてボコボコにされ、一人が病院送りとなり、俺はタバコで停学となった。

タバコなどの短期停学の場合は一週間ほど停学室というところに入れられるのだが、俺はその期間中になぜか高熱を出してしまい、それでも寮の規則は絶対で、三時間も正座させられ、完全なるグロッキー状態に陥れられた。

俺は、いまにみてろよと機が熟すのを待っていた。

部活は強制であったので、サッカー部に入った。サッカー部の先輩たちも校内ではワルで通っていたらしいが、クラブの先輩後輩というのはほんま気楽で、部室でタバコ吸おうが、目の前でタバコ吸おうが、一年のくせにといわれることはなく、ただ礼儀さえちゃんとしておればよかった。

他の先輩はどこで会うても挨拶せねばならず、虫の居所が悪ければ、どつかれるという危険が常にあった。

俺は毛をオキシで抜いたり[1]、ペシャンコ鞄に族のステッカーなど、ちょっとは目立っていたが、サッカー部という隠れ蓑があったため、まだ被害は少なかった。しかしそれでも身体中の至るところにアザを作っていた。

楽しかったことといえば、五月にしては結構暑い日に、部活と称し、学校の裏山をちょっと登ったところにある小さな滝に行った。そこには大きな岩があり、そこから飛び

1　オキシドール（消毒液）で脱色すること

込んだり、滝を滑り台のように滑って滝壺に落下したりして川遊びをした。その自然の滑り台は、まわりが岩だらけで木の枝の生茂ったところを滑っていくという、ほんまにスリリングなもので、海パンに穴をあけたことにも気づかずトライして、ケツと金玉の皮を擦り切ってしまい、先輩らにバカにされ大恥をかいてしまった。

そうした五月のある日、ひょんなことから近くのチャリンコ屋でラリ缶を見つけてしまい、新しくできた友人と部活をサボって、山にラリをしに行った。人に見つからんように山の斜面の藪ん中でラリっていると、不幸にもその友人はとってもビビり屋さんで、動物の影か人影かなんか知らんけどそれにビビってしまい、「うわっ！　ポリやっ！」と大声で叫ぶもんやからこっちもギョッとして慌てふためき、ラリで足はフラフラやし、足場の悪いところやったんでそっから転落してしまった。

気がつくと友人が俺を揺さぶって起こしている最中で、俺は気を失ってたらしく、頭には血がべっとり付いており、しかしラリってるため痛くなく、まだ袋にはラリが残っており、ラリ缶にもまだ少し残っていたので、再び元の場所へ戻りラリアゲインとなったのである。

寮に戻ると、寮監が俺の血を見て心配し、すぐに医者に診せるようにといった。俺は山歩きをしていて足を滑らして落ちたということにし、寮監の車で医者のところに行った。診断の結果は、脳波に乱れがあり精密検査を受けなければならないということで、「大阪にかかりつけの医者があるならばそこに行ってきなさい」といわれた。

それもそのはずで、この学校に入学する前に、ツレや女とスケートをしに行き、そこでケンカをしてボコボコにされ、便器に頭を何度も打ち付けられ、俺もキレてしまいスケート靴を脱いで振りまわし、警察沙汰の大騒ぎなって、女が泣いて俺の腕を引っ張り病院に連れていったときも、「脳波の乱れがあるので精密検査を……」といわれていた。そんときも検査をブッチしたもんやから、長期に渡って乱れとおんのは確実やのぉと思てん。

しかし、これは大阪へ帰るええ口実で、寮監には「帰れる算段がついたから、いつでもいいなさい。すぐに帰省許可の用紙に判をつくんで」といわれたんで、よーし計画を実行に移すぞ！　とルンルン気分となった。

そして、ムカついていている先輩のクラスなどを調べ、チャンスをうかがいながら数日後に帰省許可の用紙に判をもらい、学生課に行き、帰省許可証を見せて、帰省のためのお金を下ろし、いつでも帰れる準備をし、まずは嫌いな先生が俺に文句を言ったときに「じゃかましんじゃ〜っ」と箒をぶつけ、ムカついている先輩を呼び出して食堂の食器入れのケースでどつきまわしたってん。そうして、ソイツがのびている隙に一目散で逃げ帰ってん。

そんで、学校としては当然保護者であるおとんのところへ、その行状を連絡するのであるが、俺は十三のおかんとこへ帰ったため、事情を知らないおとんは寝耳に水で、えらい勢いで電話してきて、「処分が決まるまで自宅謹慎やとゆうとるやないかぁ。お前は学校へ行ってなにさらしとおんじゃあ」と猛り狂い、俺は俺で「あんなわけのわからん学校へ放り込んだくせに、なにぬかしとおんねん」と反撃し、おとんは十三の家にまで来て、「窓を開けろ」「ドアの鍵を開けろ」だのと夜中の一時に近所の迷惑も顧みず大ゲンカをしたのであった。

そして当然のことながら、退学処分となったため、荷物を引き取りに叔父の車で手の空いている友人と共に寮を訪れたのである。そのときは授業中であったために、生徒はおらず、寮監だけであったのだが、ちょっとムカつくことをいわれたんで寮監室のドアをツレと蹴破ってしまい、結局その請求書がおとんのところへ届くこととなった。

おとんは俺に「立つ鳥あとを濁さずとゆうやろう」などと長々と説教をした。

大阪で再び新聞配達

大阪に帰るとツレからは「なんや、もう退学になったんかいっ。早いのぉ。ツレ内で一番早いやんけ。そんでも、なんでも一番ちゅうのはええことやで〜」とバカにされ、ゴンジ、三コン、ハッカが新聞配達をしていたので、俺も専業員として毎日新聞で働くことになった。

三コンは文盲であったため、受験した高校はすべて落ち、なんでか知らんけど、名前を書ければ合格とさえいわれた夜間部も落ち、とりあえずの居場所として、毎日新聞で専業員として働いており、ゴンジとケンジは工業高校へ行き、ハヤっさんは中華屋で見習いをし、ハッカも工業高校ではあるが、一つダブって、ケンジとは隣のクラスで、イーマンは一口なんぼの私立高校へと進み、ノグっさんはボン中の均一を先輩と仰ぐ高校へと進み、マクは電車とバスと徒歩で二時間もかかる高校へ行き、凶一はなんかいかがわしい商売をしているところへ就職し、独裁者カンは慕っていた兄貴分について名古屋でヤクザをやっているらしく、みんながそれぞれ違う方向へと歩んでいた。

新聞屋も小学校や中学校のときにやっていた気持ちとはまた違い、社会に出るんだ！という自負や、自分の手で金を稼ぐ喜びはまったくなく、とりあえずやっているという感じで、配達にしろ勧誘にしろ熱心さはなかった。以前のように、どんなけ早よ配れるかを競うわけでもなく、このころはチンタラやっていたように思う。毎日新聞の専従者決起集会に無理矢理連れていかれ、大広間でハチマキを巻いて「やるぞ、やるぞ、やるぞ〜っ！」と連呼せなあかんときも、なんで俺がこんなことせなあかんねん。俺はなにがしたいんねん思て、「三コン帰ろうぜいっ」ちゅうて、「君たち、集会中どこに行くんだね」と制止されても「見てわからんのんかいっ、帰るんじゃい！」ちゅうて振り切って帰った。

雨の配達が嫌やったなぁ。特に冬の雨の配達はメッチャ嫌やった。とりあえず、みんなやってんねんし、遊んでてもしゃあないからのぉっちゅう感じでしたわ。

そやから生活もメチャクチャで、一日の始まりは夕刊からで、配達終えたら、パチンコやって、ツレと遊んで、そのまま朝刊を配って寝るという、ちょっと風変わりな毎日やった。

配達に出て、途中、みんなから「ラーク」と呼ばれていたラークを吸っている——当時、洋モクを吸っているのは水商売かヤクザで、ラークもやはり高価で珍しかった——

サンケイの専業員と出会えば一本もらって一服し、というような塩梅でやっていた。

土足禁止のアパートも、邪魔くさいんで靴のまま配り、ビル内の会社に配達するのに警備員が玄関を開けるのが遅いときは、新聞に直接配達先を書いて置いておくという親切な面も持ち合わせていたが、警備員がそれに気付かず、三コンが再配[1]に行くこともあった。

あるときは、えらい卑猥な声が聞こえてきよるんで、その声の主を訪ねてみると、根暗そうな、なんかパッとせん、背のちっちゃいオッサンとオバハンの夫婦が住んでいる家で、カーテンは閉めてあったけど窓が少しだけ開いており、そこから手を突っ込んで、カーテンをちょっと開けて覗いてみると、その夫婦がヤっており、ほほぉう、あんな人らでもちゃんとやりよるんやと感心し、そんでも窓を開けて声を外に聞かせんでもええのにと思いながら、その夫婦の交わりに見入っていたら、悶えているはずのオバハンと目が合い、オッサンが怒鳴って、俺はサッと逃げてん。

ある雨の日、第七チサンマンションの配達を終え、ほんま雨は鬱陶しいのぉと、ちょっと雨宿りしてたら、タクシーが止まり、グデングデンに酔うたピンクのシャネルのスーツを着た水商売風の女が降りてきてん。足元がフラフラで、エントランスの階段でこけよって、タクシーはそのまま逃げるようにして行ってまいよるし、その姉ちゃんは、

1　新聞を入れ忘れたり盗られたりして再度配達すること

階段で寝たままになってて、そんなとこで寝てたら風邪ひくで思て、抱え起こしてん。えらい酒臭うても女っぽい香水の匂いがして、大人の女やわ思いながら、部屋まで送ったろと部屋番号聞いてん。そんとき俺をチラッと見て、なんやガキかと安心したんかどうか知らんけど、思いっきりグッターともたれかかってきてん。部屋の前まできたんで、起こしたら鍵だけ渡され、とりあえず部屋ん中まで運んだろう思て、中に入ったら、これがまた女にしてはビックリするぐらい汚い部屋で、なんじゃぁこりゃあ思いながらソファに寝かせてん。

上着の下の薄いジョーゼットブラウスの襟のところからは胸の谷間が見えるし、雨で濡れてたから透けてブラジャーとかに張りついて見えてるし、こりゃあかんぞ配達せな思て行こうとしたら、恋人と間違うてんか「服脱がして、冷たいから服脱がして」ゆうんで、しゃあないのぉ思て脱がしたら、ええ乳してんねんなぁ。当然のことながら勃起しますわ。上下脱がして下着だけにしたら、なんやもうたまらん！　ゆう感じで、ちょっとだけやったらええやろう思て、ソ〜ッと乳触ったり、パンティのヒモ引っ張ってアソコ覗いたりしてたら、いきなりギューーッと抱きしめられてキスされてん。ほんならどつかで吐いたんか知らんけど、酸っぱ〜い味と酒臭い感じで、キッショーとは思うねんけど、頭がクラクラ〜としてしまい、その場でしてしもてん。

ほんで終わってから、下に降りたら三コンがおってて「チュチュ、どないしてん。遅配[2]の電話がジャンジャンや〜」ゆうんで「スマンスマン。ここに住んでいる酔っ払いの水商売風の姉ちゃんとヤってててん。ほな配りに行くわ」ゆうたら、「そんなんしてたら病気伝染されんでぇ。半分くらいは配ったから、残り半分も手伝うわ」ゆうて三コンに手伝ってもろて配り終えてん。

新聞屋に帰ると所長はカンカンでどやされ、俺が悪いんは重々承知やけど、なんかそのいい方が頭にきたんで、所長のおらん隙に息子の大介にビンタ食らわして泣かしてやった。

それからしばらくしたある日、俺たちが配達を終え、隣の立ち食いそばを食うて満腹感にひたりながら缶コーヒーを飲んでなごんどったら、血相変えた三コンが来て「飛び降り自殺を見てもうた」ゆうて、所長に「コースを変えてくれ。あのコースで配っとったら、そのマンションの前を通る度に死体を思い出すから」と懇願しとった。所長は「誰か……」と救いを求めるような目でみんなを見まわすけど、そんな話を聞いたあとでは、やりたがる奴などいるわけなく、みんな一斉に「嫌やっ！」と叫んだんで、所長がそのコースを配ることになった。

三コン自身が語ったところによると、事件のいきさつは次の通り。

2 配達が遅れること

三コンが配達しとったら後ろで「ゴーン！」とえらい大きい音がするんで、隕石でも降ってきたんちゃうか思て振り返ったら、十メートルぐらい後ろに人が倒れており、辺り一面血の海で、その血は三コンの背中にまでポツポツと飛んでおり、うっわ〜思て近づいてみると、見るも無惨で、女らしいねんけど、頭は破裂し目玉は飛び出て、脳みそはそこら中に散らばっていた。

ほんで慌ててポリに電話して、現場におるようにいわれたけど、配達があるんで新聞屋の場所を告げて立ち去り、帰りにチラッと見たら野次馬がようけおったけど、万が一まだ死体が残されていたらいややから、そのまま帰ってきたらしい。

そんで俺らは、その女がなんで自殺したんかを推理し、きっと第一発見者である三コンに、その怨念がまとわりつくであろうとを予言した。三コンは必死で弁明をしていたが、まとわりついた怨念はそう易々と払えるものではないことを、みんなで懇切丁寧に教えたのである。その後、ポリが二人で事情聴取に来よったけど、三コンは泣きそうな顔をして答えていた。さぞかしポリも、コイツなんでこんなに悲愴な面をしてんねんと思たことであろう。

他に新聞屋での事件といえば、ゴンジの「ビーサン禁止事件」というのがある。要するに、雨の日にゴンジがビーチサンダル履いててこけたという単純なものなのだが、それが「禁止事件」にまで発展したのには深いわけがある。

ある雨の日の夕方、ゴンジはビーサン履きで、あるマンションの二階に夕刊を配達していた。そのマンションの一階には散髪屋があり、そこには俺らの先輩が働いており、ツレ内はみんなそこでパーマをあてていた。またそのマンションの床にはコーティング処理が施されており、晴れの日にはピカピカに光って見えるのだが、雨の日にはツルツルでいかにもよく滑りそうであった。そん中を、二階の配達を終えたゴンジは、本人曰く、仮面ライダーになったつもりで勢いつけて、「トウッ！」と掛け声も勇ましく階段を五段ほど飛び降りようとした。俺としてみれば、なにもそんなところでカッコつけんでもええのにと思うのだが、とにかく本人はやりたかったらしい。そして飛んだ瞬間、足が滑ったのがわかり、慌てて力一杯蹴り込んでしまい、飛び降りるどころか上の階段の裏側の角部分にドタマをぶつけ、パックリと切って、そのまま転げ落ちた。勢いがついていたので踊り場を過ぎ、一階の散髪屋付近まで転がっていき、しかし、しぶといゴンジはそのまま這って散髪屋のドアを開け、「消防車を呼んでくれぇ〜い」と叫んだあと、気を失った。散髪屋の先輩曰く、

「あんときは、ほんまビックリしたでぇ。血だらけになって、いきなり〝消防車呼んでくれぇ〜い〟やもんなぁ。またアホがケンカばっかりしくさってからにぃ。消防車ゆう

て、自分が血だらけで赤《あこ》う見えるから、そないとち狂いよったんかなぁ思てんけど、玄関先で寝込まれたらええ迷惑で、営業の邪魔になるし、しゃあないから救急車呼んだってん。あんまり動かしたらあかんねんやろうけど、客の出入りの邪魔にならんように表に放り出して寝かしといてん。ほんま玄関マットもダスキンのレンタルマットでよかったわ。血だらけにしやがって、我がとこのマットやったら、また新しいのん買わんならんとこやったわ」

いかにゴンジが、みんなに嫌われてるんかがわかるようなコメントやった。

おかげで雨の日はビーサン履いての配達禁止になってもうて、濡れてもええ靴なんかあらへんから、配達がやりにくうなってしゃあなかったわ。

ほんでゴンジは頭をたったの九針縫うだけのケガにとどまってんけど、北摂霊園でのヘッチンごと溝にハマって気ぃ失った事件といい、つくづく頭に縁のある男である。

おとんもヘンコ入ってて

俺とこのおとんも結構ヘンコ入ってて、頑固やねん。

おとんはゴルフに凝ってて、中坊のとき俺にも「ゴルフ教えたろ」ゆうて、自分がよく行く打ちっ放しに連れてってくれてん。

ほんでプロの先生呼んで「うちのドラ[1]やねんけどゴルフ教えたってくれや！」ゆうてん。そのプロの先生に教えてもらいながら、一生懸命打ってたら、おとんが「どれどれ、うちのドラはプロになる素質をもっとるかなぁ〜」とか、今日来たばっかやのに、このオッサン、アホちゃうか思うようなことをいいながらこっちに来よってん。そんで、なんかエラそうにグリップの握り方がどうのとか、頭が動いているとか、「スポーツは腰や、お前は腰がなっとらん」とかグチャグチャいいよんねん。そのうち自分も隣でウッドっちゅうクラブで練習始めよんねん。

遠くまで飛ばしよるから「おとん、えらい飛びよんなぁ」ゆうたら「おう、そうやって練習しとったらパパのようにようけ飛ばせるようにできんのや」ゆうて、こっちはホ

1　ドラ息子

ザケッと思とったけど、気ぃようやっててん。

アイアンっちゅうクラブでばっかしやってたから飽きてきて、「俺もそのウッドっちゅうやつで打たしてくれ」ゆうと、「あかんあかん、お前みたいにやり始めたばっかりの奴はアイアンで練習しとったらええねん。俺のアイアン使てるゆうだけでも贅沢や。そのクラブもえらい高いやつやねんぞ」ゆうてん。

最後にプロの先生から「この子は筋がええさかいに、気張っていまから練習したらプロもいけるかもしれまへんで」いわれて、おとんはえらい気をようして「マサユキ、しょっちゅう俺んとこへ来て、ゴルフの練習せえ。毎週でも来たらええねん。そや来週も来い。来週も来るなっ！」ゆうて約束さされてん。

ほんで次の週に行ったら「お前、足二十五やったのお。ゴルフシューズ買うてあるから履いてみい。ついでに服も買うてあるから、服と靴合うか着てみてみいっ」ちゅうんで、服を着てゴルフシューズを履いて「丁度やわぁ！」ゆうて見せたら、えらい喜んで「見てみい。俺が選んで買うてきたんや。合わんわけがないっ。おぉ、よう写っとる、写っとる」ゆうて、そのまま一緒に打ちっ放しに行ってん。

おとんはトランクからクラブバックを二つ出し「これがお前のんや。お前用に思てワンセット買うてきてるから、それでコースにも出れるぞぉ。ようけ練習して上手なったらコース連れてったるからなぁ。ほれ自分のバック持てっ」ゆうて渡されてん。

ほんま気が早いっちゅうんか、俺はゴルフやるなんて一言もゆうてへんのに、このオッサンどないかなっとんでぇゆう感じで、とりあえず練習始めた。

今回は最初から付きっきりでプロの先生が教えにきてくれてんねんけど、横からグチャグチャちゃちゃちゃ入れよるから、ほんま鬱陶しゅうて、それにやっぱ俺のんよかおとんの方のクラブが数倍もええことが素人の俺が見てもようわかんねん。そんで「おとんのクラブ貸してくれ」ゆうて、こないだ貸し惜しみしよったウッドをひょいと抜いたってん。

やっぱ、握ったときの感触がめっちゃようて、それで打ちまくっとったらおとんが横から「あかんあかん。まだ早い。アイアンで充分や。自分のがあんねんから自分の使え」などといい、他にも、あれがあかん、これがあかん、あかんあかん、アホ、ボケ、カスの連続で、気の長い俺も「そんなゴチャゴチャゆうんやったらやめじゃぁいっ」ちゅうて、おとんのクラブを思いっきり地面に打ちつけたってん。

ほんなら玉が飛ばんとウッドの頭だけが、くるくる巻いた紐をほどきながら、ヒュルヒュルヒュルルルルル〜と飛んでいきよってん。おとんはえらい剣幕で「あのクラブ高いやつやねんぞぉ〜っ」と怒鳴り、「すんまへん、ちょっと打つん待ってくんなはれっ！」ちゅうて、玉がビュンビュン飛んでる中、ウッドの頭を拾いに行きよってん。

その後ろ姿見てたらおかしゅうて、思いっ切り笑っとったら、ウッドの頭にたどり着いて、こっち振り向いたおとんの顔が鬼の形相で、こらあかん思て全部ほったらかしにして、そのままタクシーに乗って帰ったってん。

玉入り極道タマッティ登場

季節が変わり暖かくなってくると、やはり若き血が騒ぐのである。

中学を卒業すると、早い奴はもうすでに免許を取り、単車《たんこ》に乗っている者もいるのだが、俺は早生まれのため免許が取れるのは一番最後で、指をくわえて、単車を転がしている奴らを見守っとった。奴らのケツに乗っけてもらって、走りにいくことはあっても、前の年ほどではなく、もう淀川で乗ることもなかった。そのころはディスコでナンパ、ラリ、ケンカなどが主流であった。

そうして道端でタムロってたある日、ニグロ[1]に眉紋[2]入れた、いかにもという感じのオッサンがガニ股で歩いてきて、「君たち、ここら辺のゴンタけ？」ゆうて、アロハシャツの襟に突っ込んだ手をだらしなくして、わざと紋々が見えるようにしてきた。俺らからしたら、なんやこのオッサンわざと墨見せびらかしてぇと思うさかい「そやけど、それがどないしてん」と、みんなで凄むわけやん。ほんなら、そのオッサン名刺出してきて「わし、タマッティいうもんやけど、誰ぞ時間のある奴バイトせえへんけぇ？」ゆう

1　マッチ棒のような細いロットで巻いてつくるヘアースタイル
2　眉のところに入れる刺青

て、菱の代紋の入ったK会玉出某という、いわゆるヤクザの名刺見せられてん。ほんで誰かが「バイトゆうても、なにしまんのん」ゆうて聞くと、「俺とこはな、菱の代紋もっとってもテキ屋やからのぉ。祭りのときの夜店あるやろ。あれやあれ。夕方四時ごろから手伝うてもろて、日当で一万円出すわ。誰かやってくれや。人数は多い方がええんや。たまに昼間、金魚すくいの紙貼りなんかで呼び出すことはあるかもしれんけど。基本的には祭りの始まる五時から九時の間で、車で祭りの場所まで一緒に行って帰ってくるから、四時から十時ぐらいに思てくれとったらええ。もし気が向いたら事務所に遊びに来いや」いうことで、その日はサ店でコーヒーおごってもろて帰った。

俺とゴンジは、やってみようかぁいうことになって、次の日一緒に事務所に行ってん。中に入ると、まぎれもなくヤクザの事務所で、田岡組長[3]の写真や、山口組組員の心得といったものが飾られていた。しかし、そこら中に金魚すくいの輪っかが散らばってたり焼きトウモロコシのケースがつまれていたり、ヤクザっぽくないところもあった。そんで、組員の角やんと大野さんを紹介され、「これからは毎日どこぞで祭りがあるんで明日からでも来てくれ」いわれてん。

翌日行くと、早速ゴンジはスーパーボールすくい、俺は金魚すくいで、「わからんとこあれば、タマッティさんか誰にでも聞くように」といわれやり始めてん。二、三日も

3　田岡一雄山口組三代目組長

するとすぐに慣れて、やろうと思えば女も引っかけ放題やし、こらええで思て、みんなに話したらイーマンとモックもやるゆうて仲間に加わってん。

このタマッティというオッサンは案外面倒見がよく、ええ兄貴分という感じで、悪いとこといえばすぐに刺青をチラつかせることと、チンコに入れた真珠を自慢することで、真珠といっても、ムショで労働時間中に歯ブラシの柄の丸い部分を木工用のノミで切り落とし、それを紙ヤスリと水ヤスリで丹念に磨き上げ、フィニッシュに割り箸を削って尖らした棒でチンコの皮に穴を開けて入れるらしい。

だがツレションをするたんびに、その玉をクルクルとまわしながら、

「こうやっとかんと、ひっついてまいよるからのぉ。ひっついてもうたら女があんまりヨガれへんようになりよるから。この玉入りチンコで女いわしたったら、どんな女でもひいひいゆうて、わしから離れられんようになりよんねや」というわりには、しょっちゅう俺らに「女紹介せえ」ゆうて、女と一緒におるとこなんか見たこともなく、笑わしよんのぉと思てたのである。

それと困んのは、仕事が終わってからタマッティと一緒におって、先輩とかに出会ったとき。とりあえず俺らは先輩やから挨拶するわけで、ほんで先輩からすれば見たこともないオッサンが俺らとツルんでて、エラそうな口のきき方してくるもんで、おもんな

いのもあるし、俺らの手前カッコつけなあかんから、タマッティに「こら、お前、なんじゃい。十三で誰にそんな口きいてんじゃいっ」となる。するとタマッティもしめたもんで、おもむろに紋々をチラつかせながら「誰にやとぉ〜、お前こそ、わしの舎弟らになにエラそうにしとんじゃぁ〜」と、タマッティも俺らの手前カッコつけるのであった。こっちとしてはたまったもんじゃなく、負けん気の強い先輩やったらば止めんのに一苦労で、しかしそれやったら、まだ止めて和解さすことはできても、逆に相手が気の弱い先輩の場合、タマッティはここぞとばかりにいきなりやってまいよるから取り返しはつかず、そういう目にあった先輩は俺らの顔見るとバツが悪そうにして避けるようになる。

弱きには二百パーセントの力を発揮する、そんなヤクザのタマッティには本当に困ってしまうのである。

本当に困ってしまう事件が起きたのは、長雨で、祭りのない日が続いたあと、事務所に行ったある日のこと。なにやらタマッティがえらい喜んで、俺らに「堤防沿いの喫茶店の娘でお前らより一コ下の中山ゆう女おるやろ。知っとるけ」と聞いてきた。

この中山という女はちょっとツッパった女で、一コ下の奴らとたまにツルんでたんで顔は知ってるが喋ったことはなかった。

それよりもここの兄貴が二コ上の先輩で、みんなからは「ゼットン」と呼ばれており、たぐいまれなるメガトン級の破壊力を持ち、キレたらばそこら中にあるもので破壊しまくり、普段は大人しくゴンタと呼ばれる人ではないのだが、彼の地雷を踏んでしまうと大変で、それによって破壊された人間の数知れず、そのキレぶりでまわりの中学にまで名を馳せていた。

これはひょっとしたらば、不幸の前兆ではあるまいかと思いながら「知ってますけど、なんかありましたん？」と問い返すと「あの女ワルけ？」と問い問い返しをされ、「いや、ちょっとツッパってますけどワルいうほどではないですわ。どないしましたん？」

すると、「いや実はな、あの女犯ってもうてん」という、とてつもなく大胆な返事が返ってきて、これがもし、あの妹をムチャクチャかわいがっているゼットンの耳に入ったらどうなるであろう、アワワワワワワワワ……と唖然としてしまった。

ゼットンの妹は結構かわいいのであるが、兄貴が兄貴だけに、そして妹のかわいがりようを知っているため、みんな涙を飲んで見送ってきた。そういう我々の気持ちもつゆ知らず、いとも簡単にいってしまったこの男に対し、呆れてしまい、万が一バレたらば我々もタダで済むわけはなく、それを考えるとサーッと血の気が引き、とにかくなんとかせねばと思うのであった。ゼットンにかかればヤクザも堅気も関係ない。とにかく破壊のみ、破壊してしまえばオーケーという思考の持ち主なのである。

顔面蒼白な俺らの顔を見てタマッティは「お前ら、えらい顔が青いけど、どないしてん？」と聞き、お前のせいじゃぁともいえず「なんで犯ってまいましたん？」と聞くと「おう、エエ思いさしてもろたわ」ゆうてニタニタしながら、そのいきさつを語り始めた。

「駅前ブラブラしとったら、えらいエエ女がおるやんけ思て声かけてん。乳もデカいしのぉ。色っぽいカッコしとおるから、まさか中坊やなんて思えへんやんけ。そんで、茶ぁ行って話しとったら、えらいガキみたいなこといいよるから、聞いたら〝中三や〟いいよるやんけ。ほんで〝わし、ヤクザやってんねんや〟いって紋々見したったら、えらい興味しめしよったんで〝部屋へ遊びに来いや〟ゆうたらついてきて、そこで紋々見したってん。服脱いで〝まだあんまり色入ってへんけどな、これは筋彫[4]というんや〟ゆうて見せててん。ほんで脱いだついでに、コイツも結構遊んどおるみたいやし、俺の玉入りチンコ試したろ思てヤろうとしたら、えらい逃げまわって泣きよって、わしかてもう我慢でけへんやんけ、バシバシにしばいたったら大人しなりよったから、入れたってん。最初えらい固いし、女も痛がっとったけど無理矢理入れてもうたってん。終わったら、女は泣きじゃくるし、布団にはようけ血が付いとるから、〝なんやお前初めてけ〟て聞いたら〝初めてや〟ゆうて泣き止みよらんから、〝わしの女にしたるさけ、そんな泣く

4 刺青に色を入れる前の輪郭線の状態

なや〟ゆうてのぉ大変やったわ。しかしエラそうなことゆうとおるからまさか処女やなんて思えへんやんけ。ほんま久々にお初もろて、ええ思いしたわ。ほんでもな、最近はこの玉入りチンコがごっつうええらしく、自分から進んでチンコ舐めとるわいっ」

でれ〜っと、ご満悦なタマッティの呆けた顔を見て、なんやそれ。俺らにエラそうなこと言うといて、お前がやっとることは強姦やんけ。な〜んも知らんと喜びやがってと思い、とりあえず俺らにトバッチリが及ばんように、その中山を呼んで真相を聞いてみることにした。

すると、タマッティのいったことの最後の部分は大嘘で、実際には「玉入りチンコは痛いだけやし、無理矢理フェラやらされるし、早よ、手ぇ切りたいねんけど、ヤクザやから怖いねん」ということであった。ますますまずい展開になってきたんで、なんとか手を打たねばと思い、中山には俺らと会うたことを口止めし、タマッティには「中山のとこの親父はヤクザと繋がりがあり、娘をすごく可愛がっているのでバレたらヤバい」と忠告した。そしてタマッティが探りを入れたときのために、「おとんの友達のこと聞かれたら、〝昔ヤンチャしてたらしくって、ツレがようけヤクザになってるってゆうとったわぁ〟てゆうとけ」と中山と口裏を合わせておいた。

そんでタマッティいてまおうぜいっということになり、顔のさしてない[5]マクと図一に

5　顔が知られる。面が割れる

イチャモンつける役をしてもらい、俺らが後ろからしばくということにした。

その前に中山んとこに行って、「タマッティの奴、なんかおとんのこと聞きよったか」と言うと、案の定、聞いてきよったらしく、中山は俺らの指示通りゆうて、そんで「〝おとうちゃんにいった〟てゆうたったら、なんか顔引きつっとったわぁ」と嬉しそうにしており、俺らが「たぶんもう会わんでええようになるんちゃうか」ゆうたら、えらい喜んで、その代わりお兄さんには絶対ご内密にとお願いした。

元はといえば、俺らの身の安全のためにタマッティをやってまうことにしたのであるが、いままでも先輩のこととかで、ちょっとムカついてたんで、ええ機会やと思てん。

ということで、いつもタマッティが通る、アパートの近くの暗がりで、まずは凶一とマクに出陣してもろた。凶一が低い声で「玉出さんというのはお宅でっか?」と聞き、タマッティはちょっとひるみながら、すぐさま襟元に手を突っ込み、いつもの紋々チラチラをやりだし「なんやワレら。わしはK会の玉出やけどなんでっか? どこの方ですのん?」と筋書き通りに事が運び、タマッティもたじろいどったけど、紋々出したからにはという感じで「おどれら、どこのもんじゃい。はっきりゆうたらんかいっ」と必死になってきよったんで、後ろから、用意していたビニール袋被せて、どつきまわしたってん。ほんでとどめに凶一が「ワレ、今度から、いらんちょっかい出しとったら、こんなもんで済まんど」と決めゼリフをゆうて帰ってん。

俺んちで、そんときのタマッティの態度とか思い出しながら、みんなで大笑いして、なんせこんな話はおやっさん[6]にはいえんやろうから、あとは中山の家に殴り込む根性を持ってないことを祈るばかりであった。

次の日、タマッティに会うと、ちょっと顔を腫らしており、内心、もうちょっとしばいとくべきやったなぁと思てんけど、「顔どないしましたん？」と必死で笑いをこらえて聞くと、「昨日酔っぱらって、階段から落ちたんや」という返事で、これで中山んとこへは行かんなぁと思い、やっぱタマッティは紋々の威力に頼ったへたれやということが判明してん。

6　組長

すっかりヤクザ気分

テキ屋のバイトにも慣れ、毎日のように女を引っかけ、オメコ確率は五十パーセントぐらいだったものの、毎日の日当一万円プラス、その日の忙しさにより二千円から一万円ほどのチョロマカシが別収入となっており、毎日を楽しんどった。

女引っかけんのは、金魚すくいが一番よくて、めぼしい女が来たら、ただでなんべんもやらしてやって、「暇やったら手伝ってくれ」ゆうて横に来てもろて、客の少ないときに電話番号を聞き出し、後日デートして隙あらば、ご馳走になんねん。

アキコという美容師見習いの一コ上の女とは寝屋川祭りで知り合うてんけど、超ボインでかわいくて、ほんまええコやってんけど、あの事件で中山をあきらめたタマッティが「あの女を俺に譲れ」と、うるそうてうるそうて、俺があまりにも頑固一徹譲らんもんやから、知らん間にアドレス帳の電話番号を盗み見て電話して、なんでも「俺のチンコは玉入りでどんな女でもヨガり狂いよるから、お前もいっぺんやったれや」と、ほんまの色情狂のような誘い方をするらしく、そんなんで十六、七歳の女が引っかかると思てんかい。また闇討ちでもしたろうかいっ思てんけど、とりあえず面と向こて「ちょっかい出すんやめてくれっ」ゆうたら、ちょっとスネた顔しとったけどあきらめよった。

それと、えらい賢い吹田東高校の二コ上のメチャメチャかわいい女を吹田市民カーニバルで引っかけたときに、タマッティは「顔はごっついかわいいけど、あんな上品でションベン臭そうなガキは俺の性に合わん」と、玉使いとしては、神妙なことをゆうとった。


そんな気楽なテキ屋稼業やけど、それでもたまにヤクザっぽいところもあった。

ある日、金魚すくいの紙貼りや焼き鳥の仕込みをしに行ってて、昼に出前を取ってくれ、メシを食ってたときに、角やんに「誰ぞ、電池買うてこい」といわれたが、誰も行くのが嫌でシカトしてたら、俺と目が合うて、俺が「エ～」と不服そうにいったらところ、「こら、ワレなに横着こいとおんねん」といってどつきまわされてん。

別の日、イーマンが店を出す用意をしているところに、「わしゃI会じゃ」ゆうてイチャモンつけられ、「それがなんぼのもんじゃい」とソイツをボコボコにし、ソイツらが仲間を連れて仕返しに来たときは、タマッティが仲をもって、I会の連中にイモひかせた[1]。そんなときは、やっぱヤクザなんやと得心されるものもあってんけど、それ以外はやはり俺らのイメージするところのヤクザらしさはなかった。

1 対立する相手に譲らせること

そうやって、いきなり夕刊の配達を辞めてやりだしたテキ屋のバイトはええ金となり、それまで一カ月朝夕刊配って得られる五万円ほどのアルバイト料など、三、四日で稼げ、しかも女を引っかけながら遊び感覚でできるとあって、俺もゴンジも新聞配達すんのがアホらしくなっていった。

ゴンジは、ビルやマンションなど各階のドアに配達するのを邪魔くさがって一階の集合ポストに入れるようになり、しょっちゅう苦情の電話が入り、そのたんびに所長に怒られ、とうとうキレたのか、ある朝、自分の受け持ちコースには行かず、淀川の河川敷でボーッとし、挙げ句の果てには水中に誰ぞ新聞読む人が住んでいると思ったのか、全部川に流してしまい、その日は、苦情の電話がジャンジャン入り、俺らはおおわらわで配達しに行った。やっと帰ってきたゴンジに所長が文句をいったところ、「新聞、全部淀川へ捨てたったわいっ」と白状し、当然クビを宣告され、「グチャグチャいわんでも、新聞配達なんか二度とするかい。こんなとここっちから辞めたるわいっ」といって辞めていきよってん。

まわりでも新聞屋をクビになることが流行っており、産経新聞のマコトは寝ながらカブを運転していて電信柱に正面衝突し入院。額の傷も痛々しく退院したものの相当頭を強打したのか、マンションの屋上からまとめて配達しようとし、すべての新聞を飛ばしてしまいクビとなり、俺は俺で集金した金の使い込みがバレてクビとなったのである。

このころはイーマンやモックの家にたまってラリったりしててんけど、暇なときには〈十三東映〉にヤクザ映画を見にいくこともあった。「仁義なき戦いシリーズ」など見て、出てきたときは、みんな目つきも話し方も変わり、肩で風を切るような歩き方となって、身も心もすっかりヤクザ気分となっており、そんなときに鉢合うた奴は災難ではあるが、相手もヤクザ気分にハマっているときなどは、十三フレンドリーストリートで大ゲンカが始まるのである。

その日もすっかりヤクザ気分で「文さんカッコよかったのぉ」「あの広島弁がたまらんのぉ」などと〈十三東映〉の表で話していると、同じく、すっかりヤクザ気分となっている御仁が四、五人で出てきたのである。しかめっ面して肩で風を切って歩く姿は涙ちょちょ切れもんの、笑わっしぃよんのうというカッコであった。そのうちの一人が菱の代紋の付いた戦闘服を着ており、俺らにイチャモンつけてきた。ガニ股で俺らんとこへ歩いてきて「こらっ！　ワレら誰にメンタほっとおんねん。これが見えへんのんかいっ！」と左胸に燦然と輝く代紋をチラつかせ、得意げな顔をしとんねん。

しかし我々にはそんなことは関係なく、いつも速攻一番で行ってしまうイーマンが得意のくわえタバコで「それがどないしたんじゃいっ、ワレ！　十三で見かけん面やけど、なにでかい面しとおんねん」と、そのタバコを代紋見せびらかしていきってる奴のデコで消した。当然、相手はギャ〜と悲鳴をあげるのだが、そうなるとイーマンはとても喜び「ワシは十三の石丸じゃぁっ」ゆうてどつきまわしだした。まわりの奴らはビビってしまい、我々の餌食となり、しまいには泣きながら「お前ら、おぼえとけよっ」と捨てゼリフを吐いて逃げていきよった。

一応、そんとき俺らも「K会や」と大見栄を切ったんで、万が一のためにタマッティに話を通すと、相手もテキ屋で大したことないらしく「なにかゆうてきよったら、わしがケツもったる」と大風呂敷を広げとった。

しかしその後も何事もなく、やっぱりイーマンのタバコネジネジが効いたんかなぁと思た。

恭楽のオッチャンとメルモちゃん

八月も終わりに近づくと、テキ屋のバイトも減り、ゴンジは中華料理屋の〈恭楽〉で夜だけのバイトを始め、俺は〈恭楽〉のオッチャンが八月にオープンさせた〈恭楽パートII〉というスナックで人手が足らないときに、おしぼりを出したり、客の酒をつくったりして手伝っていた。

もともと〈恭楽〉には、中学のころからよく出入りしており、しまいには俺らがたまって長々とメシを食って喋くっているんで、他の客が寄りつかんようになり、オッチャンから、メシ食うだけにしてくれとお触れが出たところだった。

このオッチャンも結構おもろいオッチャンで、三十一か二なのであるが、どう見ても四十過ぎで、なにしろオメコが大好き。その歳になっても毎日オメコせな気が済まんようで、しかも子供は五人もいて、これ以上はいらんということで、すでにパイプカットをしていた。オッチャンには、チンコに見立てた右腕を突き出し、オメコに見立てた左手に擦り合わせながらオメコの話をし、自分のチンコのビッグさを強調するという癖があった。

　このオッチャンの嫁ハンがかわいく、メルモちゃん[1]に似ており、ツレ内の話題はいつも、「あのかわいいメルモちゃんが毎日のようにオッチャンの巨根を突っ込まれてんねんからのぉ」から始まるのである。だから、オッチャンの嫁ハンを見ると、ついムラムラ、ムクムクとしてしまうねん。ゴンジはバイトしてるし、俺もときどき手伝うし、頭のモヤモヤが落ち着く日は、ほとんどなかってん。

〈恭楽〉ではハヤっさんも中華見習いをしており、ハヤっさんやゴンジが、「材料の野菜なんかが切れてもうたら注文断わりゃいいのに、ゴミ箱に捨ててある客の食い残しとか平気で使うて、火にかけたら大丈夫やゆうて、そのまま出しよるから、店でメシ食う気せえへんねん」ゆうのをよう聞いててん。それまで俺もA定やB定なんかをよう食うとったけど、それからは食う気がおこるわけなく、「いつか食中毒起こしよんでぇ」と噂し、〈恭楽〉で食うのは避けるようになってん。

1　「ふしぎなメルモ」の主人公。食べると年齢を変えられる不思議なキャンディで様々な職業に変身し、弟のトトオと一緒にさまざま困難をのりこえていく。名前の由来は変身を意味する「メタモルフォーゼ」からきている

ローラーディスコ・ナンパ術

俺のバイトは不定期で、あまり金にはならず、それでもとりあえずモーニングをもらいに〈リバー〉か〈マイブレ〉か〈コナ〉に行ってててん。中学卒業して高校にも行ってないのに学生相手に小遣い稼ぎをするため、学生服を着てウロチョロしとった。〈コナ〉へ行くとイーマンのツレの北陽の奴らがおり、他には尼のダイゴやしのはら、トンナマの高、宝中の牧村など各中学で番を張ってた猛者連中がたまってててん。〈コナ〉の雇われマスターの鈴木さんは俺らの三コ上の先輩で、北陽中退のシャブ中である。

あるとき、ニンケやカマやん、カマやんの弟で一コ下のカズやナベとたまって、「金もないし、なにかおもろいことないかのお」と話してたら、誰かが、「俺らゲームセンターで面割れてててカツアゲでけんから、酔っ払いのオッサン相手にカツアゲしようぜいっ。酒飲みに来よんねんから、金ぐらい持っとおるやろ」といい、ネオン街中心にめぼしいオッサンらを物色して、金を借りることになった。

しかし、飲んだ帰りで金持ってないオッサンもおり、ケンカになることもしばしば。

あるとき、グチャグチャ説教たれとるオッサンにカズが、「酔うてグチャグチャいわんでもええんや。ゼニ貸してくれたらえんじゃいっ」ゆうて、ビール瓶で頭を叩き割り、気ぃ失ってるとこを金もろうてんけど、あくる日それが新聞に載り、ポリも躍起になって犯人を捜しているらしく、こらヤバいでぇちゅう感じでやめにしてん。

そうやって稼いだ金で、ディスコに女引っかけにいっててん。東通りの〈エスパース〉や〈クレイジーホース〉、ファイブ地下の〈ラジオシティ〉、新地にある〈悪魔の館〉や〈ブギウギ〉という店に出入りしててんけど、このころは、ヤンキーの男同士だとケンカするという理由で、女と同伴じゃないと入店お断りとなっていた。〈エスパース〉と〈クレイジーホース〉のみが男同士で店に入ることができ、その代わり女よりも、男のヤンキーの数のほうが多く、間違うて男を引っかけ大ゲンカというパターンも多かった。

そのころローラーゲーム[1]がテレビで流行ってたせいか〈三国ボウル〉にローラーディスコという奇妙なものができ、当然の如く、我々十三軍団も出没することとなるのである。しかし誰もローラースケートをやりに行こうという奴はおらず、そもそも滑れる奴もおらず、「女が結構来とおんで」っちゅう噂につられて、のこのこ偵察に出かけたというのが、その実態である。

一応はスケートにトライしてみるのだが、やはり誰もまともに滑れる者はおらず、ス

1 「ローラー・ゲーム」は 1968 年から放映されたテレビ番組。ローラースケートのおいかけっこ。競争相手をしりぞけるため、時につかみ合い、殴り合いになり、その迫力が人気を集めた

ッテン、コロリン、スッテンコロリンと、転ぶばかりで女引っかけるどこやないんで、仕方なくリンクの外に出て、めぼしい女を物色していたところ、向こうの方で罵声が聞こえるので、もしやと思い、行ってみると、やはりイーマンで、転んでたら笑われたらしく、四、五人を相手にケンカをしており、しかしローラースケートを履いているんで思うように動けず、ステンコロリン、おっりゃ〜、ステンコロリン、おっりゃ〜、というのを繰り返しとおってん。足元も悪いのにようやるわと思い、俺はスケート靴を脱ぎ、ゴンジに、「逃げる用意や、靴出しとってくれっ」ゆうて、みんなで相手しばきにいってん。ほんでイーマンにも「靴脱げっ」といって、その間に俺らでケンカして、靴脱いだイーマンが加わり大ゲンカ。相手をボッコボコにして慌てて逃げてん。そんとき、いかついヤンキーの店員に止められたけど、ソイツもしばいて逃げたのであった。

そして数日後スケート場に行くと、「お前らこないだケンカした奴らやないか」といわれ、ろくでもない理由で入店お断りシールを貼られたのであった。

人呼んで「つぶしのゴンジ」

女を引っかけにいくといえば、常にゴンジは出没し、常に女のいないゴンジということをツレ内でアピールしよんねん。しかしゴンジがいるとバレるようなハッタリかましてあかんようになることも多く、「つぶしのゴンジ」の異名を持っていた。

ディスコで二十二、三の女を引っかけたときも、その娘らは気ぃよう俺らのテーブルに来てくれて、ダベってたんけど、とりあえずは歳は十五といえんから十八とかいうてごまかすねんけど、パーマあてとったらわからんみたいで、「なにやってんのぉ」と聞かれると、ゴンジは中華の出前持ちのくせに、「ウェイタァ」とタイ人が日本語を話すような独特のイントネーションでいいよんねん。俺は嘘のつけない性質なんでそのまま「非常勤のスナックのバーテン」といって、女は二人とも短大生で、喫茶店でウェイトレスのバイトをしたことがあるらしく「ふ〜ん。二人とも、客商売やってんねんや、私らもサ店でバイトしたことあるけど、お客さんがようさん入って忙しいときなんか大変や？」

「おう、店に客がようけ入ったときに出前の電話なんかもジャンジャンなって重なりよるやろ、ほんまてんてこ舞になってまうねん。出前すんの俺だけやからのぉ」と軽く墓穴掘って、女が「え？　自分とこのサ店出前もすんのぉ」

「おう、そうやねん、サ店やねんから出前なんかせんでもええのに……それに大体忙しいときには重なりよるからのぉ」

「出前もすんねんやったら大変やねぇ。コーヒーなんかこぼしてしまうときもあるやろ？　数が入ったら重いし、ほんま大変やねぇ」

「おう、そうやねん。ラーメン、チャーハンのセットで八つなんか入ったら、もう、重うて、手がちぎれそうになりよんねん。それに、チャリで配達するから、ラーメンの汁で出前の箱がベチャベチャになりよるから、ほんま嫌やねん」と、脇で見ていた俺としては、かなり墓穴を掘ってまいよったぁ〜っちゅう感じで、なんかヤバいから話し切り替えようと合いの手を入れんねん。しかし、ここまで来るともう遅く、女が「エッ!?サ店やのにラーメンもやってんのぉ？」

　調子ようしゃべっていたゴンジもやっと気づいて、ちょっと顔色が変わって「エッ!?そ、そ、そうやねん。そこのオッサン、ちょっと変わっててなぁ、ラーメンが好きで好きでサ店のくせにラーメンおいとおんねん。チャーハンはピラフのことやねんけど、ラーメン、ピラフっていうよりラーメン、チャーハンの方がいいやすいやろ？　だから客の聞こえんとこではピラフいわんとチャーハンってゆうてんねん」

「へェ〜、そうなんやぁ、おもろい店やね〜、今度遊びにいってええ？　なんてゆう名前やのぉ？」

「ええでぇ。名前は〈恭楽〉ってゆうねん」と、とうとう完全に墓穴を掘りよったぁーと思てたら、「えぇ！〈恭楽〉っていうのぉ？　変わった名前やねぇ、中華屋みたい」

「おう、そうやねん、中華屋やねん」と自分が最初にウェイターといったことを忘れているようで、まともに答えたもんやから、女とすれば、からかわれてると思ったんか、そのまま席を立って、自分らがもと居た席へ帰って行きよった。そしたら、待ってましたとばかりに、ちゃう男が声をかけてそっちにもってかれてしもた。俺らはゴンジを睨んで「やっぱり、つぶしのゴンジやのぉ」ゆうてからかい、今日はあかんでぇいうことで、ゴンジはまだいたそうやったけど、帰ってん。

　またあるときは、俺らで二十五、六の女ひっかけてダベッててん。そんで、そのうちの一人が俺のことが気に入ったみたいで、最初はコモドアーズ[1]やシック[2]、ビージーズなどのファンキーな曲で踊ってててんけど、チークタイムとなり、誘ってきたんで踊ってたら、いきなりブッチューとキスしてきよってん。席に戻ると、それを見ていたゴンジが

1　70年代を代表するファンクバンド。ヴォーカルであるライオネル・リッチーの魅力をいかんなく発揮したバラードで数多くのヒットを生んだが、その反面、ファンク色を失っていったともいわれる

「なんやねんっ。チュチュだけええのぉ」とグチャグチャゆうとおんねん。そんでその女がチークの途中で「二人だけで抜けよ」っていうんで、みんなの隙を狙《ねろ》てトンコかましてん。ほんで、俺は金を持ってなかってんけど、その姉ちゃんの家は奈良らしく、「始発まで電車がないからホテル泊まろ」っていわれて、初めてホテルに入ってん。

やっぱ大人の女はちゃうのうと思いながら兎我野[3]のホテルに入ると、オバチャンが部屋まで案内してお茶入れてくれ、前金渡すと「ほな、ごゆっくり」ゆうてニッタ～と笑て出て行ってん。

ちゃぶ台と小さなテレビのある和室の奥には、な、な、なんと噂に聞こえた回転ベッド[4]、その両脇には点けると部屋全体がピンク色になるスタンドがあり、こ、これが回転ベッドかぁ～と思いながら仰向けになってスイッチを押して右回転させたり左回転させたりし、「今日は、ムッフフフフフやりまくったんでぇ～」と全身に精気を漲らせ、武者震いをしながら、天井の鏡でグルグルまわる自分の姿を見ていたら、姉ちゃんが「ビールでも飲もっ」ちゅうんで飲んでん。

ちょっとした身の上話をしだして、なんでもその姉ちゃんは来月式を挙げるらしく、それまではせいぜい羽を伸ばすらしく、ということは俺もその伸ばされた羽に叩き落とされたんやぁと思いつつも、そんな羽だったら、なんぼ叩き落してくれても落ちまんが

2　1977年結成。デビュー曲の「ダンス・ダンス・ダンス」が全米ディスコ・チャート8週連続No.1を記録。その後80年代には、ギターのナイル・ロジャースはマドンナやデヴィッド・ボウイのプロデュースでも有名

なぁと思た。しかし、さっきのいきなりキスといい、いまホテルにおることといい、やっぱ大人の女はやりよるのぉと思いながら、もし、それで妊娠したりしたら、この姉ちゃんどないしよんねんやろ？　ちゃう男の子供を身籠もったまま嫁いでいきよんのかのぉ？　女ちゅうのは怖いのぉ。ほんまわからんわぁ思てん。ほんで俺も「十九やゆうて歳ごまかしとったけど、ほんまは十五やねんっ」ゆうたらごっつい驚いとった。「まあ、ええやんけぇっ」ゆうて、互いに婚約者や超未成年というのを背負て、一緒に風呂に入ってん。

姉ちゃんが上手うてよかったんか、回転ベットに鏡張りっちゅうんがよかったんか知らんけど、この日は燃えたでぇっ。姉ちゃんは俺が腰振ってるのを天井の鏡を見て欲情しまくり、俺は自分のケツがピョコピョコピョコピョコと上下運動をしているのを横の鏡を見て笑い出しそうになるのを堪え、カエルのように股をおっ広げて受け入れ、悶えている姉ちゃんの姿に興奮しまくってん。

終了して、ちょっとしたら、またいちゃついて、勃ちかけたなぁと思うとフェラされて、それを直で見たり鏡で見たりしてん。片面の鏡には懸命にフェラしている顔が映り、もう片面の鏡に目をやるとオメコが映りそうで映らんので、「もっと股を広げてケツを上げてくれっ」ゆうて思いっきり見えるようにして、そんなんしとったら再びビキビキ

3　兎我野は兎餓野、闘鶏野、刀我野、都下野とも書かれる。日本書紀、古事記にも登場する歴史の長い土地である。現在は風俗店が乱立している

に勃ち、今度は上に乗ってもろて鏡と結合部分を眺めながらと、ヤりまくってるうちに四、五回もやってしもてん。

姉ちゃんも「ほんまようやったなぁ。身体がガタガタでアソコ、ヒリヒリするわぁ。やっぱり、あんた若いねんなぁ。太陽が目にチカチカして痛いほど眩しいわぁっ」ゆうて、始発で帰りはってん。なんか女って怖いなぁと思いながら俺も、家へ帰ってん。

朝、九時ごろ、ドアをドンドン叩く音がするんで、さっき寝たばかりやのに誰やねん思て、出てみたらゴンジで「チュチュ、モーニングもらいにいこうぜいっ」ゆうてきよってん。

「いや、俺さっき寝たばかりで、眠いからもうちょい寝るわ。お前一人で行ってこいや。誰ぞ来とおるやろ」

「なんやねん、チュチュ、キモいでぇ〜。昨日急におらんようになってどこ行っててん」

「アホっ。ホテルに決まってるやんけ」

「嘘やんっ、もろたん？　なぁ？」

「当たり前やんけ、ホテルまで行ってなにもせん奴どこにおんねん？」

「嘘やんっ。ええのぉ、チュチュだけほんまキモいのぉ」

「お前らかて、女おったやんけ。もらわれへんかったんかいっ？」

4　法令により製造・設置が禁止されたとまことしやかに語られることもあるが、そのような事実はない。85 年に施行された風営法は回転ベッドを設置する一部の宿泊施設をラブホテルと定義し、営業を規制しただけだった

「おう、チュチュがどっか行ってから、なんか場がシラけてもうて、あの女のツレもあの女のこと探しだして、帰ってまいよってんっ」

「嘘やん。アホやのぉ。ほな誰ももらわずじまいかいっ？」

「おう、ほんまチュチュ一人だけキモいのぉ」

「わかったわかった。わかったから、さっさと一人でモーニングもらいにいってこいや。眠いから寝るわ」とドアを閉めてん。

鑑別所で四週間

日本坂トンネルで玉突き事故[1]があり、ぎょうさん車が燃えて、テレビなんかほとんど見ず、新聞配達はしてても新聞は見たことのない、世間のことをまったく知らない俺でも、なんや知らん記憶にはとどまっており、チラッとテレビを見ただけでも記憶に残ってるんだから、さぞ、すごい映像が映し出されていたことだと思う。

このころ、一コ先輩の神尾君やニンケ、カマやんらともよく遊んでおり、このトリオが一コ上の極悪三兄弟で、他の怖かった先輩たちは、中華屋や酒屋や土建業など、社会の貴重な働き手となって頑張っていた。

三兄弟の中でも神尾君はムチャクチャで、親がヤクザで金を持っており、家はごっつい家で、本人はヤクザでもないのに全身に紋々を入れており、まともに職にも就いたこともないのに、いつも違う改造車を無免で乗りまわしていた。

神尾君は、十三をイキって走ってる改造車を見かけたら、急にその車の前に飛び出して止め、「お前、誰の断りを得て、この辺を走っとおんじゃぁ。車から降りいっ」ちゅうて、

1　1979 年、東名高速・日本坂トンネルで玉突き事故が発生し、173 台が炎上、7 人が死亡した

相手が降りようとドアを開けた瞬間にドアを蹴り、相手がドアに挟まって怯んだところをボコボコにして、そのまま車に乗っていってしまい、そうやって飽きるかガソリンが無くなるまで乗って捨ててしまうという、使い捨てライターならぬ「使い捨て車」という荒技をやってのける無法者であった。

そのうち親が金をくれないからとポッコン[2]をして、車中からめぼしいカーコンポなどをペチってては売りさばき、ラリ代をまかなっていた。

そうやって横取ってきた車を使い、女を引っかけては箕面の山など人気のない場所へドライブし、なにがなんでも食ってしまうという、弱肉強食の生活をしていたため、かなりの被害届が出され、ポリから目を付けられていた。そんなこともつゆ知らず、常に傍若無人の道を突っ走っていた神尾君であった。

ある日、モックの家でラリでもしようと、ラリ缶を仕入れて行くと、留守で誰もおらず、帰ろうとしたところに神尾君が来たので「ラリ缶、持ってんねんけどラリやろうや。でも、袋がないねん」というと、「俺が持ってるわいっ。ダッシュボードん中に入れたあるわ」というんで、車のところへ行き、車ん中が安全やろうということで車に乗ってん。

この日、神尾君の愛車は濃紺のベタベタ[3]でバーフェン[4]付きのセリカLB[5]で、その車を

2　車上荒らし。マイナスドライバーでドアロックを外したときの音から
3　車の姿勢を制御するためのスプリングを取りはずし、この動きをおさえるためのショックアブソーバーだけにしてしまい、車高を極端に下げた状態

淀川の河川敷の新御の下あたり、道からちょっと入った葦が覆い茂っていて、まわりから見えんようになっているところに停めて、ラリってってん。

　何分経ったかはわからんけど、ラリでヘロヘロで気持ちよくやっていたら、いきなりプッシューッていうて、車高が下がっていって、幻覚かぁ？　と思てたら、突然ドアを開けられ、な～ん～や～ぁ～と思たけど、すぐに、ポリや！　と気づいてドアを閉め、神尾君はエンジンかけて発進しようとするけど、車の腹が河川敷のデコボコのどっかについていているようで、タイヤが空まわりするだけで一向に進みよれへんねん。ドアをロックしたんで、窓をドンドン叩かれて「こらっ、降りてこいっ」と、うるそうて、こらあかんわぁと二人とも観念して降りていってん。

　トルエン吸引の現行犯でパクられてんけど、さっきの「プッシューッ」は幻覚ではなく、ほんまにタイヤの空気を虫ゴムごと抜かれててん。警察は神尾君をなんとか現行犯でパクったろうと、ここんとこマークしていたようで、その車も盗難届が出ており、引っかけた女のうち一人からも被害届が出ていたらしく、トルエン、窃盗、婦女暴行、無免の四刑でパクられよってん。

　俺を調べたのは女のセトヤマ刑事で、物差しで、ピシャーンピシャーンとはたかれたり、指の間に鉛筆入れて握られたり、平手打ちされたり、その上、取調室の掃除を強要

4　オーバーフェンダー。通常のフェンダーでは覆うことができない幅広のタイヤを覆う
5　1973年発表。LBはリフトバッグのこと。ダルマと呼ばれるクーペもある

され、「アホか、なんで俺が掃除せなあかんねん」ちゅうたら、箒でしばかれてん。交遊関係や余罪を追及され、こないだまでやっていた、オッサンから金を借りまくったんもかなり調べあげており、幸いオッサンらが泥酔状態であったので記憶がさだかでないらしく、追及されても知らんと突っぱね通し、しかしそれ以前のこととかもあって、堺の鑑別[6]送りとなってもうてん。

鑑別での生活は四週間あんねん。最初の一週間は独房に入れられて反省と性格診断、残りの三週間は集団生活で、運動の時間はマラソンや卓球、ソフトボールなんかをやり、運動以外は自習と集団討議っちゅうのんがあんねん。集団討議は「親について」とか「今後の自分の生活について」とか、みんなでええ加減なことを話し合うねん。ほんで夕方からはテレビ見て、メシ食って、テレビ見て、就寝っていう感じであった。

ここでも何人かがツレになったりすんねんけど、出てまうと最初のうちはチョコチョコ連絡取り合ったり、会うたりすんねんけど、地元のツレと毎日遊んでるから、そのうち面倒になってきて自然消滅してまうねん。

鑑別に入るのは凶暴な奴ばっかりであるが、みんなここでの生活態度でシャバか年少[7]行きか決まるのがわかってるから、とりあえず大人しくしてんねん。それでも年少行き確実っていう奴もおるし、若いのでキレるんは早いから、ケンカも時々ある。

6　少年鑑別所。1949 年の少年法及び少年院法の施行により発足。全国で 52 カ所に設置されている。家庭裁判所で少年の処分を適切に判断するため専門的な調査、診断を行う必要があるとされた場合、最長で 4 週間収容する

神尾君も一緒かなぁと思ててんけど、俺が出るころにやっと送られてきて、「二回目の鑑別やし、年少は確実やねん」ゆうとったから、これで少しは十三も平和になるなぁと思てん。

7　少年院。少年の心身状況の調査を目的とした少年鑑別所とは異なり、社会不適応の原因を除く矯正教育を行う。年齢や心身状況により、初等、中等、特別及び医療の４つに分けられる

金田さんが漬けたキムチ

鑑別を出てからは、ちょっとはまともにせなあかんし、単車《たんこ》もほしいから、新聞配達していたときに知りおうた中華屋の兄ちゃんに「バイトせえへんか」いわれてたんで、訪ねていってん。ほんなら兄ちゃんとこは、すでにバイトが入っていて、「よそで人手が足りんとこがあるから」ゆうて、本町にある中華屋を紹介してくれてん。その中華屋は本町の〈美々卯本店〉[1]のすぐそばにあって、そこの店長がたまたま十三中学出身の一コ上の先輩で、俺も十三中学出身ということで、二つ返事で雇ってくれてん。

そこでのおもな仕事は出前やねんけど、その出前も本町というオフィス街の真ん中という土地柄なのか、昼のメシ時となると店内はグチャグチャで、外にまで列ができ、出前の電話も鳴りっぱなし、俺も二時近くまでは走りっぱなしという凄まじいものであった。

それに出前のクソ忙しいときには、道にサラリーマンやOLが溢れ出て、チャリキも思うように進まず、一日一回は上手く止まれず、出前箱の中身を飛ばしてしまい、たま

1　大阪・堺に200余年続いた料亭「耳卯楼」を、70余年前、当時の主人・平太郎が改めた。うどんすきを中心にしたメニュー。

にはそのまま人に突っ込んだり、こけたりして、なにもかもグチャグチャにしてしまうこともあった。

ほんでその対策として頭を金髪に染め、目立つようにして、人に避けてもらうようにした。おかげで店では「脳みそが錆びているせいか、とうとう外まで錆びてきよったぁ」とバカにされたりはしたものの、出前時にはいろんな人がハッとして気づいてくれ、道を開けてくれるようになった。

出前先には大きな会社も多く、長谷川ゴム店や、間組といった建築屋の自社ビルもあり、そういったところの電話交換台への出前は楽しみの一つで、そこは女の花園で女性しかおらず、そこに入るとプーンと女の化粧の匂いがして、うら若き大人のOLさんたちがいて、俺に慣れてくると「お兄さん、幾つ～？」などといって、からかってきたりもするのであった。

店では金田さんという梅香出身のコックさんがよくかわいがってくれ、三時から五時の休憩時間には、俺の分のメシまで作ってくれ、一緒にサ店に行って休憩していた。

その金田さんの漬けたキムチがまたうまく、カクテキなんかは葉っぱごと漬け込むねんけど、それとチャーシューの味噌炒めがすごくうまくて、しょっちゅうリクエストしていた。ここで忘れられんのが、十一時に店に入って昼の戦闘モードに入る前に、金田さんの漬け物とハムにマヨネーズをつけたもんでぶっ込むメシで、いまでもハムにマヨネーズつけて、一枚のハムでご飯一杯ぐらいはいけるほど好きである。

金田さんは、新大阪近くの南方《がた》に住んでおり、俺の家とは近いんで、帰り時間が合えば、自慢のベタベタに落としたグリーンの５１０[2]で送ってくれた。

たまに時間のあるときには環状[3]に走りに連れていってくれたりもして、そして時々、三国にできた〈スカイラーク〉で茶を飲んで、俺んちまで送ってくれた。

俺のよき相談相手になってくれ、趣味は無線で、よく無線をしている様を見せてくれたり無線相手の友人と会わせてくれたりと、ほんまによくかわいがってもらった。

ちなみに金田さんの無線での名前は「料理天国」で、友人はトラック野郎ばかり。「キングコング」さんや「スーパーマン」さんなどがいた。キングコングさんは、その名の如く、馬鹿でかい大男で、トラック野郎にはアブない奴も結構おって、ケンカになるときもあるからと、いつもトラックの寝台に鉄パイプを積んでいる強者で、実際に何人かはそれでゆわしたったということであった。スーパーマンさんは、ちょっと悪そうな、すばしっこそうな人で、みんな金田さんの地元のツレであり、金田さんの中学時代のヤンチャぶりがうかがえた。

2　日産ブルーバード510型。1967年発売
3　大阪環状線

中山美穂似のかおりちゃん

店では若い労働力ということもあってか、みんながかわいがってくれ、よく飲みにも連れていってくれた。飲みにいくのは大抵、店の近くか、店長と金田さんが南方《がた》に住んでいたんで、十三、南方界隈か、たまにキタに行くときもあるけど、店の近くのスナックに行くのが一番好きであった。

そこはママと二十歳になる娘さんとでやっているカウンターだけの小さなスナックで、客はそこらのサラリーマンがほとんど。ママさんはすごく気さくで、娘さんはすごくかわいらしく、彼氏募集中やってんけど、なんでこんなかわいい人に彼氏がおらんねんやろうと思うほどであった。みんなから「かおりちゃん」と呼ばれ親しまれていて、もちろん、嫁ハン持ちを除いては、みんな心の底では、かおりちゃんを狙ってるはずで、俺もその一人やってんけど、なんせママの手前、なかなか手が出せずにいるという感じであった。かおりちゃんは、肌が少し浅黒く、中山美穂似のちょっとキツめの顔で、胸はでかくなく、かといってペチャパイでもない、背が一六〇センチぐらいの中肉中背で、しかしなんかちょっと変わった雰囲気を醸し出していた。

かおりちゃんも金髪で、店の客層よりも若い俺にちょっとは興味を持ったらしく、「なんで金髪やのん？　バンドでもやってんのん？」「い〜や、頭が悪いから錆ついてまいよってん」などと軽口を叩き合っていた。

しかし、あるときママが「かおりも吉永君のことまんざらじゃないみたいよ」なんてけしかけるようなことをいうから、ひょっとしたらいけるかもなどと思い、ドキドキしながら冗談ぽく「一緒に遊びにいこうぜいっ」と誘てみてん。ほんなら、かおりちゃんも「ええよ」って気軽にゆうてくれて、やったぁ！　と思てメッチャ嬉しゅうて、浮き足立って心臓バッコンバッコンさせながら、約束の次の日曜日が来るのを待っててん。

梅田の阪急百貨店横にある、いろんな洋モクを売っているタバコ屋の前で待ち切って、キメなと思て、このころはサッスーンとかのデザイナージーンズやカラフルなジーパン、サーファーパンツといって、ズドンとしたダボダボのバギーのようなパンツが流行っており、俺もそのズドンとしたダボダボのパンツにブラバスのペタペタの靴、ボタンダウンのシャツの袖をまくり、上に袖を切ったジージャンといういでたちで行った。

かおりちゃんはトレーナーにジーンズで来て、こういうカジュアルなカッコの方が店での大人びたカッコよりええなぁと、またまた惚れ直し、キャピキャピのルンルン気分で、「とりあえずサ店でも行ってどこ行くか決めようか」ゆうて、国鉄の高架下にあるガタンガタンとうるさいサ店へと入った。

俺は喉が乾いたんで冷コーを、かおりちゃんはココアを頼んで、それがまたかわいく思えた。昼メシでも食おうかということになり、俺があんまり金を持っていなかったんで、これまた高架下にある安いカレー屋の〈インディアンカレー〉を推したらば、そこでいいということになり、俺はハムカツカレー、かおりちゃんは玉子カレーを食って、さぁ、どこ行こうかという感じで外に出た。

三番街地下[1]にある〈キディランド〉などをブラブラして、そのまま梅田の地下街をブラブラして、東通りをブラブラして、ゲームセンターでゲームして、「梅田花月[2]でも行こうかぁ」ゆうて花月へ行った。ちょっと中途半端な時間やったんで時間調整にお初天神通りをブラブラして、お初天神[3]へ行って、神社ん中にスナックやら居酒屋やらいろんな店があんねんなぁと感心して、梅田花月へ行った。新喜劇[4]や、かけるめぐる[5]などの漫才を見て、落語はようわからんから見んと出てきて、「涙ちょちょぎれるほど大笑いしたなぁ」ゆうて、そのままお初天神通りを抜けて、できたばっかしの駅前ビルを見にいった。ここには意味のない歩道橋があって、それについている外のエスカレーターがなにかヘンで、そんな話をしながら、ディスコへ行こういうことになって、近くにある新

1　阪急梅田駅内のデパート、阪急三番街。地上２階、地下２階
2　現・うめだ花月。吉本興業所属のお笑い芸人などが出演

地入り口付近の東映映画館ビル内にある〈悪魔の館〉と呼ばれているディスコに行った。心地よく酔っぱらい踊っているうちにチークタイムとなり、彼女にキスすると、さすがに彼女も成人女性で快く引き受けてくれ、なんか結構ええムードになって踊り疲れて、ちょっとけだるくなったころ、彼女から「うちに来ない？」と誘われ、俺はママさんがいてると思い断ったところ、ママとは離れて暮らしているとのことであった。

いらん気をつかわんでええから別々に暮らしているらしく、それでも互いの家はチャリキで十分程度で、近いのが理由でそこにしたらしい。

そこは当時増えてきたワンルームマンションで、十三のまわりでもこの形式のマンションが大通り沿いや新大阪周辺、南方などにたくさんできていた。彼女とこは、いまでいうワンルームマンションではなく、昔のワンルームマンションというべきもので、全体としては十畳ほどあり、キッチンとの区切りにアコーディオンドアがあった。

彼女は十一階建の六階に住んでおり、その彼女の部屋でビールを飲みながら互いの身の上話をした。

彼女のお父さんはフィリピン人のミュージシャンで、お母さんはその昔、自分が働いている店で雇われている異国の人を恋愛相手に選び、相手が店を変われば、自分も店を変わるという感じだったらしく、そんで結婚してできた子供がかおりちゃんであること

3　露天神社。1703年、商家手代の徳兵衛と遊女お初がこの地で心中。この話をもとに近松門左衛門が作ったのが「曽根崎心中」。以来、「お初天神」の名で知られている。縁結びの神とあって、カップルの姿が多く見られる

を知った。しかし結婚してしばらくすると、お父さんは仕事をしなくなり、お母さんに頼るようになって、大ゲンカの末、家出してしまったらしい。きっと当時の社会状況であれば、外人が働くということは、いまよりもっと風当たりが強く、差別もあり、そういう中で、媚びへつらうことが嫌になって、都合よく妻は水商売の女であり、金のなる木がいてるからということで、いろんなことが面倒になったんだろうなぁと思う。それがかおりちゃんが四歳のころで、以来、母一人娘一人で生きてきたらしい。その後、お父さんと会ったことはなく、写真も一枚も残っていないため、父親の顔はほとんどおぼえてないらしい。

それで彼女に感じたちょっと変わった雰囲気が納得できてんけど、悲しそうな顔をして話す彼女を見ていると、なんかやけに感動してしまい、ウォーッ、ごっついかわいい女やんけ、俺が守ったるぅ〜とかなんとか思いながら、頭の中では郷ひろみの[6]「〜抱いてやある　今夜　いまが思春期ぃ〜」というフレーズがリフレインし、ギュウッと抱きしめ彼女のベットへ崩れ落ちていくのであった。

それからはバイト先の中華屋が近いということもあって、彼女の部屋に入り浸りとなり、しまいには彼女の店を手伝うことも度々あり、ママもその半同棲生活を若者のすることだから……と半ば公認であった。

4　吉本新喜劇。吉本興業が運営する劇団で、ボケとツッコミを主体とし、一人一人が個性の強いのギャグをくりだす

かおりちゃんは俺の前には、店に来ていたサラリーマンと交際していて、しかしその人には妻子がいることがわかって別れたそうで、何カ月も騙されていて、それ以来、汚い大人たちはこりごりだと思ったらしい。

しかし、俺にも中学から付き合っているキョーコがいたのだが、いわんほうが身のためだと思い黙っていた。

このころは結構忙しく、中華屋で出前持ちをやり、終わったらかおりちゃんとこか、〈恭楽パートII〉を手伝うこともしょっちゅうあり、キョーコとはほとんど会うことはなく、会ってもどっかへ行くこともなく、若さで満ち溢れていた俺は我慢できず、とりあえずヤってしまい、いつも「ウチら会《お》うてもヤるだけねんなぁ。ウチらってヤるだけの関係なん？」などと責められていた。それとテキ屋んときに引っかけたアキコとも続いており、月に一度か二カ月に一度しか会われへんねんけど、たまに会うては、このでっかいオッパイは、なかなか手放ちぇまちぇんなどと思っては巨乳に顔を埋めてスリスリしててん。淫獣というかセックスマシーンと化してましたわ。

キョーコは、かの有名な淀ブスに入学しており、ここは十三中学の隣ということもあってかエスカレーター式で入学でき、どうしても高校へ行って性春を謳歌したいなどと思う女が通ってた学校で、そこで傘で先輩をいわしたり、先生のをフェラったりして、

5　海原かけるめぐる。1975年、第10回上方漫才大賞で新人賞を獲得。海原めぐるとは、のちの池乃めだか

結構ブイブイいわしてたらしい。

そうやって俺は米つきバッタのようにあちこちで突きまくってはいても、鑑別から出て間もなく、観察中の身であるので週に一度は保護司[7]であるタバコ屋の富森のオッサンとこへ日誌を持っていき、「頑張ってやってるなぁ」などと褒められていたのである。

6 郷ひろみの1981年のヒット曲「もういちど思春期」の歌詞。作詞・三浦徳子、作曲・小杉保
7 地域に密着して、保護観察、環境調整、犯罪・非行防止にあたる人

園芸高校受験を決意

ある日、南方《がた》の駅前で中二のとき同じクラスだったクリスチャン・セッキンとバッタリ会った。

セッキンは七三分けなんかにしていて、かなりクリスチャン化現象が進んどんのぉと思い、「最近どないしてんねん」などと話していると、石橋の園芸高校に通っているそうで、そこは結構自由な高校で女も多く、ええ学校らしく、次の土日が文化祭なので、「遊びに来いや」といわれたんで、どんなけおもろい学校やねん思て、遊びにいってん。

ほんでセッキンに案内されいろんな催し物を見てまわってると、パンチをあてて眉のない、いかつい奴が「チュチュ」ゆうて馴れ馴れしく喋ってきよんねん。

「誰や。お前なんか知らんぞ」ゆうたら、横からセッキンが「柳生やん。知らんかぁ？中二んときに八組に転校してきよった奴やん」ちゅうんで、「知らんのぉ」ゆうてそのまま行ってん。

ほんでセッキンに「園芸はどんな奴でもパーマあてれるんや？」と聞くと「アイツは

十三出身ちゅうことでみんな一目置いてるから、図に乗ってパーマあてて、十三ではワルやったゆうて、いいふらしとおるから、そのハッタリで結構ビビってるみたいやで」とゆうとった。さらに、「俺と同じクラスやったトマトも大商行ってハッタリで結構ブイブイいわしとおんで。同じ沿線やから、時々顔会わすことあるけど、エラそうに喋ってきよんねん」と、あのトマトが？　という事実を聞くにつけ、高校行ったらみんな変わりよんねやと思た。

そんでセッキンのクラスに行くと、クラスの奴らがようけ集まってきて、セッキンにこんな金髪のツレがおるということに驚いたようで、「やっぱ十三の奴はちゃうわ」とかゆうとった。

セッキンは学校ではすごく真面目らしく、タバコ吸う奴がおったら注意するほどで、俺が「中坊んときは、セッキンも吸うとった」ゆうと、みんなそのネタに喜んで飛びつき、柳生のことを「ごっつい悪かってんやろ？」と聞かれたんで、「知らんでぇ。柳生が悪いんやったら、セッキンなんかムチャクチャ悪いやんけ」ゆうたら、ごっつい喜び、セッキンは「チュチュやめてぇや」ゆうて耳まで赤くなり、セッキンの爽やかな生真面目さに好感を持っていた女連中はショックであったらしく、俺はその間で、世の中そんな甘うはないわのぉなどと思いながら喜んでいたのである。

セッキンのクラスに、俺に妙に馴れ馴れしくしてくる女がいて、その女もセッキンのファンだったらしいけど、なぜか俺に興味を持ったらしく、十三のことをいろいろ聞いてきて「いつも学校に来る途中に電車ん中から見るだけやから、行ってみたいわぁ」とかいうんで、「ほな、俺、いまから帰るから、学校フケてついてくるか？　案内したるでぇ」ゆうたら、「行く、行くっ！」ちゅうて二つ返事しよるから、テイクアウトしてん。

セッキンはなんか気まずそうな顔しとったけど、俺は、ほんまにええ学校やのぉ。ここに来れば選り取り見取りやし、おまけにお土産まで持たしてくれたなどと思いながらセッキンとバイバイして、その「クーコ」と呼ばれてる女と一緒に帰ってん。

帰りの阪急の中でダベってたら、彼女は修学旅行でケンカした菫中学出身らしく、そんときのことをよくおぼえており、「あんときは怖かったわぁ。相手は十三やいぅし、怖そうな人ばっかしおったから」「俺もあんときおってんでぇっ」などと話しをし、これもなにかの縁なんかのぉと思いながら十三に着き、とりあえずテイクアウトっちゅうことで駅前のマクドに入ってん。

クーコはペチャ顔で、カエルのケロヨン人形に似ており、髪形は当時流行のオオカミカットで、サイドの毛だけを金髪にして全体は茶髪というスタイルで、制服は不良っぽいカッコをしていた。

俺はマクドに入るとすぐに、おかん仕事に行っててくれよ〜と思いながら、家に電話すると誰も出ず、よっしゃあっ、ビンゴやぁ〜思いながら「ほな案内するわ」ゆうて、俺んちまで行った。

クーコんちは団地らしく、こんなボロ家まだあんねんなぁっちゅう顔つきで、俺んちのトタン屋根の何本もの針金で固定されたテレビアンテナを見上げていた。そんで中に入るよう促すと、「親は？　ええのん？」と聞くんで「仕事に行ってるから」ゆうて家に入った。

中学んときの話や中華料理屋で働いている話、高校の話などをしているうちに、外は真っ暗になり帰ろうとするんで、テイクアウトしたからにはと思い、頂いたらば、なんとバージンで！　アッチャーなんじゃいっ。高校デビューかいっ！　と驚いたが、相手はケロッとしたもんで、明るく無邪気な様子で、駅まで「案内といっても俺んちまでの道中だけやったなぁ」などと話しながら送っていった。

いまから思えば、それが彼女の俺に対する思いやりであったのかも知れないが、そんときはそんな気持ちなどわかるわけもなく、なんてええ学校なんやぁ、入学した暁には、ヤりたい放題やんけぇなどと、楽しい楽しい学校生活を想像し、浮き足立ちながら園芸高校受験を固く決意すんのであった。

ケンジがトラックに突っ込みよった

ツレらに高校受験の決意表明をしたところ、「いまさらなにぬかしとおんねん」とバカにされ、「一緒に行こうぜぃっ」と、学校辞めそうな奴や行ってない奴なんかを誘てんけど、俺の熱意が伝わらなかったようで誰も乗ってくれず、いまにみてろ、後悔すんなよと思いながら一人受験に臨むのであった。

しかし、受験勉強などする気は毛頭なく、単車《たんこ》を買うぞっという意気込みでバイトにいそしむ毎日であった。

そんなとき、ハッカから電話があり「ケンジが暴走中にトラックに突っ込みよった」という報せを受けた。なんでも、六甲まで走りにいった帰りにポリに追っかけられて、対向車線から右折しようとしたトラックを避けきれず突っ込み、糸の切れた操り人形のように十メートルほど吹っ飛んだらしく、頭を強打し頭蓋骨陥没してて、ひょっとしたらあかんかもしれん、助かっても植物人間になるかもしれんちゅうことで、とりあえず入院先の病院を聞いてん。

幸いバイト先の中華屋のある本町から中央線で一本で行ける谷町四丁目にある国立病院だったんで、翌日、昼の休憩中に見舞いにいってん。

病室のドアには「面会謝絶」の札が掛かってたけど、いてもうたれ思てドアをソーッと開けると、オバチャンの銀子が神妙な顔して、いまにもバラバラになりそうな身体をなんとか椅子に預けているという様子で腰掛けており、俺に気づいて、外に出てきた。

お見舞いの缶詰セットを渡して話を聞くと、なんとか命はとりとめたのだが植物人間になる可能性は高いらしく、いまは目が開くのを待つだけだということで、ボロボロボロボロ涙流してゆうもんやから、なんか責められているような感じがして、気がついたら連絡してほしいとお願いして帰った。

なんや知らん心にポッカリ穴があいた感じで、なにもできない自分が口惜しく、ジッとしていることが耐えられず、本町にある御霊神社にお参りしにいった。

十日ほど経っても、なんの連絡もなく、植物人間になったという噂が広まり、ほんまかなぁ思てケンジんちに電話したら、姉ちゃんが出て、とりあえずは目を覚ましたけど、まだ起き上がることはできず、寝たきり状態らしく、あとは折れた足のギブスを外し、リハビリすれば歩けるようになるということだった。

翌日の休憩中に再び見舞いにいくと、随分元気で、トロいけど喋ることはでき、「ここを切ってん。まだベコベコしとおんねん」と、得意気に坊主頭になってC型に縫い目のあるC調ハゲを自慢げに見せ、もうすぐ足のギブスが外せるからと喜んでいた。「お前みたいな奴死ねばよかってん」などと冗談をいい、マンガの本を差し入れてほしいというので、次の日、店にあった捨てる予定のマンガ本を持っていった。

こうして昼の休憩時にケンジを見舞うことが毎日のように続き、ある日行ってみると、ケンジがお化けのようなナリをしてヒュルヒュルと申し訳なさそうに立っているのを見て、胸が詰まり涙が出そうになり、その寝巻きからはみ出た、くっきりと骨の形がわかる足を見ると、たった二十日やそこらで、こんなにも細くなるもんなんやと驚かされ、フラフラッと立っているケンジに笑いそうになって、堪えてんけど大笑いしてしまった。

そんでケンジは「なんやねん。チュチュ〜」と、ちょっとふくれっ面してニターッと笑い、俺に寄ってきて耳元でコソコソッと「タンベちょうだいや、ここに来てまだ一服もしてないねん。タンベ吸いたくて、早よ歩けるようになろう思て頑張ってきてんもん。俺がションベンに行くっていうから、チュチュは付き添いっちゅう形で頼むわ」ゆうてん。ケンジがオバチャンに「チュチュに付き添うてもろてションベンに行ってくるわ」ちゅうとオバチャンが「なにゆうてんのん。立ったばかりで歩けるわけないやないのぉ」「行けるっちゅうねん」と俺の肩に手をまわし、俺を促すようにトイレの方へ向かった。

しかしトイレを通り越し待合いのロビーの長椅子に座りタバコをやった。

ケンジは「うっわぁ～、久々やから、クラーッと来よるわぁ」ゆうて、スパッスパッと続けざまに五本も吸い「うわぁ～、頭がクラッとしてボーッとして、胸がムカムカしてごっついキショイわぁ」

「当たり前じゃぃ。普通でも五本も吸うたらキモなりよるわいっ」ゆうて部屋まで担いでいった。

部屋に戻るとオバチャンが「うっわぁ～、タバコくっさぁ～。あんたらタバコ吸うてきたやろっ」ちゅうて俺を睨み、ケンジが「うるさいのぉ。銀子は黙っとけっちゅうねん」ゆうてん。ケンジは父親のことも「富太郎」ゆうて呼び捨てにしており、たぶん日本中探しても、両親を面と向かって名前で呼び捨てにすんのんコイツぐらいちゃうかなぁと思うねん。ケンジは歳食ってからできた子やからか、オッチャンもオバチャンもえらいかわいがりようで、甘やかし過ぎでナメられてしまっていた。

中坊んときケンジは部屋でラリってんのをオバチャンに見つかり、キレてしまって「勝手に俺の部屋に入ってくんな」と蹴りを食らわして、ケンジの部屋のドアは階段昇ってすぐんとこにあったため、オバチャンは階段を真っ逆さまに転落し、腰痛とムチウチで入院することとなった。そのことでオッチャンに怒られると「じゃぁかしぃやぃ！

富太郎は黙っとけっ」と、オッチャンのハゲ頭で生卵を潰し「こんなツルッパゲやから嫌んなってくんじゃい。アートネイチャーにせぇっ」といい、とにかくわけのわからん家庭内暴力男なのである。

そうして受験勉強もせず、お見舞いとバイトの日が続き、それでも相変わらず、かおりちゃんとは半同棲みたいな感じで、キョーコとも以前と同じで、とにかく無難にやっていた。

そしてケンジはリハビリの成果あってか、それとも身体の隅々まで単細胞がゆき渡り、素晴らしく頑丈で快復力が早いのか、立ってから二週間ほどで退院してしまいよった。

しかし頭蓋骨陥没して手術して、C調ハゲまで作って、あんまり脳に刺激を与えたらあかんちゅうのに、せっかく神さんが与えてくれた天罰の意味も考えようとはせず、帰宅するや否や、チャリンコ屋へ走りラリ缶を買って、イーマンちに持参し、ボン中街道をひた走るのであった。根っからのボン中なのである。

ケンカは先手必勝

年末には中華屋も休みとなり、八百屋でバイトして、独裁者カンのいない餅屋はさびしいのぉと思いつつ、正月には紙園神社などでテキ屋の店を出し、やっぱり夏のようなウキウキ気分がないから女も引っかからんのう思いながら年始を終えた。

そんなこんなで三月になり入試を迎えたのである。当日はみんな学生服を着ており、しまったたぁとは思ったものの、しゃあないんで、そのままおったら、やっぱり試験の人に怒られ、「ボクは社会人なのでうっかりしておりました」と弁明して、とりあえずは受験させてもろた。

試験は中一の問題ちゃうん！　と拍子抜けするぐらい簡単で、もうこれは合格しかないと思い、店に帰って「合格しましたわ」と堂々といってのけた。

そして合格発表があり、やっぱり合格してたんで、入学手続きを済ませ、城東の関目に制服を作りに行ってん。その制服専門の仕立屋は京阪関目駅から少し歩いた団地の近くにあり、入り口が半間、中は三畳ほどの、靴の修繕屋かなぁと思うぐらい、ちっちゃい店やった。店内は制服の箱だらけで、いま作っているもの数点と、制服の上下と応援団旗が飾ってあった。

そこでツレの意見を参考にしながら、下は生地がサージュで、ワンタックにして、タックの折り込みを四センチ、裾巾三十センチ、裾はダブルで、その折り返しを五センチとし、その両サイドに五円玉を両足で計四枚入れ込んで縫ってもらい、股上三十センチでベルトがちょうどみぞおちあたりにくるぐらいにして、普通のポケットの他にショッポ[1]が入る隠しポケットを作ってもらった。

そのズボンだけで、当時の価格で九〇〇〇円で、既製だと三〇〇〇円ぐらいなんで、その三倍ぐらいした。

上はあつらえると高いんで、既製の普通のやつにした。これも生地はサージュで一万ちょっとで買って、北陽の体育館シューズと三ペンマークのボタン章がカッコよかったんで、イーマンに頼んで買ってきてもろた。

イーマンは「入学祝いやっ！」ちゅうて、園女のカバンに大商の皮持手を付けて龍と虎を彫って、ラメをちりばめた、下敷きしか入らん鞄をくれた。

そんで入学手続きは済ませたものの、教科書や体操着などの学用品を一切買わなかったからか、今度、俺の担任になる先生と副担任、学年主任の三人が俺んちに来た。俺の

1　ショートホープ。コンパクトなパッケージとニコチンのきつさから不良少年は好んでこれを吸った

担任は、田中というトッチャン坊やのような顔をした先生であった。

中学時代に遅刻・早退・欠席が多い理由、入試の成績が良かったらしく、中学でも総合評価が七で、他にも入れる高校があるのに園芸を選んだ理由など、いろいろ聞かれ、すべて正直に「中学のときはそうしたかったから」「女の子が多くて楽しそうだったから」と答えた。さらに「なぜ教科書を買わなかったのか」と聞かれ「セッキンに貰うから」と答え、最後に「園芸高校で真面目な学校生活を送ろうと思っているのか」と聞かれ「はい」と答えると「それならば金髪だけは普通にしてくれ」といわれ、そんでこの話し中「俺は社会人やから」とタバコを吸ってたんで「他の生徒の手前、学校では止めてくれ」といわれたのであった。

このころは二輪の中免を取るのに熱中しており、やっと十六歳になってみんなと同じように単車《たんこ》が転がせることが嬉しく、どの単車にしようかなぁなどと悩み抜いている日々だったのである。

無免で散々乗りまわしてたんで、最初は飛び込みで行ったれっと思ててんけど、当時は二週間に一度しか受験できず、しかも年齢に達していないと申し込みもできないんで、時間がかかり過ぎるからやめて、金もあったんで教習所へ行ったのである。そのころの金で五万円弱で、十六歳になる一カ月前から申し込みができるんで、運がよければ誕生日の二週間後には免許がもらえるという寸法であった。

しかしバイトもあって、なかなか思うようにいかず、結局高校の入学式も、おかんに一人で行ってもらい、それから一週間ほど休んで教習所に通い、やっと筆記試験を受けて合格し、二週間後に免許をもらえるようになったのである。

入学式後、日曜を挟んで十日ほどしてから、俺は初登校することとなり、まだズボンができてなかったんでツレのを借りて、どんなに楽しい学校生活になるかなぁとルンルンしながら行ったのだが、クラスの連中は、俺が入学式から一度も顔を見せずにいたんで、辞めたものと思っていたらしく、教室に入ると、誰やというような顔で見られた。

不良の子らもいたけど、前の日に一年狩りがあり、しばかれたらしく、大人しくしており、俺は席がわからんので「俺の席どこかなぁ」とそこらの奴に聞いていると、中学の後輩の優二が同じクラスらしく「チュチュさん」ゆうて近寄ってきて、席まで案内してくれた。

俺のことは、相当なワルやという噂が飛んでいたらしく、しかし、長めの坊ちゃん刈りのような頭に、カラスのように真っ黒な髪、普通の学ランという姿に、みんな拍子抜けしたようで、歌島のちょっといちびった奴に「何日も休んどって、ダブリやからゆうてでかい面すんなよ」と、誰にゆうてんのんかわからんようなことといわれて、とりあえず授業が始まるから黙っとってんけど、休み時間にソイツを呼び出して、校舎の裏でどつきまわしたってん。ほんで、やっぱりワルやぁ〜ちゅうことがアッという間に広まってん。

朝〈コナ〉へモーニングもらいにいくと、阪急電車組のイーマンや北陽の奴ら、大商へ行っているゴンジが来てて、みんなでダべって、適当に学校へ行っててん。

学校生活はやっぱり楽園で、制服着て、宝塚線へ行こうと駅構内にある地下通路を歩いていたり、ホームで電車待ちをしていると、メンチ切っただの、ガンつけただのゆうて、ケンカ売ってくる奴もおって、これぞ学園生活と嬉しゅうなるねん。

このテのケンカは「ワレ、誰にメンタほっとおんねん。ワレどこのもんじゃぁっ」ちゅうことになんねんけど、北陽へ行っているイーマンは、一年んとき浪商の番をしばき、東三国の番をしばき、北陽では尼の総番だったダイゴとどっちが番かといわれ、ごっつい名前が売れてて、「十三じゃいっ」ちゅうと、ほとんどが「十三ゆうたら、あの石丸がおるとこかぁ」ゆうて、ほんで「おう、ツレじゃあっ」ちゅうと、相手がビビってもうて謝ってきよるから、ケンカになれへんねん。

そうやって虎の威を借りてケンカしててんけど、たまには、そんな冗談の通じん奴もおって、ホームの頭の方にある便所に連れていってケンカすんねん。そんときは絶対に相手に先を歩かせ、トイレに入って、相手が振り向いた瞬間に鉄板を仕込んである鞄でどつき倒すねん。すると大概の奴は泣き入れてきよんねん。誰がゆうたか知らんけど、先手必勝やゆうて、ほんまその通りやなぁ思たわ。

真っ赤な完熟トマト

学校ではツレがなかなかできなかったが、ダブリで同じクラスのヨシノリや、一コ下で箕面の三谷なんかはよく慕ってくれた。昼休みに一学年上のクーコやマサミの教室に遊びにいくと「ビニールハウスへ行こっ」ゆうて誘てくれんねんけど、そのブドウやイチゴを栽培している温室ん中でオメコさせてもらうねん。

だからほんまに学校へ行くんが楽しゅうて、毎日がウキウキしてて、ほんまセッキン、ええ学校を教えてくれてありがとう、ごっそさんっちゅう感じですわ。

園芸高校っちゅうだけあって、化学科とはいっても、農業っちゅう授業があり、畑一畝に自分の名前が付いて責任もって耕さなあかんねん。そこでキャベツを作ったり、また違う畑では、トマトやナス、キュウリを育て、採れたもんを昼休みにマイクで放送して、近所の人が買いに来よんねん。

化学科の特色としては、農芸化学という、いまでいうバイオテクノロジーの基礎的な授業と、食品製造という、採れた農作物を加工して、イチゴジャムやフルーツの缶詰や乳酸飲料などを作る授業があり、それはそれで面白く、とくに畑で、農作物を育てているときは、虫がついてないか、しょっちゅう見にいき、虫の発生を防ぐため農薬をかけたりして、なんで不良がこんなことせなあかんねんと思いつつも、ソイツらが結構かわいくて、そうせざる得なかったのである。

そうして楽しい学園生活を送っているにもかかわらず、水を差してくる奴もおり、隣のクラスの淡路の奴が、優二を通じて「大商の奴らとケンカになり、相手と十三で待ちきって、淀川の河川敷でケンカすることになってるんで、十三のツレ集めて来てほしい」といい、なんでも向こうは俺と同い年で、十三でブイブイいわしとった奴がいてるらしいゆうことやったけど、「なんで俺や俺のツレが、お前らが勝手にやっているケンカに手ぇ貸さなあかんねん」ゆうて断ってん。

ほんで〈コナ〉へモーニングもらいにいって、誰もおれへんから早めに学校に行ったろう思て十三駅へ行くと、学生がようけ集まってて、あっ、そうか淡路の奴がゆうとったん今日やったんや思て歩いとったら、淡路の奴と優二が俺を見つけて「チュチュさん、来てくれはったんですか？」ゆうてきてん。

「いいや。手ぇ貸す気はないけど、たまたまサ店に誰もおれへんかったから、学校行こう思て通っただけや」ゆうて、ほんで淡路の奴が「あの人ですわ。十三の人やいうのんわ。

チュチュさん知ってはります？」ゆうて、指差しよるんで見てみると、なんと！　トマトやないけ。セッキンからエラそうにしとおるとは聞いたけど、そうかぁ思て、トマトんとこへ行っててん。

ほんで「おう、トマト。なにやっとんじゃぃっ」ちゅうと「おう、吉永やんけ」と、みんなの手前かエラそうにゆうて「コイツも、北陽の石丸と一緒で、十三の俺のツレやねん」と紹介しよるから「こらっ、ワレ、いつから俺や石丸のこと呼び捨てできるようになったんじゃぃ！。いつからわしらがツレになったんじゃぃっ」ちゅうて、その場でしばき倒したってん。

トマトは真っ赤な完熟トマトになって「吉永さん、やめてください。すみませんでした」とリピートしとったけど、とりあえずどつき倒して、ほんで急行が来るんが見えたんで「ワレら、コイツに先導されて、でかい面さらして十三歩いとったら、全員いてもうたるからのぉ～」ちゅうて、逃げるように急行に飛び乗ってん。そんで、あのままアイツら全員がかかってきよったらヤバかったぁ～思て、冷や汗かきながら、クーラーのようきいた阪急宝塚線の急行で学校へ向かってん。

ほんで優二が、あとから学校に来たんで「どないなってん」と聞くと「アイツらビビって、詫び入れてきたんで、ケンカになりませんでしたわ」ゆうて、ほんで淡路の奴も「チユチュさん、助かりましたわ。ありがとうございます」ゆうてきよってんけど、べつにお前らのためにケンカしたんやのうて、トマトがあまりにでかい面しとおるから、ムカついただけや思たけど、悪い気はせんので「おう」ちゅうてゆうとってん。

翌朝〈コナ〉へ行って、モーニングもらいながら、昨日の話をイーマンや北陽の奴らにしたら、最近大商の奴ら、宝塚線のトイレに溜って、でかい面さらしとおるからやってまおうやゆうことになり、大商狩りが始まってん。

「お前ら、なに十三ででかい面しとおんじゃぁっ」ちゅうて、しばきまくっとったら、十三駅のトイレでは溜らんようになり、大商では、トマトのせいやということになり、トマトはイジメられっ子に成り下がりよってん。

憧れのカワサキFX400

高校に通うようになっても、単車《たんこ》のこともあるし、学校が終わってから本町の中華屋でバイトしててん。単車は、金田さんがよく行ってて、のちに俺もよく行った、店の近くにある〈レディバード〉というサ店のオーナーの川口さんが元レーサーということで、その知り合いを通じて探してもらっててん。

俺は、そのころ出たばっかしで、ホンダCB400Fourからは久しぶりの並列4気筒のカワサキFX400[1]がほしくて、「出たばっかりで人気があるから安いんはないけど、できるだけ安うて、ええのん探したるわ」といわれたんで、期待しながら待っててん。

ほんなら、新古車で全部込みで三二万というのを見つけてくれて、新古車っちゅうんは、ほとんど新車やから、新車やったら車輌だけで三九万八〇〇〇円にプラス自賠責、税金、登録費用で七、八万かかるけど、安いっ！　思て、キャッシュで即金渡して、免許もろた日に川口さんの店まで持ってきてくれるようにお願いしててん。

川口さんは神戸のレディバード・レーシングチームというとこに所属してて、どっか

1　カワサキZ400FX。1979年発売。ホンダCB400Fourが生産中止になってからは、このクラスで4気筒のエンジンを搭載していたのはこれだけだった

のテストライダーもしていたらしく、レーサーちゅうんはすごいもんで、膝は削れて丸うなってるし、くるぶしも削れてるし、ほんまえらいもんやなぁと思てて、川口さんに、レーサーになるにはどないしたらええか聞いててん。

単車を手に入れてからは、中華屋の方は学校終わってから本町まで来るんがかったるくなり、辞めとうて、店長にもゆうてんけど、コックが一人抜けてチーフも辞めるっちゅうてゆうてるから、俺の代わりとなるバイトが入るまで待ってくれっちゅうて、『フロムA』の前身である『日刊アルバイト情報』に募集広告を載せとった。

ほんでコックが一人入り、そしてチーフが辞めた。新しく入ったコックの人は、こないだまでの俺と同様、髪の毛が錆びてて、両サイドに金髪のメッシュを入れてて、ミナミの赫連合っちゅう暴走族で、土曜の夜になったら〈髙島屋〉前のロータリーをグルグルグルグルまわってるらしかった。腕に猪鹿蝶の花札の刺青があり、結構いってんねんや〜っちゅう感じであったけど、すぐさま俺とは仲良うなった。

単車はまず、川口さん経由で俺んとこきててんけど、そんとき、川口さんが俺も早よ乗りとうてウズウズしてんのに「どれ、ええ単車か転がしてみたろ」ゆうて、まだ慣らし[2]もしてないのに、いきなりウイリー[3]とかして走り出して、やっぱレーサーいうだけあって上手いのぉと感心しつつ、他人の単車思てムチャクチャしやがってぇと思てたら戻

2　エンジンを構成する部品の金属のバリをとるために回転数をしだいにあげて 1,000 〜 2,000 キロ走ること。低速でしか走ることができないため、走り屋全盛の 70 年代には、あおられないよう「慣らし中」と明示する者もいた

ってきて、「ええ単車やんけ。フレームもいんでないし、ちゃんと走りよるわぁ」ゆうて、一応新車やのに、アホちゃうかと思とったら、新車やゆうて、メーター戻して売る奴もおるらしく、俺もヤケクソになって、もう慣らしなんかいるかいっ思て最初から引っ張り倒したってん。

創立記念日で学校が休みの日に中華屋に手伝いにいったら、休憩中、コックの人に「俺んちすぐ近くやからけえへんか」いわれて「行こうかぁっ」ちゅうことになってん。店の白衣着て白長靴履いて、ノーヘルで本町からミナミへ行って、大国町交差点で交通整理のポリに懐中電灯放られて、そこを左折し、駅を越えてちょっと行ったところを右へ入って、細い道をちょっと行くと、そのアパートはあった。特攻服がかけてあり、ステッカーを貼りまくり、永ちゃんのポスターやレコードがある暴走族らしい部屋やった。

ほんで永ちゃんのカセットをかけながら「アンパンでもしようや」ゆうて、工事現場からもろてきたという純トロ出してきてん。これは百パーセントのトルエンやから、吸うと甘うて、スコーンときよんねん。二人でええ調子でラリってたら休憩時間をだいぶオーバーしてもうてることに気づいて、慌てて店に戻ってん。

帰りはラリの勢いも手伝い、大国町の交差点におったポリのことなどまったく考えへんかったけど、幸い何事もなく店まで戻り、遅刻したことを怒られてん。

3　バイクのフロントをあげて走ること。
4　コンチネンタルハンドル。ほぼ真っ直ぐのハンドルで、位置は多少低くなる。
5　スロットを軽くひねるだけで、全開にしやすくする部品。

このころは、かおりちゃんとこへ行く時間もあまりなく、かおりちゃんも割り切ったようで「学校は大事にせなぁ」とかなんとかゆうてくれててんけど、バイトを辞めたら、ツレと遊んでんのがおもろかったせいもあり、いつの間にか自然消滅してもうてん。

単車買うたら、とりあえずは改造っちゅうことで、コンチハン[4]、ハイスロ[5]、ハイフラ[6]、生ゴムグリップ、バックミラーは右側だけにして、ナポレオン[7]、ウインカーはヨーロピアンで、メーターアップ[8]して、マフラーはポップヨシムラの機械曲げ[9]、メッキ集合、ナンバープレートを数字が切れるように真ん中で切って針金で止めてナンバーをわからんようにして、ケツの泥除けがカッコ悪かったからノコギリで切って、ケツのショックをコニーのオイルショック[10]にしてギンギンに固くしてん。

そして俺らん年からメット着用となったんで、ドカヘルにスプレーでペイントして、被るっちゅうより頭の後ろに垂らしていた。それに学校にもちょっと慣れ、パンチあててブリーチしたから、ドカヘルかぶらんでも見た目はドカヘルみたいなもんやってん。

金がのうなってもうたから、ショックだけはキャッシュで買うことができず、二万一〇〇〇円を七〇〇〇円の三回払いでローン組んでんけど、一回目の七〇〇〇円を払って一週間ほど経ったある日、おかんが「あんたの単車、いつもと違てなんかおかしいでぇ〜」ちゅうんで、見にいってん。

6　ウィンカーの点滅の速いもの。

7　TANAX社製のミラー。ポールにとりつけられたミラーがスライドして位置を動かせるようになっている。

その日は雨が降ってて、ちょっと見づろうて、近くに寄ってみると、えらいシャコタンになっとおんねん。なにがおかしいんやろう思て、よう見たら、ショックがあれへんねん！　うわぁ〜まだローンも残ってんのに〜思て、雨ん中でビショビショになってもうて、それでも怒り狂って熱うなった俺の身体は冷めず、クッソ〜っちゅう感じで、ツレんとこ電話しまくって探してんけど結局見つからず、もうローンなんかブッチじゃあ思て、電話してこようが、なにしようが「ほな、ショックを返してくれっ！　品物もあれへんのに、なにが悲しゅうてゼニ払わなあかんのじゃぁっ」ゆうとったら、しまいになにもゆうてこんようになって、その代わり、残金たったの一万四〇〇〇円のために、いまだにローンのでけん身体になってもうてん。

ほんで頭に来るから、俺もやってもうたれぇ思て、いろんな奴に声かけて「俺と同じ単車でバリバリにしとおるの、どっかないかのぉ」ちゅうてゆうとったら、三国のヒロが「ええんがあるっ」ちゅうんで見にいったら、それは逆車のFX550で、結構バリバリにしてて、そらええわ思てイグニッションにマイナスドライバーをブチ込んで、もろて帰ってきてん。

ほんで、とりあえず必要な、マーシャルのヘッドライトとフロントのダブルディスク——それで百キロ以上出すと涙がちょちょ切れで、高速を二、三時間走ったりしとって

8　前傾姿勢でもよく見えるように、ステーをつけてメーターを起こすこと
9　機械曲げのほか、手曲げもある。ポップヨシムラとは創業者吉村秀雄の愛称
10　フランスのショックメーカーKONIのこと。油圧式

んから実際ようやっとったのうと思うねん——とFRPのフェンダーとケツのカヤバのガスショック[11]をもろて、俺んちの裏の路地の突き当たりにカバーを掛けて置いててん。

ほんでバリバリやんけっちゅう感じでついでに集合の芯も抜いてドンツヅ[12]にして、半径一キロは聞こえんでっちゅう感じにしてん。

単車にさえ乗ればこっちのもんで、女も引っかけ放題やったわ。

11 カヤバは日本のショックメーカー。ガス圧式

12 消音機をとったマフラー。関東では直管

ゴンジと女子寮ギャル

女子寮といえばゴンジ、ゴンジといえばば女子寮である。

十三にあったとある女子寮には、地方から出てきて遊びたい盛りに寮に入り、規制された生活で男に飢えた女が多いため、常に女日照りのゴンジにとっては格好のハンティングポイントであった。

ゴンジは「俺が田舎娘たちに夢を与えてやってんねや」と豪語するわりには、下半身には夢もクソもなく、ただ現実の欲求不満のチンポ汁をヨダレのように垂れ流しているような奴で、女と付き合っても、会えば性欲の捌け口のようにヤりまくるばっかりで、どっか遊びに連れてったりせえへんから長続きせえへんねん。

なんせゴンジは、女子寮ギャルをゲットすると、女子寮から一番近い俺んとこへ連れてきては、親が帰ってこないことを確認して、俺に五〇〇円渡して「チュチュ、ちょっと一時間ほど貸してくれや」ゆうて、サ店にでも行ってこいやっちゅう感じで、外に放り出すねん。しゃあないから時間をつぶして、気を利かして二時間ほどして戻ると、まだやっとおんねん。

女子寮ギャルは地方出で大らかだからか、俺が入っていってもあまり動ずることはなく、ゴンジも野獣と化してるからか、俺がおっても気にすることはなく腰を振り、俺が呼んで、やっと気づいてすまなそうに、また五〇〇〇円渡して「もうちょっと頼むわ。なっ、なっ」とかゆうて、それがゴンジと女子寮ギャルとの関わり合いやねん。

ほんま女子寮ギャルは大した女集団で、他人が見てても臆することなく、乳やオメコをさらし、ゴンジが俺に再度五〇〇〇円渡して頼んでんのんを見て「え〜？　まだすんのぉ。こんな三回も四回もされたら、アソコがヒリヒリして痛いやぁん」と、かなり明け透けに物をいうのだが、俺が出て行くとすることはするようで、やりよんなぁちゅう感じで、売店で売り娘やってるより、ソープかストリップ行った方がよっぽど儲けも多いし、才能もあるんやからええと思うねん。

しかしゴンジの連れてくる女子寮ギャルは決まってオカチメンコで、かなりのゲテモノ食いなんやぁと思てたら、やっぱりそういうコらは売れ残りの賞味期限ギリギリのコで、まわりがよろしくやってるんを聞いてたら、かなりホットな気持ちになるようで、そこにゴンジのギラギラした暴発寸前の触手がピッタリはまるようやねんけど、たまに賞味期限切れちゅうんか、もとから賞味期限なんか存在せえへんような女なんか連れて来られた日にゃ、ほんま、よういわんわっちゅう感じで気絶しそうになることもあるもんなぁ。

そんで俺かて機嫌のええときばっかりちゃうから、戻ってきて、懸命に腰振ってるゴンジに、ムカついてケツを蹴り上げたこともあって「なんやねん、チュチュ～」ゆうて怒っとったけど、女子寮ギャルはポケ～として股おっぴろげたまんまやった。

なんせゴンジは三、四時間で大体三、四回はヤるらしく、最高は六回で、とてつもないセックスマシーンやなぁと思うねんけど、ゴンジ曰く「できるときにヤっとかな、いつできるかわからんやんけ」いうことである。

ある日、また俺んちで女子寮ギャルとやってたら、近くに住んでる、おかんの弟の弘美のオッサンがたまたま来て「なにやっとんじゃぁっ」と、えらい怒られたらしく、俺が戻ったときには、オッサンの前にゴンジと女子寮ギャルが正座しており、俺の顔を見るなり「ほな、帰るわ。お邪魔しましたぁ」ちゅうて帰っていきよってん。ほんで、お邪魔しましたぁ～やのうて、オメコしましたぁ～の間違いやんけとか思いながら、俺がオッサンに怒られる羽目になってん。

ほんで家にツレを入れるなと約束させられて「もし、約束破ったらどないすんねんや」と迫られたもんで「切腹したるわいっ」と、アホな約束してもうて、バレへんかったらええやんけぇと思とったら、ツレとラリこいてるところを見つかってもうて、弘美のオッサンはでけへんやろうっちゅう感じで、ニタニタしながら「切腹っちゅうのをしてみいや」といいよってん。

そのいい方が気に食わず、またラリってテンパってるのも手伝うて「おう、ほんならやったるわいっ」ちゅうて台所から文化包丁持ってきて、シャツを持ち上げて、左から右にやんねんけど、ガリガリゆうて、上の皮ばっかり切れて、いっこうに腹なんか切れよれへんねん。ほんで血がだらだら流れて痛うなってきよって、悔しゅうて悔しゅうて涙流しながらガリガリやってたら、またニタついて「そんな包丁で切れるかいっ。ほんまに切りたかったらいっぺん突き刺さんかい」ゆうて包丁を取り上げよってん。腹の傷からはタッラ〜と血が流れてヒリヒリするわ、悔しいわでほんまカッコ悪かったわ。

土曜の夜は暴走と覗き

単車《たんこ》に乗りだしたら、とりあえずは暴走や〜っちゅう感じで、ツレらとしょっちゅう走りに行くねん。

だいたいが新御を走って山を攻めて帰ってくんねんけど、その走りは、いまと違《ちご》てムチャクチャで、たまに根性試しのように新御を逆行したり、環状なんかは料金所のない出口から入って、そのまま逆走することもあって、そんなときはツレとかが付けてるファイアムの三連[1]が役に立ち、パラパラパラパラパと鳴らすと、対面の車が慌ててどいてくれるし、ゴボウ抜きのアミダ[2]するときでも道を開けてくれよるから、俺もほしゅうて、でも二万もしよるからなかなか手ぇ出えへんし、ほんでまわりに声掛けてたら五〇〇〇円で譲ってくれるっちゅう先輩が出てきて売ってもろてん。

ＦＸはエアクリーナー[3]がでかいから、それを取っ払うてファンネル[4]に変えて、中に仕込んで、いらんスイッチなんかつけたら、すぐポリにバレてもうて没収になるからホーンと直結してん。それからは一台で走ってても、三連鳴らしたら気持ちよう道開けてく

1　イタリア FIAMM 社製の先が三本に分かれているマフラー。これがしだいに発展、変型して排気ガスで音楽を奏でるミュージックホーンになった。
2　車の間をすり抜けていくこと。

れよるから、もう嬉しゅうて嬉しゅうて、なんべんも鳴らしまくったわ。

　走りに行くついでに、たまには趣向を変えて服部緑地にアベックを覗きに行くこともあった。公園内のアベックなんかを覗いても、なんもおもんないから、駐車場に停めてある車のところへ行くねんけど、そこへワァーッとうるさい単車で行くとバレバレなんで、ちょっと離れたとこでエンジン切って、ギアをニュートラルに入れて、惰性で近くまで行って、そっからは歩いて行くねん。

　ほんでめぼしい車、それもユッサユッサとダンピングしている車なんか見つけると最高で、ソーッと忍び寄って、一人また一人という具合に、しまいには全員がベターッと車の窓に顔を付けて、いっとおる、いっとおるちゅう顔して見守りながら、車を揺らすのを手伝ったりすんねんけど、だんだんエキサイトしてくると、センズリ掻きだす奴もおったりして、大揺れに揺らすねんけど、そこまでくると大抵、男の方が気づきよんねん。その驚いた顔と、そのあと続く女の驚いた顔がおもろうて、やめられんっちゅう感じやねんけど、大概は女の方が図太うて、素知らぬ顔に変わるのんが早く、男の方は照れくさいっちゅうんか、恥ずかしげな顔を隠せんもんやねん。

　あるとき4ドアのバックシートで正常位でヤってるカップルがおって、その女がドアにもたれかかるような姿勢で、しかもドアロックすんのんを忘れていたようで、ポッチ

3　空気をエンジンに取り込む際、砂や虫などの異物が入り込まないように空気を濾過する装置。
4　エンジンの空気の吸入率をあげるためのラッパのような形状の部品。

が上がってたんで、ドアを開けたったら、そのまま頭から落ちて、女は上半身がダランと車外に出されたような形となり、乳も放り出し下半身も丸出しやのに、瞬間、なにが起こったんやわからんような、呆れたような顔をして、俺らが笑い転げとったら、やっと我に返り車ん中に隠れ、男はすぐさまエンジンかけて行きよった。

また別のときは、「いっぺんライトで照らしたろうぜっ」ちゅうて、単車を二台ほど押していくと、ちょうど女がフェラってるカップルがおって、ここやっちゅう感じでライトで照らすと、女はビックリしてちょっと離れよったけど、大口開けたまんまで、眩しそうな顔しとおんねん。それ見たときも笑いが止まらんかったわ。

しかしこんな悪趣味な遊びを繰り返しているばかりではなく、たまにようけで走ろうやっちゅうことになれば、族やってる先輩とかにいって入れてもらうねん。

あとは土曜の夜、東通りに行けばどこぞの族が走っとおんで、「俺ら十三やねんけど一緒に走らせてくれやっ」ゆうたら入れてくれよるから、一緒に行くねん。

そんなときは大概東通りのとこを周回して御堂筋逆行して曾根崎署の前でまた周回して、ソイツらは自分らの本処へ帰って、俺らは十三へ帰んねん。

いっぺん生野の奴らと走ったときはすごくて、生野連合っちゅう旗を掲げて、単車のサイドのシート下部分に付けた塩ビパイプに鉄パイプや木刀を仕込んでて、いらんチョッカイ出してきて鬱陶しいタクなんかを、それでボコボコのガタガタにいわしてまいよるから、強烈なやっちゃのうとビビッたもん。

　そうして、ようけ集まって走るときは、ポリが写真撮りに来よるから、ハチマキ、マスクは必需品で、あとは鼻にバンドエイド貼ったり、目元にアイシャドーやラメ入れたりして顔をわからんようにしてまうねん。

　なんせ族やっとってパクられてもうたら、ごっつい時間かかるし、すぐ送られて[5]まうんで、俺らツレ内では、族には入らんと俺らだけでやって、たまに仲間に入れてもろて走ったらええやんけぇゆうとってん。

5　少年院に送られること

ファイブでナンパとケンカ

ブロンディー[1]の「コール・ミー」やリップス[2]の「ファンキー・タウン」なんかが流行って、ミナミにできた〈マハラジャ〉[3]ちゅうディスコで仮装大会などパーティーめいたことをしょっちゅうやっていた。

しかし、服装チェックがえらい厳しいらしく、行ってみたいけど、パンチやニグロ、アロハに甚平、戦闘ズボンやニッカボッカ、女ものサンダルか便ゲタの俺らはお呼びでなく、それでのうても野郎同士じゃ入れてくれるディスコもなくなり、お前らおぼえとけよっちゅう感じやねん。

そんなわけで、ナンパするならキタでは〈ファイブ〉か東通り、ミナミじゃ引っかけ橋[4]へと移行していった。

〈ファイブ〉に引っかけに行くと、まずは五階に行き、吹き抜けから三階のベンチ付近を見下ろして、休憩している女たちの中から、好みの女やデキそうな女を物色すんねん。

1　1976年のデビュー当時は母国アメリカではあまり受けなかったがセカンドアルバムが全英トップ10入り。しだいに本国でも人気を集める。「コール・ミー」は1980年の全米No.1ヒットツレと五、六人で行っても、さすがに全員一緒では引っかけられへんから、二人一組で行動すんねん。

俺はゴンジと組むことが多いねんけど、ゴンジはじっくりと何度か逢うてとか、まったく考えん男で、今日させてくれるかどうかしか頭になく、できないとなると急変し、冷血漢となりよんねん。だから、引っかけた女をサ店に連れていって、こらあかんわと思うと俺に目で合図して、「電話してくる」などといって、レシートだけ残しどっかへ消えてしまうことはしょっちゅうで、ひどいときには「俺ら腹へってたから」といってスパゲティやカレーを食って、そのままレシート残してドロンすることもあった。

「ほんまひどい奴っちゃのう。食うだけ食うてレシートだけ残して、心が咎めんかぁ」と聞くと「ナァハハハハハ、なんでオメコもさせてくれへん女におごったらなあかんねん。世の中そんな甘いもんちゃうっちゅうことを教えたっとおんじゃいっ」と、かなり自己中な意見が返ってきよる。ドロンしたあと、偶然、その女と鉢合わせることもあるのだが、それでもかなり強気で、「俺は十三《じゅうそう》の十三《じゅうぞう》じゃいっ！　オメコ臭そうな顔してなにぬかしとおんじゃいっ！　オメコもささんとサ店でおごってもらおうと思たお前らが甘いんじゃいっ！　ナァハッハッハッハッハッハァ、グチャグチャゆうとったら、便所連れていって犯してしまうぞっ！」と、ほんまに血の通《かよ》た人間かと思うようなことを

2　Lipps Inc. は、1979 年デビュー。「ファンキー・タウン」は 1980 年の全米 No.1 ヒット。ボーカルのシンシア・ジョンソンは警察の秘書だった

平気でいってのけるのである。

ナンパにホラは吹き放題で、あるときは関大生や阪大生になり――そんなパンチなかあてて脱色している関大生や阪大生なんかおれへんと思うねんけど――またあるときは、ええ車に乗ってる金持ちになんねん。しかしゴンジは、ホラが下手というのか、吹いたこと自体を忘れてまいよるから、すぐに相手に不信感を抱かせてしまいよんねん。

そして〈ファイブ〉といえばケンカで、そうなるとイチャモンをつけるのが大好きなイーマンが一番手となるのである。あるとき〈ファイブ〉がざわついたんで、また誰かケンカしとんのちゃうか思て見に行くと「俺は十三の石丸やっ」と啖呵を切っている声が聞こえ、相手は天六の某で四、五人おり、イーマンはケンジと二人で、相手を一階と二階の間の階段の踊り場へ連れていき、いきなりそこにあった消化器でしばきだしよってん。ケンジはあたふたしながらケンカし、さすがのイーマンも多勢に無勢で、消化器を振りまわして一人をしばきまくってはいるものの、二人がかりで羽交い締めされ、助けに行こうとした瞬間、バランスを崩して消化器を落としよってん。

消化器の泡がプシューッと吹き出して踊り場が泡だらけになり、イーマンとケンジはいち早く逃げ、イーマンにどつき倒されて、のびていた奴は泡の中に埋もれてしまい、残りの奴らはその救出に追われ、そのうち警備員が来て、天六の奴ら全員連れてかれて

3　80年代に、ワンレン、ボディコン、お立ち台、黒服、服装チェック、等の用語を生み出した伝説のディスコ。82年、大阪・ミナミに一号店がオープンした

まいよってん。それを見て、俺ら十三の人間は大笑いしてん。

別の日、俺らの溜り場となっていた満タンちの前で、みんな集まって「暇やのぉ〜」とゆうとったら、ゴンジが「〈ファイブ〉に女もらいに行こかぁ」ゆうて、「いま五人やから、ニコイチ[5]になるために、カンでも誘て行こかぁ」ゆうて、カンとこへ行ってん。

カンはヤクザ修行やってた名古屋からトンコかまして帰ってきて、行くとこがないから、しばらくツレんとこを転々としとおってんけど、満タンちの近くで一軒家に一人暮らししているジジイの二階に間借りさせてもらうことになり、そこに住んどおってん。

足の踏み場もないほど散らかり、男臭さと日本酒の入り混じった匂いがする部屋に上がり込み、寝ていたカンを叩き起こして誘うと、あまり乗り気じゃなかったようやけど「〈ファイブ〉は久々やから、べつに女なんてどうでもええけど行こかぁ。とりあえず寝起きにはワンカップや」ゆうて、ワンカップ大関を一気に飲み干しよってん。ほんで、ケンカで指の骨を折り、ギブスした手をダルそうにしながら出てきて、みんなで〈ファイブ〉に行ってん。

〈ファイブ〉ではマクとケンジの組だけが女を引っかけるのに成功してサ店に行き、俺らは「もうやめよか」ゆうて帰りかけたら、二階のエスカレーター前が、えらい混んでてん。そのエスカレーターを降りたところに菱の代紋が入った戦闘服を着た奴がお

4　大阪・ミナミ、道頓堀にかかる戎橋の通称
5　2人1組

り、降りてくる奴、降りてくる奴にメンタほっとおんねん。エスカレーターで俺の前にいたハッカが振り向き「チュチュ、アホはほっとけよっ。このまま大人しゅう帰ろうぜいっ」ちゅうて、俺も、いかにもボン中で歯の抜けた戦闘服野郎に一瞥くれただけで、そのまま通り過ぎてん。ほんでエスカレーターを乗り継ぎ、一階で降りようとした瞬間、「ケンカや、ケンカや～」という騒ぎが聞こえ、振り返るとカンがギブスしている左手で、そのイカれ戦闘服野郎をどつきまわしとおんねん。戦闘服野郎には仲間が十人ほどいたんで慌てて引き返し、ケンカに加わってん。奴らは人数が多い割には結構へたれで、どつきまわしとったら、俺らに内緒で女引っかけにきてたノグっさんとモックも履いてきた便ゲタを手に加勢し、ゴンジは爪先の尖ったブッチャーシューズ[6]のような革靴で蹴りまくっていた。すると少し離れたところで「イタタタタタタタタタタ。コイツ金玉噛んで離しよれへんねん。誰かコイツしばいてくれっ」とマクの悲鳴が聞こえ、どうやらマクも女ほっぽって参戦したようだと、声のする方を見ると、一人の奴が仰向けになったマクの顔を蹴り、そしてもう一人の奴は、まるでマクをフェラってるように股ぐらに顔を埋めており、なんじゃぁ？　と度肝を抜かれたけど、すぐさまソイツらんとこへ行きどつき倒してん。

　気がつくと十人ほどいた相手のほとんどがのびており、俺は仕上げに、うずくまって

6　自称スーダン出身のプロレスラー、アブドーラ・ザ・ブッチャーが履いていた先の尖った靴。ブッチャーの凶器の一つ

る奴らをことごとく蹴り倒し、おかげでベージュのズボンの裾は血だらけになってしまった。カンはキレて、イチャモンつけてきた代紋付き戦闘服の弱虫野郎をどつきまわし、仕上げに階段から突き落としていた。

警備員が来たところで、みんな一斉に逃げ、カンと俺が一緒になり、地下から逃げるより裏の裏をかいて一階から堂々と逃げようぜいっと走んのをやめて歩いていると「待ってくれや」ゆうてゴンジが来よってん。ほんでゴンジが俺とカンの間に入り、三人で〈ファイブ〉の表玄関近くまで来たとき、後ろから「お前ら、ちょっと待てっ」と声がかかってん。

カンが「振り向くな。ポリかもしれんぞ。このまま知らん顔してブッチやブッチ」ゆうて、そのまま歩いていると「待てゆうのんが聞こえんのんかぁ」ゆうて真ん中のゴンジの肩をつかみよってん。ファイブの警備員みたいで、ゴンジが「オッサン、なに人の肩つかんどおんねん」ゆうと「アイタッタッタッタッタ、なにすんねん」と聞こえてきたんで、少し後ろを振り向くと、ゴンジが腕をねじられとおんねん。ほんでカンに「どないする？　助けに行こうか」ゆうと「あかんあかん、俺らまで捕まったらアホらしいやんけっ。なんでも神頼みするときは生け贄が必要やっ！　ここは一つゴンジに生け贄になってもろて泣いてもらおか。だから、知らんぷりしとけ、知らんぷりっ」ちゅうてん。そういってる間にもゴンジは「オッサン、離さんかいっ、お～いチュチュ、ベーカン[7]。なんやねん、お前ら！　知らんふりして行きやがってぇ、このオッサンしばいてくれやっ！　お前らぁ、知らんふりすんなやっ。おぼえとけよ！　こらっ、オッサン離せや、ワシらちゃうっちゅうてるやんけっ」と、しぶとく暴れてるようで、しかし俺らは黙々と歩き、外に出て、小雨がバラつく中、阪急の方に向かってん。

するとと後ろでカンカン、カンカン、カンカンとゴンジのブッチャーシューズの踵が鳴り響き、上手いことオッサンしばいて逃げてきよってんやぁ、やりよんのぉ思て歩いとってん。革靴の音が大きくなり〈ファイブ〉から外に出て地面を打つ音に変わった瞬間、「アーッ」と聞こえたんで、振り返ると、ゴンジが無様にもベッチャ～と両手を開いてうつぶせになり、そこに警備員二人が乗っかって取り押さえていた。〈ファイブ〉を出てすぐのところで、雨に濡れたマンホールで滑ってスッテンコロリンとこけてまいよって、警備員に捕まり、俺らに「お前ら、なんやねん見捨てんなやぁっ」と叫びながら、羽交い締めにされて事務所につれて行かれてん。

その途中、マクが引っかけた女と歩いていたところを、ゴンジはめざとく見つけ、羽交い締めにされバンザイをしているような姿勢のまま「マク～！　コイツらしばいてくれっ、マク～ッ、なんやねんコイツらしばいてくれやぁ」と大声で叫びまくり、マクは

7　カンの呼び名

巻き添えを食ろて自分までパクられたらかなわんと思て、シカトしてたら「マク～、なんやねん。キモいのぉ、見捨てる気ぃかっ。おぼえとけよっ」と捨てゼリフを残して連行されていったらしい。

俺らが戻ってサ店にいると四、五時間後にゴンジが来て、えらい怒って「お前ら、なんやねん。見捨てやがってぇ。ほんま友達甲斐のない奴ちゃのう」ゆうて「アホかぁっ、道連れになるより、パクられんほうがええやんけっ。たまたま今回はお前が貧乏くじ引いただけやんけっ」となだめてん。

結局はポリが来て、そのまま曾根崎署へ連れて行かれ、調書を取られ、お叱りは受けたものの、相手が大人数で内一人がヤクザの準備成員であったので、ケンカ両成敗ちゅうことで帰してくれたようである。

カン・リターンズ

　カンが大阪に帰ってきたときは、自己アピールをしたくてウズウズしてたようで、普段のカッコもツレでおんのが嫌になるほどムチャクチャであった。黒のダボシャツに白いスラックス穿いて、紫のラメ入りの腹巻を露出させ、歩くとチュリチュリいうセッタ履きで、いかにも田舎のチンピラのような、『仁義なき戦い』に出てくる鉄砲玉のようなカッコをして「ほんまドタマいかれとんのぉっ」と、みんなにいわしめていた。

〈三国ボウル〉にローラーディスコができたことを知ったカンが「行ってみたいわ」とゆうもんで「俺ら十三の人間、みんな出入り禁止になってるからあかんでぇっ」ちゅうてんのに「ほんなもん、行ってみなわからんやんけぇ。とりあえず連れてってくれやっ」ちゅうんで、俺とゴンジとケンジとカンの四人で三国ボウルへ向かってん。

　単車で176を走り、神崎川に差し掛かったところで、ヘンなアメ車がチャチャ入れてきよってん。するとカンがいきなり蹴り入れて「横に止めえっ」ちゅうて、三国大橋の上で横付けしてアメ車を止めると、助手席のガキが降りてきて、「こらぁ！　なにさらしとおんじゃいっ。誰の車に蹴り入れとおんじゃい！　この方は三国のＫやんやぞっ」と、助手席でふんぞり返ってる人のことをゆうた。

三国のＫやんといえば、流星連合か悪妙会かなんか忘れたけど、そこの副会長やってる奴で、巷では結構有名で、こないだまでヤクザやってたから少々のことではビビるわけなく、イケイケなのである。

しかし名古屋帰りのカンに通ずるわけはなく、助手席から降りたガキに、いきなり平手打ちを喰らわし、「三国のＫやん？　知らんなぁ、そんなガキ、おいこらワレェ、こんな舎弟にグチャグチャ能書きいわさんとサッサと降りてこいっ」ちゅうてん。Ｋやんが降りてこようとしたところで、カンがドアに蹴りを入れ、身体をドアと車体の間に挟み、さらにヘッチンで頭をグチャグチャにいわしてん。Ｋやんはたまったもんでなく、運転手に「車出せいっ」ちゅうて逃げてまいよってん。

カンがケロッとした顔で「三国のＫやんって知ってるかぁ？」ちゅうて聞いてきたんで「結構有名やでぇ」ちゅうと「ほうかぁ、大したことないのうっ」ちゅうてん。ケンジは「ベーカン、仕返しに来よるかもしれんでぇ」ちゅうて、ビビッとおるから「あんな奴がなんぼ仕返しに来ても、返り討ちにしたるわいっ」ちゅうて、カンラカンラ笑っとおった。

その勢いで、ローラーディスコに乗り込んだのであるが、やはり顔をおぼえられており、入れてくれず、すごすごと帰った。

結局、三国のKやんは仕返しには来ず、後日、イーマンにもしばかれることとなった。

タバコは職員室で吸うてくれ

学校では相変わらず、アホなことをやっていた。

一年の教室は校舎の三階にあり、実験や、よそのクラスへ遊びに行くときの移動がしんどいからとチャリキを三階まで上げている奴がおり、初めて教室のドアのところをチャリキが横切ったときには驚き、笑たものだが、そのうち何人もがチャリキを上げて移動するようになり、しまいには廊下の突き当たりにチャリキ置場を作ったりして、そして周回レースをするようになり、みんな昼メシや金を賭けて、ギャーギャーと騒いでいた。

俺はその騒ぎを見て大笑いするだけで、加わることはなく、ほんまアホが集まっとんのうってな調子で見ていた。

学校でワルと呼ばれる奴のほとんどは私服で登校していた。しかし俺は、学生とはなんぞやっ！　と思うと、詰襟の襟元をピシーッと締めずにはおれず、だから単車《たんこ》で学校行くときも、きちんと制服を着ていた。

タンベは最初のうちはガマンして、みんなに隠れてトイレや屋上でやってたけど、みんなロッカーでバンバン吸うとおんねんからと思て、ロッカーで吸うてたら、クリスチャンセッキンに「タバコは身体に害だし、学校で吸うのはいけないよ」と注意され、な～んかアホらしくなって、今度は廊下で吸うてたら、化学科の主任に見つかり「ちょっと来いっ！」と職員室まで連れていかれ「お前がタバコを吸うんは聞いて知ってるけど、学校で吸うんは我慢できんか？」と聞くんで「でけんっ！」といったら「ほんなら、吸いたなったら職員室の奥の、外から見えんところで吸うてええから、校舎やロッカーでは吸わんとってくれ！　約束してくれるか？」ゆうんで「うんっ！」といって、その日から職員室通いが始まった。

授業中の俺は至って大人しく——といっても寝ていることが多いのであるが——俺がうつらうつらしているときにギャーギャー騒がしいと「お前らぁ、うるさいんじゃぁ、眠気が覚めたらゆわしてしまうど～」と先生の授業をサポートしていたほどであった。

ほんで、園芸科の先生で、生活指導の花田の授業のとき、ごっつい眠とおて、欠席の奴の机を三つひっつけて、その上で寝ててん。その日は雨だったので、長靴を履いたまんま、横になっててん。そしたら花田が靴のことをグチャグチャいい、授業の邪魔だとかぬかしよるんで、

「俺がいつ、授業に迷惑かけたんじゃぁっ！　それに俺がおたくに世話になったことも面倒かけたこともないのに、校舎も違えば科も違う、ましてや俺のケツを拭いたこともなければ、拭く気もないあんたに、生活指導やからゆうてエラそうにいわれる筋合いないんじゃぁ！　俺は自分の教室やから遠慮のう寝さしてもらうんで、俺も静かにして授業を邪魔せんから、おたくも俺の睡眠の邪魔せんといてくれっ！　ほなねっ」

　ゆうて、ねむの森に入ろうとすると「授業を受ける気ぃないんやったら、他のやる気ある生徒の邪魔になるから出て行けぇ〜っ！」ちゅうんで「出て行けゆうて、どこへ行けっちゅうねんっ！　それに静かぁに寝てるだけで誰に迷惑かけるんじゃぁっ！　こっちは授業料払て学校へ来とんじゃぃっ！　おたくに出て行けぇっちゅうていわれる筋合いないんじゃあ！　ほなねっ！　おやすみ〜」とゆうと「吉永、これで頼むからサ店でも行って寝てきてくれっ」ちゅうて千円札出して握らせよんねん。もちろん「よっしゃぁ〜っ、ごっそさん」ゆうてサ店へ行ってん。

クロロフォルム・パニック

学校では三谷っちゅう箕面出身の奴とよくツルんでてん。

コイツがまたおもろい奴で、ケンカは弱いが、気ぃだけはイケイケで、やられても行けるとこまで行くタイプやから、どんな場合でもトンコかますことはなかってん。

その上、ごっついこと男前やから、京橋の駅前やサ店などで、ええ女がいれば「三谷、行ってこ〜いっ」ちゅうと、どんな女でもとりあえず引っかけてきよんねん。それがおもろうて、ごっついぶさいくな女を見かけると「三谷っ、アイツとこ行って〝お嬢さん、べっぴんですねぇ、僕とお付き合いしてくださいっ〟てゆうてこい」ちゅうて手当たり次第いわしては、からかっとった。正味の話、ぶっさいくな女は、からかわれてるとすぐわかるらしく、怒ったり逃げ出したり、中には泣き出す者もおんねん。しかし、並か、並以上の女は、三谷が男前なもんやから、パッと顔が明るくなって、喜んどおるんがまるわかりの者も多く、その表情を遠目で見ては大笑いし、調子よければ、三谷にそのままキープさせて、サ店で俺らが合流し、女が、なんやのん、このヤンキーらは？　ちゅう顔しよれば大笑いし、ヤンキーでも怖がらず、オッケー！　なんでも来いっちゅう感じのときは三谷のアパートに連れ込んでいてまうねん。

三谷は家庭の事情がややこしく、両親共おらず、箕面市で生活保護を受けていた。しかし一人暮らしをするには、バイトをせねばならず、バイトをすんのが嫌だからという理由で、土方をやっている先輩のところに生活費を出して居候させてもらっており、放課後、その先輩が帰ってくるまでは、俺らの格好の休憩場となっていた。その先輩は金髪やけどごっつい厳しい人で、アンパンとかは禁止されており、その反動か、三谷はしょっちゅう学校でアンパンこいとおった。

あるとき、かなりのボン中の三谷と俺は、化学の準備室で実験で使う薬品の入っている戸棚の匂いを嗅いではラリを探しまくった。すでにボン中になっている奴は、ちょっと匂いを嗅ぐだけで、それがでけるかどうか、ピーンとくるのである。

その中にクロロフォルムという、よくテレビドラマの中で人を気絶させるのに使う薬品があり「おいっ、これ嗅いだら気絶してしまうんちゃうかいっ」ちゅうたら、三谷が「チュチュ〜、俺いっぺん気絶してみたかってん。嗅がしてぇやぁ」ゆうて、いきなり匂いを嗅ぎよってん。

すぐさま目がピカーッと光ったかと思うと、トローンとなり、ニッタァーッと、いまにもヨダレを垂れ流しそうな微笑みを浮かべ「チュチュッ、これ、できるでぇっ〜」ちゅうんで、その瓶を取り上げ嗅いでみると、確かにできそうなんで、ガーゼに含ましてやってみてん。ほんなら甘〜い味がして、気化する感じがスースースースーして、その甘い味が影響してか、やたらヨダレが溜んねん。口ん中いっぱいに溜ったヨダレを垂れ流し、スーハースーハーやっていると、いきなりガツンときて、それは、海に浮いてるような感じでユラユラユラユラ横揺れしよんねん。

こらええで、めっけもんや思て、マスクかビニール袋がないかと探したら、都合よくマスクがあり、これで授業に出ながらにしてやれるから、クロロフォルムをガーゼに染みこませ、それを挟んだマスクをしてん。それで授業中の教室に戻ってん。

しばらくして三谷を見ると完全に目がイッてしまっており、様子もおかしく、突然ケタケタタケタケタと大笑いしだして、みんなを驚かせ、「ミトコン」というあだ名の応用微生物の先生に「三谷静かにしろっ」と怒られよった。

しかし、ラリってしまってる者にそんな叱責は効かず、もっと大笑いしだして席を立ち「キィッキィッ〜〜」といって、背は低いが高校生離れしたボディを誇る三好のところに行き、再び「キィッキィッ〜〜」と奇声を発すると、いきなりキスし、しかもそれは舌をこねくりまわすディープキスで、三好も相手が男前の三谷だからまんざらでもなかったのか見事に応え、それを見ていた女子たちが「キャーッ、三谷なにしてんのぉ〜」とはいうものの野獣と化した三谷はヨダレを垂れ流し、目をトローンとさせて、ヘラヘラしながら、キャッハッハッハッ、キャッハッハッハッと笑い、なんかおかしいと思た三好は席を立ち逃げようとするが、すぐに捕まり、今度は逆に三谷が三好の席に座り、その上に三好を無理矢理座らせてズボンも脱いでないのに腰をガクガクと震わせながら、制服の上から乳を鷲づかみにし揉みしだき、三好が「キャ〜ッ三谷なにすんの！　やめてえやぁもぉ〜うっ」といっても、完全にイッてしまっている三谷には寝耳に水で、「キィッエッヘッヘッヘッケェ〜ヘッヘッヘッ」といいながら、左手は制服下の開襟シャツの襟元からナマ乳を揉もうとし、右手はスカートをまくりあげパンティの中に入れ、三好は必死で抵抗を試みるが、ラリでパワーアップしたエロチカ三谷にはかなわぬことを悟り、泣き出してん。

ミトコンは教壇から慌てて駆け寄り「こらっ、三谷！　お前なにかやっとんなっ。ちょっとおかしいぞっ」といって三好を助けだし、クンクンクンクンと匂いを嗅ぎ「これかっ！」といって三谷の顎にかかっていたマスクを取り上げた。俺はヤバいっ！　と思て、自分のマスクを机の中に隠し、三谷が「ニャニシュルッレェ〜ン」(なにするねん)といってミトコンにフニャパンチを浴びせようとするんで、慌てて止めに入ったら「マシュクとりゃりぇてていがきゅになりゅぎゅらいやったりゃ、アイチュちばいてらぁいがくりらっれっやるぅ～」（マスク取られて停学になるぐらいやったら、アイツしばいて退学なってやる）っちゅうんで、三谷にビンタかまして、ミトコンに「マスク返したれやっ」ちゅうてん。ミトコンが「いやっ！　これはシンナーに違いないっ。これは証拠として預かっておくっ」ちゅうんで、返せ返さんの押し問答しててんけど、しゃあないんで三谷に「俺が取り返したるから心配せんと椅子に座っとけ」ゆうて席につかせてん。ほんで機を見て教壇まで行ってマスクを取り返してん。

ミトコンがゴチャゴチャいいよるから「お前、誰にグチャグチャぬかしとおんじゃっ。十三には、ようけツレがおんねんど。月夜の晩ばかりちゃうことわからしてまうどっ！」ゆうて脅すと「そんなもんなくても私が証人だぁっ～」とかいいよるから「ようゆうたっ。吐いたツバ舐めるようなマネすんなよ～」ゆうて、みんなに「オイ、お前らぁ！　いま見たことは、なにも見んかったこと、なにもなかったことにしてくれやぁ～。頼むでぇ～」ゆうて睨みきかして、ミトコンにニッタァ～としながら「どうぞ好きなようにせぇや。あとのことは知らんけどのぉっ」ちゅうてゆうたってん。

その脅しが効いたみたいで、今回の件はお咎めなしで終わってん。俺も共犯やったから、あ～よかったと胸をなでおろしてん。

不良を馬鹿にすると

「みんなで梅田で愚連隊作ろうぜっ」ちゅうて、尼や十三の人間が中心になって作ってんけど、愚連隊っちゅうても週に一度か二週に一度みんなでタムロするだけやねん。ほんで東通りなんかを練り歩くねんけど、そのころはちょっと時間が遅《おそ》なると不良ばっかり、知った顔が多いからかあまりケンカすることもなく、たまにわけのわからん酔っ払いをしばき倒すぐらいであった。しかし決めた日にみんなで集まるっちゅうのが仲間意識を作り、それがなんか楽しくって集まってはワイワイガヤガヤとやっとった。ある夜、東通りを阪急の方に向かって歩いとったら、前を酔っ払い学生が二、三十人、道幅いっぱい使《つこ》てフラフラフラフラと歩いとおんねん。

いつもそんなときにはゴンジが怒って、「非常識なやっちゃのう、俺がわからしてもうたるぅ」ゆうて、なんかしよんねん。自分がワルやってて非常識なことしかしてないのを棚に上げて、他人に対しては厳しい奴やねんけど、こんときも五、六人で肩を組んで歩いている奴の後ろからド真ん中に突進して「悪い悪い、横に広がって歩いてるからよけられへんかったわぁ」と、わざとらしくぶち当たり、ちょうど前後にその学生らに挟まれる形になりよってん。ほんなら、やられた学生が、ゴンジが一人やと思てんやろなぁ、酔った勢いで「なんやねんコイツ、アホみたいなカッコしやがってぇ不良か暴走族かなんか知らんけどやってまおうぜいっ」と、信号待ちしとったゴンジの背後から蹴りをくらわし、不意討ちされたゴンジは糸の切れた操り人形のように前につんのめってこけてん。ゴンジが「お前らなにさらしとおんじゃいっ、ええ根性してるやんけぇっ」ちゅうても、グデングデンの酔っぱらい学生には効かず「コイツなにぬかしとおんねん」といって大笑いされ、それを見ていた俺らも大笑いして、「ちょっと見学しようぜいっ」ちゅうて道端に腰かけてん。

いつもやったら「早よ来てくれやっ」と助けを求めてくるゴンジも、こんときはよっぽど頭にきてたのか、大笑いした学生に利き腕の左ストレートかましよってん。それがまともに鼻に入り、学生は鼻血出しながらスッテンコロリンとこけてまいよってん。その仲間全員が襲いかかりゴンジがシッチャカメッチャカにやられてんのを眺めながら、「そろそろ行こかあ」ゆうて、みんなで出ていってソイツらをしばき倒してん。ゴンジは怒って「なんでやねん、お前らぁ早よ来いやっ」といいながらどつき倒し「いまからお初天神つれていって顔面にウンコのしてもうたるう〜」と、わけのわからんこと叫んどった。超怪力のマクは「車にひかしてもうたるう」ゆうて酔っ払い学生たちを道路に向かって放り投げ、しばらくして梅田ＯＳの隣りの交番からポリが来て、全員で逃げてん。

俺は倒れてる奴全員の口に踵で蹴り食らわしたったから、このケンカでは、かなりの奴の歯が折れてると思うねん。あんなことゆうて不良を馬鹿にした罰として、あんまり喋れんようにしたってん。

満タンとシャーク・ヒロタカ

　俺んちから歩いて二、三分のところにある満タンちの前も俺らの溜り場になっていた。カンなんかは歩いて五十歩ほどのところのジジイが住んでる二階に間借りしているため、また都合よく、満タンちの隣は立ち呑みもできる酒屋だったもんで、しょっちゅう入り浸っとった。

　満タンとこはボロ家で建てつけが悪いからか、家自体が傾いているからか玄関やトイレなどの戸も開きにくく、家ん中は一階も二階も畳が抜けそうなほどへこみ、いかにも貧乏人の家という感じであった。

　それもこれも親父がグータラで、仕事は型枠大工の職人なのであるが、しょっちゅう休んでおり、長男の満タンもそれを受け継いで休んでおり、次男と三男はまだ中学生なのであるが新聞配達をして家計を助けており、一家揃っての創価学会員で朝晩勤行して精進すれば幸福になれると豪語するのであるが、そんなバラックのような家に住んでいるので真実味はなく、しかも本人は俺らの誰それ見境なく金を借りまくり、未だ誰にも返したことがないというのである。オバチャンもデブった身体を引きずって聖教新聞を配り歩いているもんやから、「お前も長男やったら、もう少しまともに働いて両親助けたれよ〜弟の方がしっかりしてるやんけぇ」と、みんなにいわれ、創価学会の人と学会員にならんかと勧誘に来ても「お前みたいになりたないから嫌じゃあっ」とみんなに断られるのである。

ほんで満タンの親父がまたけったいなオッチャンで、前歯が二本しかない上に出っ歯、まるでサメの顎のようで、名前がヒロタカということから「シャーク・ヒロタカ」と呼ばれていた。

あるとき、そのシャーク・ヒロタカの同僚が、シャークを車で送ってきて満タンちの前に車を停めようと、バックしていると、せんでもええのにシャークが後ろに立ち、車が電柱にぶつからんように誘導しだした。「まだいける」といっても、歯がないために「まぁいける、マァイケル、マイケル」と聞こえ、そういってるのに車がバッキィーッと大きな音をたて電柱にぶつかったことから、シャーク・ヒロタカ改め「マイケル・ヒロタカ」と呼ばれるようになった。

その満タンちの前に、電機会社の倉庫があり、そん中の事務所に忍び込んでラリることもあった。中身のゴムのりがなくなったら、ラリ缶もろとも袋に入れてやるのであるが、それでも効かんようになったら、乾いて膜状になって缶にひっついたゴムのりを爪で傷つけるともう少しできるねん。ケンジや均一とラリってたとき、上手く傷をつけようとラリ缶の中に人差指を突っ込み、クルッとまわしてん。ほんで気ぃようやってたら、突然、横で均一が「ギャッーッ」と大声を出すんで「なんじゃいっ、どないしてん？びっくりするやんけっ」ちゅうと「チュチュ大丈夫か？　血だらけやで〜」ちゅうんで見てみると袋が血だらけで、なんじゃあこりゃあ思てんけど、ラリが優先するんで「大丈夫、大丈夫」ゆうてラリってってん。

ラリり終わって見てみるとまだ血が滴っており、どないなってんのかわからんので外に出て見てみると、人差指の第二関節部分が二センチほどパックリと開いてるんで、さっきラリ缶のひと皮むいたときになりよってんなぁ、ラリってるもんやから痛み感じへんかってんなあと思い、血が止まらんので満タンとこへ行って「指切ったから包帯くれや〜」ゆうてん。

ほなら満タンが出てきて「どないしてん。見せてみぃ」ちゅうんで見せたら「ウッワァ、ひどいのぉ。こんなんまともにやっとったら血ぃ止まりよれへんでぇ。そうや！　タバコつけとったらええねん」ゆうて、自分のタバコを出して俺の指の上で折り曲げ、葉っぱだけを傷口に乗せて「タバコは血ぃ止めよるからこれで大丈夫やわっ」ちゅうてん。

みんなは「医者に行った方がええぞぉ」ちゅうてゆうとったけど、トルエン臭い息で医者なんか行かれへんやんけぇ思とったし、満タンも「医者なんか行かんでええ。金かかるだけやんけぇ。タバコつけとったら血ぃも止まるし消毒にもなるから間違いなしやっ」とわけのわからんことゆうてん。

俺は、その言葉を信じて二、三日放っといてんけど、えらい指は腫れあがるし、痛いもんやから、しゃあなしに豊田外科へ行ってん。ほんで豊田のオッサンに「なに考えてんねん」ゆうて、えらい怒られてん。「確かにタバコの葉は止血効果はあるけど、あんな細かい葉っぱつけてるから取れへんやないか。バイキンもようさんおるからこうして化膿するんや。ほんまアホやのう、次からはすなやぁ」とブツクサいわれ、ほんま満タンだけは人の指や思て知ったかぶりしやがってぇと思てん。

聖子ちゃん騒動

満タンといえば松田聖子の大ファンで、あんなカマトトで嘘泣きの上手い女のどこがええんかのぉと思うねんけど、その満タンから電話があって、「今日のベストテン見たかぁ？　聖子が名古屋の新幹線ホームでナマで歌とおってんけど、大阪へ行くっちゅうてたからもうじき新大阪へ着きよるんで見にいこうぜいっ！　俺は三ケツして行くけどそれでも一人余るから、俺とこ来て一人乗せてったってくれやっ！」ゆうて、俺とこにはゴンジが来てたんでゴンジと二ケツして満タンちに行ってケンジを拾て三ケツして新大阪駅へ行ってん。

一旦地下に降りて職員の通用口から新幹線ホームに行くと同じこと考えるアホがようけおってホームは人でごった返しててん。ほんで満タンが「六号車か七号車やったわっ」ちゅうんで「どけぇ〜っ、こらっ」ちゅうて人のドタマはたきながらそこへ行ってん。

聖子の乗った新幹線が入ってくるとガードマンなんか親衛隊なんか知らんけど屈強そうな男が十人ほど登場し、停車すると聖子が出てきて、その男たちにとり囲まれるようにして身障者用のエレベーターの方に向かった。それはゴンジの読み通りで、新大阪駅構内をくまなく知ってるゴンジは、「こんなけ人がおったら身障者用のエレベーターで地下まで降りて車で行きよるはずや。さっき俺らが地下から来たときにハイヤーみたいな車が止まってたやろう。たぶんあれがそうやっ」といってた。

聖子は小さくなってうつむいて歩いており、テレビで見るより茶髪が目立ち、えらいちっちゃいのぉ思て顔も見たいから、「せえこーっ、ちょっと顔見せてくれやぁーっ、ちょっと上向いてくれぇーっ」ちゅうても無視して行きよるんで、「せいこっ、ちょっとこっち向いたれやっ。こっち向かんかいワレェッ」と、だんだん言葉がワルなって、それでもこっち向きよれへんから思いっきり押し入って髪の毛つかんで引っ張ったってん。ほんなら「キャッ～ッ」と悲鳴をあげたもんやから、まわりの屈強そうな男たちが「こらぁ～っ」ちゅうて俺の前にいたカンの胸を押しよってん。俺が手を出したのに勘違いされたカンはええ迷惑で、それでのうてもシッチャカメッチャカで気が立っとおるから「ワレェッ、なにさらしとおんじゃいっ。わしがなにしたんじゃあっ」ちゅうてソイツのドタマ、ヘッチンでどつきよってん。ほんでちょっと乱闘気味になりケンカになるかと思てんけど、相手も職務やし、聖子がエレベーターに入ったんで「よっしゃあ地下やー地下にまわれぇっ」ちゅうて、俺ら六人だけで密かに聖子をいたぶったろうぜぇちゅう感じで走っていってん。

地下に着くとエレベーターは二階に止まっており、ゴンジが「しもたあ、アイツら二階で降りて陸橋渡って、人のあんまりおらん反対側出口の方に行きよったぁっ」ちゅうて、いまからじゃもう間に合わんっちゅうことであきらめて帰ってん。

ほんで「みんなで風呂でも行こかぁっ」ちゅうて、満タンちから近くの俺らの憩いの場となっている〈錦湯〉に行ってん。

風呂屋でツケ一〇万

俺らはみんな〈錦湯〉でツケがきき、金がなくてもとりあえずは入浴できるのである。たかだか風呂屋で一回の入浴料二〇〇円ほどをツケたって知れているようではあるが、しかしゴンジの場合はこれが知れておらず、このときすでに三万は越えており、というのもゴンジは入浴料だけでなく現金まで借りるんで、ずんずん増えるのであった。みんなでどっか行こかぁっちゅう話になって金のないときには、「〈錦湯〉へ行ってくるわぁ」ゆうて金の工面をしにいき、まるでゴンジの銀行かサラ金のようになっていた。なぜかゴンジだけが現金を貸してもらえるので、ゴンジはみんなから「お前なんぼゲテモノ好きでも〈錦湯〉のオバハンや骸骨ババアにまで手ぇ出してつつくなよ～」といわれており、「アホかいっ。なんで俺があんなババア相手にせなあかんねんっ」とゴンジはいうものの、なんでアカの他人にそこまでしてくれんねんとみんな怪しんでおり、しかも〈錦湯〉の家のことや〈錦湯〉の裏のアパートに骸骨ババアが住んでいることなど、普通やったら絶対知り得ん事実がゴンジの口から出たり、ゴンジが時々フッと姿を消すことから、絶対あのババアらに身体売っとおんでと囁かれていた。

骸骨ババアは〈錦湯〉のオババハンの親戚とかなんとかで、ガリガリで骨皮筋右衛門で歯もなく、蚊が鳴くような声で「ゴンノシャン……」てな調子で喋ることから、そう呼ばれていた。

ゴンジのツケはとどまるところを知らず、それでも平気な顔して〈錦湯〉に行くもんで、行くたんびに「ゴンノシャン、チュケイチュ払《はろ》てくれはりますのん」といわれ、それでものうのうと風呂に入りにいっとった。

オババハンと骸骨ババアは、俺らが悪どく二人の目を盗んでジュースを飲み、瓶をそこらに置いたりどっかに隠したりしているのを見つけると、現行犯ならば直接俺らにいいよんねんけど、あとでわかった分はすべてゴンジにツケており、そのうち俺らがただ飲みを見つかっても「ゴンジにツケといてくれ」ゆうのが流行って、そういうとほんまにゴンジノートにツケよるから、無茶しよんのうっちゅう感じで、そんなこんなでツケは五万になり一〇万になりどんどん膨れあがっていった。

しかし風呂屋で一〇万もツケするなんてどんな神経の持ち主やねんと思とったら、きっちりハマってしまいよってん。

ある日、ゴンジが俺らと一緒に風呂に入ろうと服を脱いどったらなんやヘンなオッサンが来て「権野いうんはお前かっ」ちゅうて、俺らは、とうとう噂の〈錦湯〉のオバハンの妹のヤクザをやってるっちゅう旦那が来よったと思たら、まさにその通りで、「お前金返す気ぃあんのかいっ！　わしもお前らより長いこと生きてるけど風呂屋でツケするっちゅうなんか聞いたことなければ、しかも一〇万超えてるっちゅうて十六、七歳のガキがすることとちゃうやんけぇっ。お前ほんまどんな神経しとおんじゃっ。しかも堂々と風呂入りに来て今日もツケやろうっ！」といい、ゴンジは「すんません、きちんと払います」て、なんべんもゆうとったけど、オッサンが「ほんまに金払う気ぃあるんかいっ」「いつ返すんじゃいっ」などと説教じみたことを脅しを交えてダラダラとしつこういうもんやから、とうとうキレてもうて「ヤクザかなんか知らんけどそないガタガタガタガタなんべんもいわいでも払うゆうてるもん払いまんがなぁっ」ゆうて、服を着換えカゴに入れず床に叩きつけて風呂桶持ってパンツ穿いたまま湯舟のある方に向かって行きよってん。

オッサンが「こらっ大人に対してなんっちゅう口のきき方しよるんじゃあっ。それにパンツ穿いたまんま風呂に入るアホがどこにおんねんっ！」ちゅうても、キレたゴンジに怖いもんはなく、振り向きざまに「ガタガタガタガタじゃっかあしいんじゃいっ。ほんなグチャグチャゆうとったらケツの穴に手ぇ突っ込んで歯ぁガタガタにいわしてもうて喋れんようにしてまうど～。きっちり型ハメてもうたろかいっ」ちゅうてパンツ脱いでオッサン目がけて放り投げよってん。

俺らは呆気にとられてポーッと見ててんけど、オッサンは俺らもおることでビビったのかそれ以上は咎めようとはせんかった。

しかしそのオッサン、日を改めて舎弟を連れてゴンジんちに行き、永ちゃんにヤカラ入れ、永ちゃんは十二万ほど払わされたらしい。

入墨の思い出

体育の授業でプールが始まり、もちろん裸になって泳ぐねんけど、それは俺にとってカッコ悪いことの始まりでもあった。

学校のプールの時間は、きちんと授業すんのかと思いきや、ほとんどが自由遊泳で、たまにリレーみたいなことしよんねん。先生が来んのんをプールサイドで待ってたら、三谷が俺の左腕付け根部分を指さして、「チュチュ、マジックかなんかついてんでぇっ、なんやのんそれ？　なんか字ぃみたいなもんが書いてあるけどおっ」とゆうたもんで、俺は、シ、シ、シマッタァと思いサッと左腕のその部分を隠し、三谷に「中坊んときにイタズラで女の名前、墨入れてん」ちゅうと、大声出して「わぁっ、チュチュ女の名前入墨しとおるっ」ちゅうてゆうもんで、ちょっとムカッ腹立って「三谷ぃ～あんまり大声でゆうなやっ」ちゅうて頭どつき倒してプールに蹴り落としたってん。そんときはプール初日で気温も低く、水も冷たかったから「うっわぁ～メッチャ冷た～い～っ」と身体を震わせ歯をガチガチ鳴らして上がってきよってん。みんな俺の入墨に関心を持ったらしく、左腕を興味津々でジッ〜ッと見つめるもんで、その授業中はえらいカッコ悪い思いしながら過ごしてん。

思い起こせば中三のとき、不良同士のカップルの間では愛の証のとして腕に相手の名前を入れることが流行っており、それと同じくホクロを顔に入れたり指輪の墨を入れたりする者も多かった。

俺は、なんでそんな痛いことわざわざせなあかんねんという反対派であったが、イーマンやケンジ、ハッカなどは、そうやって墨入れて遊んどおった。ニンケやカマやんは、太腿に薔薇《ばら》や蜥蜴《とかげ》、蠍《さそり》、髑髏《どくろ》、花札といった遊びの域を超えた大物を入れており、それは自分で入れたりツレに彫ってもろたりすんねん。しかしニンケの薔薇はキャベツにしか見えず、蠍は潮まねきという片方のハサミが大きなカニのようで、カマやんのトカゲはツチノコで、なんであんなけ大きいアホみたいなもんを一生残さなあかんねんと、大笑いできる代物であった。

そんなある日、キョーコのおかんから電話があり「吉永君、あんたうちの娘になにすんのん！　これから先どないしてくれんのん」と、えらい剣幕でいわれてん。なにぬかしてけつかんねん、このオバハンと思たんで「はあ？　なにゆうてはりますのん？　なんかありましたん」ちゅうと「なにかありましたんやないでぇ、あんたがうちの娘と付き合うてんのは知ってるけど、こんな付き合い許したおぼえはないでぇっ。こんなことされたら一生嫁に行かれへんやないのっ。どない責任とってくれんのんっ！」といわれても、なんのことかわからず、思い当たるふしは一つしかなく、でもまさかそれとはちゃうやろうと思てんけど「はぁ？　やっぱ、なにゆうてんかまったくわかりませんわぁ、でも……まさかオメコのことちゃいますよねぇ。ひょっとして妊娠しましたん？」と自分で墓穴を掘ってしまい「あんたぁっ、なにゆうてんのん！　中学生の分際でそんなことまでやってんのかぁっ！　ほんま、うっとこの娘散々傷もんにしてくれてどない責任とってくれるのぉっ。わからへんねやったら、いっぺんうちに娘の腕見においでっ！」といわれ、今度はキョーコが出て「来んでもええっ来たあかんっ！」ちゅうて切りよってん。そないいわれても、こないなったからにはいかなしゃあないやんけぇっ思てチャリキすっ飛ばして、ド田舎のキョーコ宅まで行ってん。

「こんばんわぁ〜」ゆうて戸をガラガラと開けると、キョーコの両親が血走った目で俺を睨みつけ、頭のてっぺんから湯気を噴き、熔岩が溢れ出していた。ほんでオバチャンが「これ見てみぃっ」とキョーコの左腕を突き出すんで見てみると、ハートに矢が突き刺さった絵と一緒に「マサユキ命」と俺の名が彫られていた。そしてなんと端の方に「禁煙！」という文字まで彫られており、コイツなに考えとおんねん。ほんまのアホやっ思て、笑いこらえるのにえらい苦労してん。

俺は知らんかったんで「ほんまに知らんねんけど俺の名前彫ってるんで、どうもすみませんでしたぁ」といい「でも禁煙ってなんやねんっ」とキョーコに聞くと「こないしたらタバコやめれると思てやってんっ」ちゅうんで「タンベやめんのはいつでもできるけど、これは一生消えへんねんぞっ。お前なに考えてんねん」と、やっとここで大笑いし、その誤解はとけてん。しかし俺の掘った墓穴から「あんたら肉体関係があんのんか？中学生のする付き合い方とちゃうやないのぉ。妊娠したらどないするつもりやの？　そんなことすんねんやったら付き合いは認めへんし、娘を親戚に預けて会われへんようにする」といわれたんで、とりあえず返事だけは優等生にして、その場を切り抜けてん。

その後、キョーコに会って「ほんま禁煙なんて入れてアホやのう」ゆうて喋っとったら「うちもこうやって入れてんから、うちのことほんまに好きやねんやったらあんたも入れて〜やっ」ちゅうんで、なんか痛そうやから嫌やなぁとは思ててけんけど「禁煙！」なんて入れるそのバカっぽさがかわいらしく思えて、入れることにしてん。

墨の入れ方はツレから聞いて、いろんな方法を知っててんけど、ちょっと本格的に、マッチ棒を燃やして、その燃えかすの炭を集めて水を加え、半練り状にして入れることにしてん。ほんまは割箸の先に針をまとめて糸でぐるぐる巻いて固定し、チクチクと突き刺しながらちょっとずつ傷入れていくらしいねんけど、面倒やから刃先に墨を付けたカッターで掻きむしり血を拭きながら入れていったん。カッコ悪いから「命」までは入れず「キョーコ」とだけ入れてん。

それでものちには十分カッコ悪く、しかも、そんときはもう別れた女の名前やからバツ悪いし消すことにしてん。焼きゴテを押しつけたり、墨のついた皮膚と肉を取り除いたり、方法はいろいろあるらしいねんけど、面倒なんでもういっぺんカッターでその上をなぞってん。痛いの我慢してブチブチと切り裂いていってん。ほんでカサブタのある間だけ絆創膏貼っとったら、あとは全然目立てへんようになってもうたわ。

キョーコとシャブ

夏休みに入ったころ、家出していたキョーコから電話があってん。

それまでも何回か、イッちゃってるような、わけのわからない手紙や電話の連絡があってん。「私はあなたに釣り合わない女だから家出したのです。あなたの前に私がいてはいけない」などと演歌の歌詞のようなことを書いてきたり、受話器を取ると「いまどこにおるかいいわれへんけど……」などともったいつけ、こっちが喋ろうとしたら十円玉しか入れてないもんで、いきなりプ～ッと切れるような胸糞悪い電話してきたり、ほんま乙女心も揺れ過ぎで難破しとおるんちゃうんかいっ！　ちゅう感じやってん。

今回は、あんなけ「あなたの前から姿を消します」ちゅう文面の手紙を送りつけてきとったくせに「いま新大阪駅近くにおんねん。いましかチャンスがないから、すぐ来てほしい。会いたいねんっ」ちゅうて、なに考えとおんねん思たけど、単車に乗って猛スピードで新大阪駅裏の電話ボックスに行ってん。

久しぶりに会うたキョーコは、たった半年でこんなけ痩せるかぁいうぐらいガリガリで、髪はチリチリのカーリー、当時のディスコギャルがよう着てたタンクトップに細身のストレートジーンズ、ヒールの高いサンダルを履いていた。

「なんやお前、ガリガリやんけぇっ、どないしてん」ちゅうたら、いきなり泣きだし抱きついてきて、オイオイ、いきなりラブラブシ〜ンかいっと思い、これを食らえ〜っと熱い接吻をかまし、プッハァ〜ごっそさん！　ちゅう感じで離れて「お前、いまどないしててんねん」て聞いてん。ほなら「実は（川口）まりことおんねんっ。まえから〝うっとこおいでぇなぁ〟ゆうて誘われとったから、家出してすぐ世話んなって仕事も紹介してもろてん。最初、まりこと同じ店に行っとったけど、いまは事情があって違う店やねん」といってん。

コイツ家出までして、なにさらしとおんねんと思い「お前、店ゆうて、なんか水商売でもやっとんかいっ」ちゅうと、バツ悪そうな顔をして「うん、でもべつに心配せんでええでぇ。そんないかがわしいとこやのうて普通のスナックやから」とゆうたけど真に受けることができず、なんか匂うでぇっ、ツ〜ンと鼻の穴がシビレよんでぇっ思て「ほんまか。ほやったら今度飲みに行くわぁ、場所どこやねん」ちゅうと「そんなん来んでええ来んでええ。うちのおる店あんたの来れるような店と違《ちご》て、ごっつい高いから」ゆうて逃げよるんで「お前、普通のスナックやゆうたやんけぇ。それにお前の顔でツケきかしてくれたら、なんぼ俺でも行けるわいっ」ちゅうと「ごめんごめん、ごめんなぁ！うちのいい方が悪かったわ。うっとこの店、顔で安うしたりツケきかしたりでけへんねん。店の他のコもやってないし堪忍なぁっ」ちゅうて、あくまでなにかを隠し通そうとシラを切り続けよんねん。そのうちスッパリ暴いてやるぅ～と思い「まあええわいっ。ほんでもいまどこに住んでんねんっ」と聞くと、いきなりバックレて「あっ、こんな時間やっ！　うち用事があんねん、早よ行かなぁ。ほなねバイバイ。また電話するから会うてなぁっ」ちゅうて行こうとするんで引き止めて「お前なんやねんっ。なんで俺にいわれへんねん。いきなりバックレやがってぇ。泣いてもうたんどおっ」ちゅうと「勝手に泣いとったらええやんっ」ちゅうて、また行こうとするんで腕をつかみ「ゆうまで離したれへんからのおっ」ちゅうと、しぶしぶ話しだしてん。

「まりこんとこにおんねんけど、まりこに〝十三の連中にはヤサ教えんとってぇっ〟ていわれてんねん。なんでか知らんけど〝とくにチュチュには教えたらあかんっ〟ていわれてるから教えられへんねん。早よ、まりこんとこ出よう思て、いま金貯めてるから。どっか借りて一人で住み始めたら教えるから。絶対に絶対に教えるから、いまんとこは勘弁して。ネッ、お願いっ！」

というんで、以前、まりことヤったことを、まさかキョーコ知っとんのちゃうかぁ思て「なんで、俺にはゆうたらあかんっちゅうてゆうとおんねんっ」ちゅうと「なんぼ聞いても理由はいいやれへんねん。ひょっとしてあんたらなんかあったんちゃうん？」いわれて、女の勘の鋭さにドキッとしてん。

キョーコという女は、わざと秘密を作ってミステリアスな魔性の女のような自分を演出するとこがあり、信用でけへんかってん。そんな女に惚れた自分が悪いねんけど。

そうしてちょっと喋って「ほな行くわぁっ」ちゅうてゆうんで「おうっ身体気ぃつけて頑張れよっ！　また電話でも手紙でもくれやっ！　手紙はお前が住所教えてくれへんから一方通行になるけどな。なんせ待ってるわっ」ちゅうと、手ぇ振りながら「今日は急に呼び出してごめんなっ。来てくれてありがとうっ！　また電話するから会うてなぁ。チュチュも身体気ぃつけて、それとせっかく高校へ行き出してんから、ちゃんと卒業しいやっ」ちゅうて歩き出してん。ジイ〜ッと見送ってたら、キョーコが振り向いて「なんで引き止めてくれへんのようっ〜オウッオウッオエッ」と泣きながらいい、ほんま難儀なやっちゃのう、どないせぇっちゅうねんと思いながら「わかったわかった、ほんなら俺とこでも行くかっ？」ちゅうて家に連れて帰ってん。

キョーコとすんのん久々やんけぇ思て胸をワクワクさせながら、パンティに手ぇ入れようとしたら「あかん！　恥ずかしいからやめてぇ〜っ」ゆうて拒まれ「そんなんゆうとったらでけへんやんけぇっ」ちゅうて無理矢理突っ込んだら、あるはずの毛ぇがないねん。ビックリして「なんじゃいっこりゃあっ！」ちゅうたら「だから恥ずかしいからやめてってゆうてんやんっ」とかゆうて、また押し問答が始まってん。「なんで毛ぇないねん！」「なんか知らんけど、キショなったから剃ってん」「アホいえっ！　こないだまで何年間も生やしとってからに、いまになってなにぬかしとおんねんっ。お前、まさかポルノかビニ本出たんちゃうかあっ？　あんなん出たら前貼りで毛ぇ抜けて痛いからゆうて剃ってまう奴もようけおるっちゅうやんけぇっ」「アホかっ、なんでうちがそんなもんに出なあかんねんっ。風呂屋で毛ぇ見てたらなんか苛々してきてキショなったから剃っただけやってぇっ。ヘンな勘ぐり入れんとってぇなぁっ」「ええっ？　お前風呂屋で人がようけおんのに、そんな中で毛ぇ剃ったんかいっ」「うん、そうやっ。だってそうしたかってんもんっ」とかゆうて、ほんまミステリーな女やで。

その間も俺の暴れん坊将軍はビンビンで、いまにも破裂しそうやったんで「アソコ見せてみいやっ」ちゅうと都合よくヒモパンやったんで片方のヒモを引っ張ってはずしてん。ほんならほんまにツルツルで、バッチリ丸見えなもんで妙にムラムラしてきて、キョーコも「そうやってジロジロ見られたら感じてくるやんっ。早よしよっ」とかいうて、いっただきまぁ〜す！　てな感じで突っ込んでいってん。

騎上位でヤってる最中に、以前と違て、いきなり「乳首噛んでぇ乳首噛んでぇっ」なんて吼えだし、どないしよってんやろう、この半年でいろんな男とヤりまくって、乳首噛んでもらうんが自分に向いてると気づきよったんかのうと思い、乳首をまわしながらコリコリコリコリ噛んどったら「もっと強く……もっと強く」いいよるんで希望に応えると「アッア〜ン、いい、もっと強く、もっと強くいってぇ〜ん」というんで、これ以上やったら乳首ちぎれるんちゃうか思うぐらい、いてもうたってん。キョーコは感じて暴れまくり、そのたんびに乳首がギュイ〜ンッビュイ〜ンッちゅう感じで伸びまくって、強く噛めば噛むほどエキサイトして暴れ倒しよるから、ほんま大丈夫かいなっ？と思とったら、とうとう切れて口ん中に血の味が広がってきよったんでやめてん。そんときには頂点まで登り詰めたんかグッタリして放心状態みたいになっており、ヤレヤレ、俺もイキたいねんけど、まるでダッチワイフみたいやんけぇっと思い、パイパンの結合部を眺めながらオナニー気分で出してん。

少し落ち着いたところで「お前、痛ないんか？」て聞いてん。「ううん、なんで痛いのんっ？　メッチャよかったわ。気持ちよかったでぇっ」ちゅうて、ニタニタしながらひっついてきて、コイツほんまにどっかおかしいんとちゃうかぁ、なんかヘンやでぇっと思いながら「お前、全然なんも感じへんのんかぁ」「ううん、感じまくったわぁ」「ちゃうちゃう、そうやのうてぇ、いまでも乳首痛ないんかぁ」「あんた、ほんまさっきからなにゆうてんの？　乳首がなんやのん」ちゅうて乳首見よってん。ほんでやっと気づいたようで「あんた、うちの乳首になにしたん？　切れて血ぃ出てるやないの。ほんまムチャするわぁっ」ちゅうて、コイツさっきまでのこともう忘れてまいよったんかいっ思て「お前が〝乳首嚙んでぇ、もっと強く嚙んでぇっ〟ちゅうて、ほたえまくったんやないけぇ。おぼえてへんのんかいっ？」「そうやねんっうち最近乳首嚙んでもろたらごっう感じんねん。あっ、バレバレやん」ちゅうて舌ペロッと出して「そないゆうても切れるほど嚙まんでもええんちゃうん？」ゆうて、ごまかそうとしよるんで「お前、家出してから、そんなようけの男とヤってってんやぁっ？」ちゅうと「ちゃうちゃう。ヘンな風に勘ぐらんとってやぁ。バレてもうたから白状するけど、ほんまは一人だけヤってもうてん。ごめんなさい。でもなあ、成り行きで一回だけやねんでぇっ。ほんまやねん。信じてえっ。でも一回でも他の男と寝たことには変わりないから、ごめんなさい。許してぇっ」といい、一人の男と一回やっただけであんなに変わるもんかいっと心の中では疑いながらも「わかったわかった信じますわ。でもべつに俺に許してくださいっちゅうて謝らんでもええやんけぇっ。お前は、いきなり出てってもうてんから」ちゅうと、悲しそうな顔して「そうやね、マーちゃんのゆう通りやわ」ゆうて、なんか白けたムードになり、とりあえず寝てん。

朝方、おかんが帰ってきたときにキョーコは目覚めたらしく「マーちゃん起きてぇっ。オバチャン帰ってきはったでぇっ」ちゅうて無理矢理叩き起こされてん。「オバチャン、久しぶりです。お邪魔してます」ちゅうておかんに挨拶し、おかんも「あらなんや、誰かと思たらキョーコちゃんやったんやぁ。いつ帰ってきたん」ちゅうと、なにかいいにくそうにしとおるんで、俺が「コイツまだ家出中やねん。そんで俺にも居場所や、なにしてんのかも教えたないねんてぇ」ゆうてん。

「あら、そうなんやぁ。でもなんで家出なんかしたん？　お父さんやお母さん心配してるやろうにぃ。家には連絡入れてんのん？」ゆうて余計なこと聞きよるから、キョーコはションボリして「ううん。うちのお父ちゃんとお母ちゃんうるさいから……もし、お父ちゃんかお母ちゃんから電話あっても、うちがここに来てたこといわんとってなぁ。お願いやでぇっ」ちゅうて、おかんも「そんなんいわんと早よ帰ったげっ。心配してるやろうから。もし帰りにくいねんやったらオバチャンがついて行ったってもええから……そやけどあんた、ちょっと見んうちにえらい痩せたなぁ。どないしたん？　まさかクスリでもやってんちゃうやろなぁ」ちゅうてん。キョーコはドキッとしたようで顔色が変わり「まさかぁ！　オバチャンようゆうわ。うちがそんなことするわけないやないのぉ。ほな、うちちょっと用事があって行かなあかんとこあるから……」「あんた、こんな朝早ようにどんな用事があんのん？　そないいわんでも、もっとゆっくりしてったらええやないの。オバチャンとこでよかったらいつでも来てええねんから、そないに気ぃ使わいでもゆっくりしていきいっ」ちゅうてんけど「オバチャンごめんなぁ。ほんまに気ぃ使《つこ》てへんねんけど行かなあかんとこあんねんっ。ツレと約束して待ち切ってるから。今度またゆっくりお邪魔さしてもらいます。どうもお邪魔しましたぁっ」ちゅうて出て行きよるんで駅まで送ったろう思て一緒に外に出てん。

　それからはキョーコも気がほぐれたんか、週一か隔週の割で電話してくるようになり、ちょくちょく会うててん。

　そんなある日、ツレらと「〈ファイヴ〉に女引っかけに行こかぁっ」ちゅうて阪急梅田駅の長いエスカレーターを降りてきとったら、なんやえっらい派手なカッコした女と、いかつい男が歩いとんのう思てよう見たら、まりこやってん。

「オイ、まりこ久々やんけぇっ。なにしてんねん」

「ほんまぁ、チュチュ久しぶりやん、この人うちの彼氏やねん」

「お前、いまなにしてんねんっ？　どこにおんねん？　なんでもキョーコがえらい世話んなってるらしいなぁっ」ちゅうと男がいきなり「なんやっキョーコも知っ……」といいかけたら、まりこが慌ててソイツの口押さえて目でなんか合図しよってん。ほんで「キョーコの世話なんてなんもしてないでぇっ。なんでやのん？　そんなことどっから聞いたん？　うちもキョーコと長いこと会うてないから会いたいわぁっ。あのコ、いまなにしてやんのぉ」ちゅうてバックレよるんで「お前、なにバックレてんねん。俺、時々キョーコに会うてて、いまお前んとこ世話んなってるっちゅうてゆうとったぞぉっ」「そんなんいわれても、うちなんも知らんでぇ。ほんまにこっちが聞きたいぐらいやわぁっ。で、あのコいまなにしてやんのぉ？」「それが、なにしてんかいいよれへんねん。どこにおるかもいいよれへんしぃ。ただ、まりこんとこ世話んなってるとだけしかいいよれへんねん」「そんな嘘いわんとってほしいわぁ。こっちが迷惑してまうやん。そんなことよりこれ見てえなっ」ちゅうて、いきなり大衆の面前も面前、梅田の真ん中で赤い髪の毛をまくり上げ、十円玉を三まわりほど大きくしたようなハゲを見せつけて「えっらいでかいハゲできてもうてんっ。たぶんパーマのあて過ぎと、脱色とシャブのやり過ぎやと思うねん。内緒やでぇ。みんなに知れたらカッコ悪いやんっ」ゆうて、ほんまコイツ、シャブでオツムまでイカれとおるわぁ思て「こんなとこで立ち話しとってもなんやから、久々やしサ店でも行こうぜいっ」ちゅうたら「ごめんなぁ、いまから帰ってすぐ仕事に出なあかんねん。ほな行くわぁっ」ちゅうて、ツレの男を促して歩きだしよってん。

「まりこ、お前帰るっちゅうてどこまで帰んねん」ちゅうと振り向いて「いま新大阪近くの西淡路に住んでんねん。ほんで東通りにある〈ピーターパン〉っちゅうピンサロで働いてるから、夜やったらだいたいおるし遊びにおいでぇなぁ。同級生のよしみで特別サービスしたるからっ」ちゅうて、そこら中におる人全員の視線を集めて叫んどった。ほんまシャブでアンポンタンやぁっと実感し、な〜んか虚しい気持ちになってん。

それから少しして、またキョーコから電話があり、会うことになってん。電話では、まりことのことといわんとって、会うてから徹底的に追い込んだんねん思て十三駅前の〈白バラ〉っちゅうサ店で待ち切ってん。俺は次の日、夏休みというのに体育の補習と、俺らのクラスの畑に水をやる日直の日ぃやったんで、制服を着て行ってん。〈白バラ〉に入っていくと、キョーコは先に着いて待っており、俺を見て「チュチュの学生服姿見んのん久々やん。高校にどんなカッコして行ってんねんやろうと想像して、ずーっと見てみたいわぁって思ててん。それで女ゆわしまくってんのやろうっ。でも淀女の女はやめとってやっ。ツレや知ったコも多いねんから、バツ悪いやん」とかゆうてえらい嬉そうにしとおった。ほんで「ほな出よかあっ」ちゅうて〈白バラ〉を出てん。

「今日は西のホテル街攻めよかぁ。〈蝶〉にしようぜいっ」ちゅうて、当時の十三ホテル街では一番ええとされていたラブホテルのネオンサインを目指し、意気揚々とチャリキに二ケツして行ってん。チャリキを駐車場に置いてホテルの駐車場口から入ろうとすると、キョーコは「なんかドキドキするなぁ、うち制服姿の人と一緒にホテルに入んのなんか初めてやわぁ」と、また自ら墓穴を掘るようなことをゆうてん。オバチャンに案内されてエレベーターに乗ってん。おばちゃんは俺の姿を見て、ハッとして「あらっ学生さん？　学生さんが制服で来んのなんて珍しいわねぇっ」ちゅうんで「いま夏休みやねんけど明日補習で学校に行かなあかんから、こっから直行で行こう思いましてん」ゆうと「まあっ、出来の悪い学生さんなんやねぇっ」と軽口を叩きながらお茶を入れてくれ、キョーコが金を出すと「おおきに。ほな、ごゆっくり」ゆうて出て行きよってん。

ほんでビールを飲みながら、こないだまりこと偶然会った話をしてん。

「まりこが、お前がいまどこにおって、なにしてるか知らんゆうとったぞぉ。それにアイツ、シャブでなんかイカレとおるみたいやったし、お前もやってんちゃうんか？　えらい痩せたし、久々にヤったときも乳首切れてんのんわからんかったし、そういえばあんときトイレ長かったから、そこでやってたんちゃうんかい？　それにアイツ、ピンサロで働いてるっちゅうとったけど、お前も働いてんちゃうんか？　いきなり尺八上手なったなぁ思たもん。どうも様子がヘンやなぁ思ててん。どうやねん」

と責めたてると、はぐらかすように急に探しもんをしだし、「なんやねんお前、なに人の話ブッチしてんねん。入ったばっかりでなにを探すっちゅうねん」ちゅうと、すっとぼけて「ちゃうねんちゃうねん。ホテルにはなぁ結構いろんなもん隠しとおんねん。おもろいもん見したるわぁ。だいたいトイレに隠してることが多いねん」ちゅうてトイレに立ち、ほんまコイツだけはそんなことどこで習とおんねんっ思てたら「キャアッ、あったあった。ほんまにアホが隠しとおったわ」ゆうて出てきて「ほら、マーちゃん見てみぃっポンキーやでぇっ。シャブに使うポンプ、トイレの天井なんかに隠しとおんねん」ゆうて注射器を出してきたんで、ほんまにコイツは役者やのう、白々しい芝居しやがってぇ思て「お前なにハッタリこいとおんねん。ほんなヤバいもん、なんでこんなとこに隠さなあかんねんっ。隠すぐらいやったら叩き割ってティッシュにくるんで便所に流してまうわいっ。なにアホみたいなことゆうとおんねん」「ちゃうねん、ちゃうねん。みんなここに隠して、ここに来て打ちよんねやんかぁ。ほんまもうアホやなぁ」「アホかいっ、なんでわざわざシャブ打つためにホテルに来なあかんねんっ。ほたらなにかい！　シャブ中はみんなホテルにポンキー隠しといて、したなるたんびにホテルの決まった部屋行って打つんかいっ。いまみたいに使われとったらやりたなってもでけへんやんけぇっ。シャブ中やったら、そんなホテル代に金使うぐらいやったらシャブ買いよるわいっ。もう、そんな簡単にわかる嘘つかんでもええわいっ。お前のゆうてることがほんまでも、そんなことどこの誰に習《なろ》たんやぁ？　そないに嘘八百並べてパンパカパンパカおのれの墓穴掘んなやぁっ。自分のポンキー出してきただけちゃうんかいっ。正直にいえやぁっ！」ちゅうと、グズグズと涙ぐみだしてん。

「そないポンポンポンポンいわんでもええやないのぉっ。こんなことなぁ、簡単に正直にいえたら世話ないわぁ！　だから長いことよう会わんかってんやん！　会うてからも、いついおう、いついおうって、いっつも思てたわぁっ！　久しぶりに会うて〝痩せたなぁ〟いわれたときも〝えらいトイレ長かったのう〟いわれたときも、乳首が切れてんのにわからんかったときも、オバチャンに〝クスリやってんのちゃうか〟いわれたときも、いっつもドキッ、ドキッってしてて、いつかバレてまうねんから、その前にやめよう思てんけど、まりこと一緒におったらやめられへんから、ツテ頼って出てんけど、やっぱりやめられへんで、それやったら正直にいおう。いうんやったら早めの方がええと思て、いっつも今日いおう思て会うねんけど、いざ会うてマーちゃんの顔見たらいわれへんようになってもうて、手紙にしょうか思たけど、やっぱり面と向かってゆうた方がええ思て、まともに顔見てよういわんかったから、こんな芝居がかった真似してもうてん。ほんまにごめんな、マーちゃん……でもやっといえたわぁ。これでなんかスッキリしたわぁ。でもなぁ、ほんまになんべんもやめようとしてんでぇ。ほんでこれが最後や思てやんねんけど、キレ目になってくると筋肉がごっつい痛なって我慢でけへんようになって、いま一緒におる人もシャブ中やねんけど、その人に分けてもろたり、まりこんとこ分けてもらいに行ったり、買いに走ったりしてまうねん。やめよう思て、まりこんとこ出たのに……ほんまこんなんやったら、いつまでたってもやめられへんわぁ。たぶんポリにパクられて年少入るか精神病院入るかせな、やめられへんと思うねん。ほんまに……なんか……騙してたみたいでごめんなさい」

そうちゃうかと勘ぐっていたものの、実際に事実と直面すると、どう答えてよいかわからず「わかった、わかった、わかったからもう泣くなやっ」ちゅうて「でもお前、まりこんとこ出ていま誰とどこにおんねんっ？　ほんでほんまになにしてんねんっ」ちゅうて聞くと、いま黒門市場の近くにおるらしく、最初は、まりこの紹介で、いま、まりこがおる東通りのピンサロで働いてたようで、その後、そこのチェーン店の東大阪の布施の店で働き、そこの店長がミナミの店に移るということで、そこの寮に入るつもりで、ついて行ったら寮は満杯で〝それじゃあ俺とこへ来るか〟といわれて、いまその店長と暮らしているらしく、なんともムチャクチャな話であった。「もっと自分を大事にせぇよ」といいたかったがそんな資格は自分にはなく、黙って聞いていた。その店長は四十過ぎで、最初のうちは何度かヤったらしいけど、いまでは親子のような関係で男と女の関係は一切なく、俺のことも話してるらしい。

「ほんまやでぇっ。〝やらしてくれぇ〟ゆうてきても〝嫌や〟ゆうて、それでも身体触ってきたら〝なにさらしとおんねんっ〟ゆうてボコボコにしばきまわしたもん。だから最近はなんもゆうてけえようになったわぁっ。それにうち、客にフェラなんか一切してへんでぇ。ほんまやでぇ、信じてやっ。うちは若いから、そんなことせんでも指名とれんねん。そんなんせえいわれたら、そこの店辞めるわっ。若いコは店の看板みたいなもんで客寄せやねん。だから、うちはちょっと胸やアソコ触らせとったら金になんねん。そんなん、あんた以外に一切やってへんねん。ほんまにほんまやねん。信じてやっ！」

そないいわれても、なんでお前だけが特別やねん、すべてがお前の思い通りになるわけないやんけぇ、まともに相手しとったら疲れるわいっと思いながら聞いとった。

ほんでシャブを持ち出して「気持ちええから一緒にしようやぁっ」ちゅうんで、俺もどんなもんか興味あったし、まあええかぁ思てやってみてん。キョーコの腕には針の跡がようけあり、しかしテレビで見るような青アザはなく、「うちは上手いからあんなんなれへん」と自慢気にいい、血管の出る場所やったらどこに射ってもええらしく、しかし心臓に近い方が効きが早く、舌やケツや足なんかに射つ場合もあるみたいやけど、やっぱ腕がベストやとほざいており、どこでもええから早よいてもうてくれや！　と思いながらキョーコが俺の腕にポンキーをブチ込むのを見ていた。

「慣れてないと危ないから、うちがやったるから」と、キョーコはすっごい嬉しそうな顔で、ポンプの中の液体が俺の身体の中に入っていくのをジィ〜ッと眺めていた。

それが血液の中に入ると、サーッと冷たい虫が走りまわるような感覚でゾクゾクっとし、それが背中から昇っていき脳に来よったぁっ！　ちゅう感じでパッキーンとなり、そうすると全身がシャキンシャキンと引き締められたようになり、脳がスッキリ、目がパッチ〜となり、ほな行こかぁっちゅう感じで、ごっついこと気が漲ってきて、こらなんかシャッキリしてええなぁっちゅう感じのもんであった。

ほんで、ヤリ始めてんけど、どないしてもチンコが勃ちよれへんねん。なんでもコツさえつかめば勃つらしいねんけど、とりあえず乳くり合いをやってるだけでも普段より敏感になってんのか、ごっつい感じやすくなっており、なんせその乳くり合いで時間の経つのを忘れ、気づいたときにはもう朝となっており、しかし眠くなる気配はなく、補習や畑の水やりなんかどうでもええわいと、勃てたい一心でやっていた。

しかし、さすがに熟練のキョーコは鋭く、学校へ行くよう促し、まったく食欲がなかったものの〝食べとかなあかん〟と俺のおかんにでもなったつもりかエラそうにいい、駅前の立ち喰いで、かけそばを食って別れ、俺は学校に行った。

学校に着くとまず職員室へ行き一服して、先生に体育の補習を受けなあかんことを伝え、作業服に着換えてホースで水撒きをした。

水撒きをしだすと、端からきれいに土の色が水で変化せねば、きちんとキャベツに水滴がつかねば気が済まず、必死こいて水を撒いてたら先生が様子を見にきて「また、えらいこと水を撒いたもんやのう、畑が水浸しやないかぁっ。もうじき体育の補習が始まんのんちゃうんか？　三谷が探しに来とったぞ。早よ行ってこいっ」といわれ、気がつくと一時間以上も水撒きをしており、ほんまに畑は水浸しで、慌ててホースを片づけて水着に着替えプールに行った。補習とはいっても、ただ単に出席時間を合わすためのものので、始まりと終わりに出席を取り、あとは自由に泳ぐというものであった。

水撒きで汗をかき、火照った身体にプールはごっつう気持ちよく、知らん間に時間が経っており、三谷に「チュチュもう終わりやでぇっ」といわれるまで泳ぎまくり、しかしあんまり疲れはなく、あれっもう終わりかいってなもんであった。ほんで三谷と一緒に駅まで行きサ店で冷コー飲んで帰ってん。

その晩もええ調子で遊んで、ほんま全然眠ならんと絶好調やでえっちゅう感じで、テキ屋のバイトしてラリこいて、その調子でオールナイトのサ店行って朝までポーカーゲームして遊んで、太陽がえらい眩しゅうて目にチクチクチクチク突き刺してきよんのうつ思ながら帰ったら、ドッと疲れが出て、えらい眠とうなって、錆ついた機械のように筋肉が固まった感じで、身体が重たなって動くんが嫌んなり、とりあえず寝てん。

腹減ったなぁ思て目ぇ覚ましたら結構時間が経ってて、すっかり夜になっており、病み上がりのように身体がフラフラで重く、とくに背筋や首の筋がガチガチに固まってるように感じ、思うように動かれへんねんけど、気合い入れて歯ぁ食いしばって身体動かして近くの大衆食堂に行ってメシ食うてん。食いながら、キョーコが身体がごっつう痛なるゆうとったんは、こういうことやねんなぁと思てん。

数日後、キョーコと会うたときに学校での話をすると、シャブ食うと単純作業にハマり、時間が経つのを忘れ際限なくやってしまい、気づくと四、五時間経ってたっちゅうのはザラだといわれ、それであんなんやってんやぁ思て感心した。

ほんでまたシャブ入れてんけど、気持ちはギンギンやのにチンコは半勃ち状態にしかならず、しかしキョーコは濡れまくってベチョベチョやったんで、どうにか入るやろう思て無理矢理突っ込んだらズンズン大きなって、しかしヤりまくんねけど一向にイク気配はなく、出るのは汗ばっかりで、どないなってんねん思て必死こいてヤってたら知らん間に朝になっており、二人共汗でグッショリでキョーコはグタッアとなって放心状態になってるが、俺は思いっきり出しとうてチンコはうずうずし、蛇の生殺しのような状態で、ヤケクソになってヤりまくって、それでもあかんからホテルに備えつけてあるポルノを見ながらヤってるうちに、だんだんとテレビに映っている人間が人形のように見えてきて、このポルノはまるっきりのハッタリやっ！　などと思え、チェックアウトタイムも過ぎ昼近くになってキョーコが「うち、もうじき行かなあかんねん」といいだし、俺はますます苛々してきて、想像を膨らませ、ポルノとキョーコの身体を交互に見て、汗でベッド全体がグショグショになるぐらい必死こいてやっとイクことができた。

　家に帰り、チンコがヒリヒリすんのぉ思いながらパンク状態で眠りに入り、目覚めると、えらい痛いんで見ると普段の二、三倍はあろうかと思うほど腫れ上がっていた。あとでキョーコにも聞いてみると、やっぱりジンジンして痛かったらしい。

もうテキ屋のバイト嫌ですわ

　夏に入るとすぐ角やんが「また今年も、わしとこでバイトせえやっ」ゆうてきて、テキ屋でバイトすることになってん。しかしタマッティはどっかへ飛んでしもて、この年はおらず、代わりにオヤッサンの二号さんの息子のサーちゃんが入ってきた。サーちゃんは、俺らより一コ上やねんけど来年高校卒業したらテキ屋稼業を継ぐらしく、一足先に修行に入り、角やんから「塩梅《あんばい》ようしたってくれやっ、頼むわぁ」といわれた。テキ屋の修行て、実際、なにをすんねんっと思てたけど、とりあえず頑張ってくださいというしかなかった。

　タマッティがいないため、俺らをかばってくれる者はいなかった。角やんは俺らを馬車馬のようにこき使い、サーちゃんより俺らの方が修行の身といった感じであった。

　去年は三日に一度、早出して紙貼りとかすればよかったのが、今年は毎日十一時に出て来いといわれていた。

「あの角のボケめぇっ、夏のクソ暑いときに、しょうもない用事ばっかり押しつけて、早よう出て来い、いいやがってぇ。それで昨年とバイト料一緒やなんておもんないのう。もうブッチしてしまおうぜいっ」

と、そんときバイトしてた俺とゴンジ、イーマン、モックの四人の意見が一致した。その日は港区の港祭りの最終日で、売り上げもそこそこあり、みんな一万ほどチョロマカして上機嫌であった。

しかし角やんから、なにか嫌味をいわれたらしいイーマンだけは「ほんま、あの角のボケだけは……」と不機嫌で、みんなから「ブッチすんねんから、ええやんけぇっ」となぐさめえられていた。

金魚すくいやスーパーボウルすくい、ヨーヨーや焼き鳥、スノーボールなどの屋台を片づけて「ほな単車なんで先帰っときますわあっ」ちゅうて、弁天町からR43を通って福町交差点を右折、姫島を通り2国[1]の野里交差点を横切ったところで、俺のケツに乗ってたイーマンが俺の肩を叩き「チュチュっちょう止めてくれやっ」ちゅうんで「どないしてん。なんかあったんかっ」と聞くと、風呂桶持って歩いてるヤンキー二人組みを指さして「アイツら俺らにメンタ堀りよってん。どうせ歌中[2]の奴らやろうから、うたわしてもうたんねんっ」と下手な駄洒落をゆうてヘッチン脱いでいきなりソイツら目がけて走り出し、イーマンの単車に乗ってたゴンジとモックは、俺らがいきなり停まってイー

1　国道2号線。国道43号線を通り福町交差点を右折すると、そこから十三へは市道福町浜町線で一本道。この道は野里交差点で国道2号線と交わる
2　歌島中学校。歌島は野里北側の隣町

マンが降りて走りだしたのを見ても、なんのことかさっぱりわからず「なんやねん、どないしてん」ちゅうんで「いつものイーマン得意のアレやっ」ちゅうと、ゴンジはニッタ一と笑い「なんやイーマンまたかいなっ。とりあえず俺らも行こかぁっ」ちゅうてイーマンの後ろに続いてん。

こんときのイーマンはエッサホイサと一八五センチに八〇キロというでかい図体を揺らしながら走っていき、まず一人をいきなりヘッチンでしばき倒し、次に戦意喪失しているもう一人をサンドバック状態にし、俺らが着いたころには「もう終わったわっ」ちゆうて、子供のように無邪気な笑みをもらしたのであった。やられた方は、ええ災難で、ほんま、このイーマンだけは決して敵にまわしたくない男なのである。

次の日は祭りがなく、その翌日、俺らが事務所に来んもんやから、角やんが俺を呼びに来てん。運悪く、俺んちはK会の事務所から近かったため場所を知られており、最初おかんが出て「なんやのん、あのオッサン？　テキ屋のバイトがどうのこうのゆうて呼んでんでえっ」ちゅうて起こしよるんで、朝方まで遊んどった俺は、眠いのうっ思いながら「もうテキ屋のバイトしたないから、適当にゆうて帰してくれっ」ちゅうたけど「嫌やわぁっ！　なんでうちがそんなことせなあかんのん。自分が行きたないねんやったら自分でハッキリゆうてきいっ」ちゅうんで、寝起きで重い身体を引き摺って目を擦りながら外へ出てん。

「ワレら、なにさらしとんじゃいっ。ワレらのツレも誰も来よれへんやないけっ！　わしらをおちょくっとんかいっ！　早よ、ツレに連絡とってすぐ来るようにいえっ！」ちゅうて角やんがいきなり怒鳴るんで、「嫌ですわっ。わしらみんな、もうテキ屋でバイトしたないんですわ。玉出さんがおるときやったら結構アホなこといいもって、おもろかったんですけど、おらんようになったら急にこき使われるんで、おもんないからもう行きませんわ。ツレもみんなそないゆうてますんで、もう家にも誘いに来んとってもらえます？」ちゅうと、かなりエキサイトして「ワレら、なにぬかしとおんじゃっ！　バイト料もちゃんと払《はろ》てんのに、なにグチャグチャゆうとおんじゃっ。だいたい玉出のおるときが甘かったんじゃっ。そないグチャグチャいわんと来いっちゅうたら来いっ」「嫌ですわ。それにもう他でもバイトやってますんで、すんませんが勘弁してください」「他でバイトってなんやっ、テキ屋かいっ！　ワレ、ナメとんかいっ。さっきのおかんもろとも追い込みかけてもうたるぞ！　こらっ」ちゅうて脅してきよってん。

それを聞いて、おかんがいきなり台所のカーテンをサッと開け「こらっ！　黙って聞いとったら追い込みってなんや！　それがええ大人が子供に向こていう言葉かっ。なんやったら、いまから警察呼んだるからあんたそこで待っときいっ！　ヤクザかテキ屋かなんか知らんけど追い込ってのをかけてもらおやないのっ！　警察の人いまから呼ぶから、追い込みってのをよ〜う説明してんかっ。ほんまあんたそこで待っときやっ。いまから電話してくるから」ちゅうんで「おかん、いらんことゴチャゴチャいわんでええねん。俺が話してんねんから首突っ込まんと奥行っといてくれっ」ちゅうて追いやってん。

　ほんで角やんに「追い込みゆうて怖いこといわんとってくださいよぉ。ほんでも、どないしても追い込みかけるっちゅうんでしたら、いまバイトしてるS組にも来たってくださいよっ」ちゅうと、ちょっと態度が変わって「お前S組に出入りしてんのかっ？S組でバイトってなにやっててんねん」ちゅうて不思議そうにしてるんで「S組のOさんてゆう人にひょんなことから知り合うて、時々電話番しに行ってますねん」ちゅうと、あきらめたようで「ほうか、ほなしゃあないのうっ。他の奴はどないやねんっ。アイツらの家教えとってくれやっ。また暇見つけて迎えに行ってみるわぁっ」ちゅうんで「アイツらの家行っても、ほとんど帰ってへんからいませんでぇっ。それより駅前とかようウロチョロしてますから、それでつかまえたらよろしいですやん。でもアイツらも時々S組に出入りして電話番してますし、もうテキ屋やりたないってゆうてましたから、どないしよるかわかりませんでぇっ」ちゅうと「ほうか、ほなまた手ぇすいたときにでもバイトしてくれやっ。ほんでもお前とこのおかん怖いのぉっ」ちゅうて帰りよってん。

家に戻ると、おかんがテレビ見ながら「どないなった？　アイツらみたいなんには強気でかからんとつけこまれるから気ぃつけやっ」ちゅうて「あきらめて帰ったわぁ」ちゅうと「ほうかっ」ゆうてまたテレビ見とった。

Ｓ組は山口組の北海道進出の最先鋒で、千歳空港に降り立ち北海道警によってそのまま大阪へＵターンさせられたことで、当時、テレビや新聞、週刊誌を賑わしていた。ちょうどそのころ、ホテル街のド真ん中にある、Ｓ組の裏の夜中二時ごろまで開いているサ店によく行ってて、そこで時々、ふくらはぎに般若の面の紋々を入れたオッサンを見かけ、Ｓ組の人かなあと思てたら、おかんの友人とその人が顔見知りで、そんなことからＯさんと知り合い、空いてるときでええからと電話番を頼まれてん。その後、葬式や出所祝いなどの参列や、角に立って見張りも頼まれバイトしてん。

それはヘンなバイトやってん。ヤクザの葬式っちゅうと葬祭場のまわりは、パンチや坊主のいかついオッサンと機動隊でビッシリで、俺らが立って「御苦労様です」と挨拶して道案内兼見張りをしてるところに高級外車がジャンジャン来て、停める場所もなくなり立ち往生し、「おえっす。御苦労さんですっ」という怒号にも似た挨拶がそこら中で鳴り響き、ほんまそないにせなあかんのんかいっちゅうぐらい物々しく仰々しいもんであった。

一番館
ちどり
大安
アサヒ
菊正宗
一番館
文助

一人前の極道にしますよってに

テキ屋のバイトをやめ、Ｓ組でバイトっちゅうても週一か隔週であった。

そのころは時々おかんがスナックに飲みに連れてってくれ、そこでＳ組の松村さんと知り合った。松村さんはヤクザに見えへんぐらい温厚な人で、別居してる小学生の娘さんが十三に住んでること、Ｓ組の事務所が南方《がた》にあったことから、「また遊びにおいで」といってくれ、いったいなにして遊ぶねん？　と思うねんけど、そうして事務所に顔出すようになり、そこらでバッタリ会《お》うたら飲みにつれてってくれようになった。

そうやっていろんなとこへ飲みにつれてってもらううちに、松村さんのツレで兄弟分の盃を交わしているという、ミナミのＮ組の岡山さんを紹介された。岡山さんも十三に住んでおり、松村さんより幾つか若く、また年齢以上に若う見え、ほんまにヤクザ映画に出てくるようなカッコええ人であった。岡山さんにもよう飲みに連れてってもろたりして、そうしてるうちに「ちょっと仕事手伝ってくれへんか」といわれ、ゲーム機をリースした店を単車《たんこ》でまわり集金したりするようになった。

そんなある日、松村さんから珍しく電話があり、サ店に呼び出されてん。

ほんで「岡山のシノギ手伝うてるそうやないか。お前極道になりたいんかっ？」といわれ、ヤクザの大変さ、部屋住まい、本部当番など様々なことを聞かされた。そして俺の両親のことに触れ、「まだ若いんやから、いますぐ決めいでも、いろんな経験してからでも遅うないから……わしらかてお前らぐらいの歳のイキのええ奴、喉から手ぇ出るほどほしいねんけど、人生は後戻りでけへんのやさかい、もいっぺんゆっくり考え直してみいっ」といわれた。

それでも俺が「ヤクザになりたいっ」ちゅうたもんで「よっしゃわかった。ほんなら俺も、お前のおかんのこと知ってるんやさかい、岡山と一緒にどっかで会うて挨拶して、ちゃんと話し通してケジメつけよ」とゆうてくれてん。

数日後、おかんと松村さんと岡山さんと四人でスナックで会うてん。ほんで松村さんが、おかんにそのことを話したら、「この子がなりたいゆうてんのやったら、なんぼでもならしたってぇ。どこなとつれてって大人の厳しさをきっちり教えたってぇ」と、軽く強気でガンガン責めていきよってん。

松村さんが「この子の大切な将来のことなんやから、もっと真面目にきちんと考えたってください よ」といっても、至って軽く陽気で、

「そないゆうたかて、この子がやりたいゆうてんねんやさかい、うちがどうのこうのゆうたかて、しょうがないやないのおっ。うちがここまで育ててきたんやから、あとは自分で決めなはれ。自分がええと思うことやったらええやんっ。それで頑張って一人前になってくれたら、うちはなんもゆうことありません。好きにしなはれっ」

と、松村さんや岡山さんにゆうたり、俺にゆうたりしてて、その言葉に心を決めたんか岡山さんが「お子さんを預かるからには半端なことはしまへんよってに……二度とヤクザから足洗えんように、早速明日からでも彫師んとこ通わせて立派な紋々しょわせまっさ。わしも一旦預かった以上、そうやって金かけて責任もって一人前の極道にしますよってに安心してまかしてくださいっ」ゆうと、おかんが、いきなり嗚咽を漏らしだし、「やっぱり嫌やっ！　うちはこの子をこの子のお父さんのようになってもらおう思て育てたんちゃうっ！　やっぱりお父さんみたいになってもらいたない〜っ」ちゅうてボロボロ涙流して大声で泣き出してん。カラオケを気ぃようたっとった人もマイクを下ろし、他の客も気にしてこっちをチラチラ見て、しかし松村さんも岡山さんも、さすがに肝が座ってんのんか、そんなまわりの様子に動じることなく、

「お母さん、わかったわかった。息子さんを取ったりせえへんから、もう泣かいでもええでえっ。お母さんが、あない強気でああいうからこっちも本気になっただけやさかい。

をはかった一和会は竹中組長らを暗殺。これをきっかけに抗争が激化。結果、88年に一和会は解散することになる

コイツにはようゆうて聞かせとくさかい、ヤクザにはならせへんさかい安心しいっ」

といい、今度は俺に向かって、

「お前も、こんなええおかんがおるんやさかい、ヤクザんなるとかアホなこといわんと、あんじょう親孝行したれよっ。ヤクザんなるんあきらめえっ。わしらは知らんからのおっ。考え直せっ。もしどっかでヤクザやっとってみいっ。わしらが行ってきっちりケジメとったるから、よう肝に命じとけっ」

といって、その日は別れてん。

このあとも松村さんや岡山さんとバッタリ会えば、以前と変わらず飲みに連れてってくれたり、お茶をおごってくれたりしたけど、このことがなければ、いまごろヤクザやってんのかなぁと思うねん。

その後、岡山さんは十三から引っ越したのか見かけなくなり、松村さんは山口組と一和会の抗争[1]のとき撃たれて亡くなったらしい。

1　1974年、竹中正久は山口組四代目に就任した。しかし、それを認めない反竹中派が山口組を離脱し山本広を中心とし一和会を結成。一時6,000人余の組員を要したが、山口組の切り崩しにあい勢力を減退させた。巻き返し

シャブ中の武さん

一コ上のカマやんが、S会の武さんという人についてヤクザをやってたときのこと。

「ちょっとバイトで植木鉢を配達してくれへんかぁ」とカマやんにいわれ、俺が配達して事務所に戻ると、武さんが「バイト料やっ！」ゆうて五万もくれてん。あんなん持っていっただけで五万もくれるなんてめっちゃラッキーやんけぇっ、そんなバイトやったらなんぼでもすんでぇっ思て、カマやんに「なんで五万もくれんねんっ？」て聞くと「アホかお前っ！　植木鉢ん中にシャブが入ってるからに決まってるやんけっ。わしらやったら面割れてるからお前らに持たしてんねんやんけっ」といわれてん。

そうなんや〜、ほなら俺はシャブの運び屋なんやっ。なんかカッコええやんけぇと思てその後も何回かやっててん。こんなおいしいバイトやめれるわけないやんけぇっと思てたけど、それでもやめるときは必ず来るもんや。

武さんは見るからにシャブ中っちゅう感じで、こんなんでヤクザの看板背負っててようパクられへんのうっちゅうぐらいで、実際、売人で高度なシャブ中である。これがキレ目になったらかなりヤバく、呂律がまわらなくなると狂暴化の前兆で、そうなるとカマやんはすぐさまネタ[1]を買いに走るらしい。カマやんは、武さんにかなりの回数ボコボコにされているが、俺にもとうとうその洗礼を受けるときが訪れたのである。

ある日、ネタを運び終えて帰ってきて「メシでも行こかあっ」ちゅうて、武さんとカマやんと三人で中華屋に行ってん。武さんはチャーハンとギョーザ二人前、カマやんと俺はラーメン・チャーハンをもろて食うてたら、武さんが「ギョーザようけ頼みすぎた。お前ら食うてくれやっ」といってん。カマやんは食うてんけど、俺は「もう腹いっぱいなんでええですわぁっ」ゆうて食えへんかってん。するとカマやんが「俺ももう腹いっぱいになってきたからチュチュ食うてくれやっ」といい、武さんも「おうっ、お前も遠慮せんと食えやっ」とゆうてん。

ほんで「じゃ、いただきますっ」ちゅうて食うてたら、いきなり武さんが店の消火器を持ち上げ、「ワレェ、男やったらいっぺん食えへんゆうたもん食うなあっ。ワレはルンペンかいっ！」と、わけのわからんことといいながら俺の頭に振り下ろしてん。一体全体なんやねんっと思いながらしばきまわされとったら、ジャンキー武はフラフラで、自分が消火器に振りまわされ、店のガラスを叩き割ってしもてん。

そんときはそれでちょっとは正気に戻り、なんとか店を出てんけど、ジャンキーの性

1　覚せい剤

なのか、武さんはそのように狂ってしまうことがたびたびあるようで、S会でも幹部やったもののの鼻つまみもんやったらしい。

その後、俺にそのバイトの話はなかったけど、こっちからも願い下げで、ほんまたまらんのう、カマやんもようあんな奴と一緒におんのうっと思とってん。

そしたら案の定武さん、しばらくしてシャブでパクられよった。ほんでカマやんは盃を交わしてなかったんで組から解放されたけど、しっかりシャブ中になっとった。

イカくさ〜いテントの中

ゴンジが「キャンプに行こうぜいっ！」ちゅうんで、中坊んときにパクった木川小学校のテントを二張り持って、女たちも誘い、みんなで琵琶湖に行くことになってん。彼女を連れてきたんはイーマンだけで、あとは、いつも一緒にツルんで遊んでる女連中やってん。テントを張ったらすぐに中でイーマンたちがヤりだし、声がまる聞こえで、たまらんのうっ思て、俺らはもう一方のテントでラリりだしてん。

次の日も女連中が泳ぎに行ったとたん、イーマンのテントからヨガり声が聞こえてきてん。こっちはひと泳ぎして戻ってラリっとってんけど、真夏でテントん中も暑うてたまらんから、また泳ぎに行って、沖のイカダの上で日光浴しててん。それでもイーマンらはテントが揺れるほどヤりまくってて、ほんまようやるわぁっちゅう状態やねん。メシんときと一戦終わって涼みに出るとき以外は、ずうーっとテントん中におるから、どういう神経しとおんねんっと思ててん。ほんま、どない暴れたらあないなんのか知らんけど、いっぺんはペグが抜けてテントが崩れてもうて、「助けてくれぇ〜っ」ちゅうんで、テントを張り直してんけど、そんときも結合したまんまでペグを打っており、助けに行った俺とゴンジは苦笑いしてん。

イーマンらがヤりまくっとったテントはイカくさ〜い臭いが充満しとった。

俺らはイカダから飛び込んだり、ビーチボールでバレーしたり、フリスビーしたりして遊び、ケンジは頭がまだおかしく、ほとんどラリっとった。

琵琶湖は、水面から三、四メートル下は藻がびっしりで、そこまで潜っていくと藻が揺らめいて絡みついてきて気持ちええんで、俺はそれに身をまかせたりして遊んでてん。しかし、そのうち、えらい絡んできよって、取っても取っても絡みついて、もう息がもたんでえっちゅう状態になってもうて焦っとったら、用心深いゴンジが潜ってきて足に固定した水中ナイフを抜き、藻を切ってくれてん。ゴンジの用心深さに助けられてんけど、なんぼ用心深いっちゅうても、普通、足に水中ナイフ付けて泳ぎに行く奴なんかおらんでぇ。琵琶湖は藻が多いから万が一絡まったら……と思て持ってきたらしい。

そこでは二泊して、三日目にイーマンが目の下にクマ作って「疲れたから、もう帰ろうぜいっ」ちゅうんで「ほな帰ろうかぁっ」ちゅうて帰っててん。帰り、イーマンはよっぽど疲れたんか俺の単車《たんこ》のケツに乗り、イーマンの単車にケンジが乗って帰ってん。

ホンモンのホーホケキョ

一九八〇年の夏はクソ暑く、夜はイーマン宅か満タンちの前か、オールナイトのゲーム喫茶〈ブレロ〉か、南方《がた》の〈スーパーマン〉か〈ビザン〉へ行くねん。

金のあるときは〈ブレロ〉でポーカーゲームすんねんけど、ここにはきちんとした社会人もようおってん。でもソイツらもアホで汗水垂らして働いた金をたったの一日か二日でスッてしまい、しゃあないから俺らとポッコンやったり、ガソリンをパクりにいったりしよんねん。その一方で〈ブレロ〉は植木が増え、ゲーム機が増え、タバコの自販機が新しくなり、グラスが変わり、そのたんびに誰かが「俺が買うたったんやっ」と自慢げにいい、それを聞く店員も俺らも、ほんまアホやのう思いながら苦笑してた。

偶然ツレがようけ集まることもあり、そんなときは誰かが決まって「走りにいこうぜいっ」ちゅうて、単車《たんこ》十数台で行くのである。

当時は漫才ブーム[1]で俺らん中では、西川のりお[2]の「ホーホケキョ」が流行っており、俺らだけで走るときは「呆法華経や」と名乗り、三連鳴らしながら、みんなで口々に「ホ

1　1980年頃、フジテレビの「花王名人劇場」の漫才特集をきっかけに、漫才界にニュー・ウェーブがまきおこる。ツービート、B&B、紳助・竜介、セント・ルイス、ザ・ぼんちなどが活躍した

ーホケキョ」と叫び、どっかの族に会うと「俺らは呆法華経やっ！」と、アホみたいなことをいい、スプレーで高架下の壁やガードレール、時には宮原操車場に停まっている電車や、ベンツなどの高級外車にも呆法華経と書いてまわったりもした。

　そんなある日、梅田へ遊びに行って、東通りの〈白馬車〉っちゅうオールナイトのサ店でダべって「天満でラリもろて帰ろかあっ」ちゅうて神山町交差点近くにあったスタンドにガソリン入れに行ったら、梅田花月で仕事があるのか、ホンモンの西川のりおがおってん。

　みんな「おいっ、のりおやのりおやっ。ホンモンののりおやでぇっ！」ちゅうて、えらい喜んで「おいっ！　わしら十三の呆法華経いうもんやけど、ホンモンのホーホケキョ聞かしてくれやっ！　ついでにツクツクボウシもいってくれやっ！」「おい、のりおっ！　ワレってテレビで見るよりえらい顔でかいやんけ。ほんま、ごつい顔しとおんのうっ！」「ほんまや、ほんまやっ！」と、各々が好きなこというて大笑いしててん。

　すると、のりおがえらい怒りだして「じゃあかしいやいっ！　ワレらっ暴走族かなんか知らんけどワレらみたいなガキに〝のりおっ〟ちゅうて呼び捨てにされるいわれないんじゃいっ！　なに目上に向《む》こて〝のりおっ〟て呼び捨てにしとおんじゃい。いっぺんギタギタにいわしてまうどっ！」と、いい返してん。

2　吉本興業所属の漫才師。上方よしおとコンビを組み漫才ブームのなか大活躍する。「のりおちゃんポン」「ツクツクボーシ！」「奥さんええ仕事しまっせ」「まかせなさい！」などのギャグもあるしかし最後の台詞が俺らの癇に障り「いわしてまうやとおっ！　ワレっ誰にモノゆうとんじゃいっ！　漫才師かなんか知らんけど、テレビに出て喜んどるボンクラが、なにぬかしとおんじゃいっ。いわせんねんやったらいわしてみんかいっ！　反対に袋にしてもおて一生テレビに出られへんようにしてまうどっ！」とゆうたら、さすがにのりおもビビったようで「兄ちゃんら、そない怒りなやぁ。兄ちゃんらかて知らん奴に気安いわれたらムカつくやろう。ちょっと堪忍したってくれや。頼むわぁなっ」ちゅうて友好条約を結ぼうと歩み寄ってきよってん。

ほならカンが「べつにええけど、さっきあんなけ能書きタレてんから、ケジメつけたってくれやっ！　ホーホケキョとツクツクボウシやって見せたってくれやっ。おたくも芸人の端くれやったら、それぐらいどこでもできるやろうっ」ちゅうと「おっしゃあっ！やったろやないかいっ！」ちゅうて「ホーホケキョッホーホケキョッ！　ツクツクボウシッツクツクボウシッ！」と身振り手振りまでつけてやってくれよってん。

みんな大笑いして「コイツほんまのアホやぁっ！」といい、満足してスタンドを出て天満ヘラリを買いに向かってん。

やっぱりゴムのりが一番

このごろは十三界隈——三国や南方《がた》や淡路や塚本など——では面が割れており、どこのチャリンコ屋へ行ってもラリ缶を売ってくれへんかってん。コーキングやG10やシンナーなら金物屋へ行けば手に入んねんけど、やっぱりトルエンを九十パーセント以上含むゴムのりが一番で、天満や池田まで買い出しにいっててん。天満も池田もツレのツレなどから得た情報で、ケースで売ってくれるっちゅう噂やったから、早速飛びついてん。

天満のオッサンとこは、駅裏のホテル街の真ん中にあるボロボロのトタンで作ったようなチャリンコ屋で、初めて行ったとき、「見かけん顔やなぁ」とかなんとかゆうてもつたいつけよんねん。

「ツレに聞いてきたからケースで売ってくれっ」ちゅうと「吸う気やろう？　ほんまは売ったらあかんねんけどなぁ。どないしよかなぁ、売ったってもええねんけどなぁ。万が一ポリにパクられたとき、兄ちゃんらここのことチクれへんかぁ？」などとネチネチいいよる。

「オッサン売るんか売らんのかどっちじゃいっ。はっきりせいやっ！」ちゅうと「売ったってもええねんけど、ウチのはちょっとよそより高いでぇっ。ほんまにポリにチクんなよ。しゃあないなあ、兄ちゃんらだけ特別やでえ。その代わりよそであんまりいわんといてやあ」ちゅうて一缶七〇〇円で、一ケース十二缶入ってるから八四〇〇円のとこを八〇〇〇円で売ってくれよってん。当時、地球[1]やダイヤモンドのラリ缶が四〇〇円ほどしてたから倍に近いねんけど、それでも売ってくれるだけましやから、もろてん。

大阪には、このテのオッサンやオバハンが多く、結局は売るくせに、もったいつけるだけもったいつけよる。ほんでこっちがちょっと強気に出ると「しゃあないな、ほな兄ちゃんだけ特別大サービスやっ！」とかなんとかゆうてプレミアつけて売りよんねん。商売上手なんか商いを楽しんどんのんか知らんけど、ほんまどないやねんっちゅう感じやねん。

天満のオッサンも俺らに知られたんが運のつきで、やりたなったら、夜中であろうが朝方であろうが、オッサン叩き起こして売ってもらっとった。たまにシカトかましよんねんけど、俺らがシャッターをガシャガシャしばき倒して怒鳴りちらすもんやから、ええ近所迷惑でやっぱり出てくる破目になりよんねん。シャッターの前には「近所迷惑なんでシャッターを叩かないでください」と貼り紙がしてあったけど、そないなもんボン

1　パンクの修理溶剤

中には関係なく、容赦なく叩き倒しとった。

池田のオッサンも最初は値打ちこいてもったいぶっとおってん。このオッサンは五十歳ぐらいやけど根っからのボン中ゆう感じで、目の下にクマ作って、頬はこけ、ガリガリに痩せて、チャリンコ屋の看板は掲げとおるけど店はいっつも閉めており、店内にはボロボロのママチャリしか置いておらず、ボン中にラリ缶売って生計を立ててたんちゃうかなあ。

一年後には誰がチクったんか知らんけど新聞の端っこの方で堂々とした顔つきで記事になっとった。

悲しい夏

先輩らがいろんな族に入ってたので、族として走ることも多かったけど、この夏、族と一緒に走んのんはもうやめようぜいっちゅう決定的な事件が起こってん。

その日は一コ上のワンちゃんが会長をやっている逃亡者闘龍会というとこと一緒に走ることになって、一コ下で日韓[1]のピンクレディに入ってるナベが「チュチュらにほんまの族の走りを見せたるわぁっ」ちゅうて来よってん。

その日のコース説明では、最後に淀川沿いの北岸線流して解散する予定であった。順調に流して北岸線に入ったら、車一台が通れるだけのスペースを残し、道路に三角形の車止めを置いて検問やってんのが見えてん。

ナベは張り切って先頭で突っ込んでいき、ポリが振りまわす「止まれ」と書かれた旗や六尺棒を避けようとして、車止めに乗り上げ、単車《たんこ》は前倒しになって横滑りして壁に激突、ナベは前のめりのまま吹っ飛んで頭から落ちよってん。

それにビビったんか、その直後はポリも動けず、何台かの単車はそのままかわして通

1 日韓連合

過し、後続の車のほとんどが右折して逃げたものの、車の一番先頭を走っていた二コ上のサンダ君のセドの230[2]は右折する道を見逃してしまい、検問に突っ込み、ポリにレンガなど投げつけられ、片輪を車止めに乗り上げてしまい、横倒しになったまま壁に激突し、助手席に乗ってた杉山君はフロントガラスに突っ込んで即死してん。

ナベももちろん即死やってんけど、あとから単車を置いて、そ〜っと見に行くと、ポリに見つかり、俺らになんじゃかんじゃいいよったけど「そんなもん知るかいっ」ちゅうてツッパってん。ナベの落ちた場所はきっと血だらけであったんやろう、ちょうど水を流しブラシをかけており、単車はグッシャっとなって壁に立て掛けられていた。

車は大破してレッカー移動されるところで、運転していたサンダ君は過失致死で逮捕。退院後交通刑務所に入った。サンダ君は、どっちみち刑務所や思て行きずりに族と出会《お》うて一緒に走っただけやとツッパリ通して、他には誰もパクられへんかってん。

ほんで、やっぱり族とツルんで走るんやのうて神出鬼没の呆法華経やでぇっちゅうことになってん。

その後、弔いじゃあっちゅうて、単車三、四台で十三のポリボックスに火炎瓶をほったってん。ポリは必死になって探しとおったけど誰も口を割らず、結局は誰もパクられへんかってん。でも、火炎瓶ちゅうても当てんのは難しく、ポリボックスん中までは届

2 日産セドリック230型。1971年発売。トヨタのクラウンと高級自動車のシェアのトップ争いをしてきた。この型のみがクラウンを上回った

かず手前で燃え拡がっただけやったから、新聞沙汰にはならず、おもんないのうっちゅうてラリこいとってん。

それからしばらくして、第一住宅にある、兄弟揃てワルの豊長の家でラリっとったら、後輩の柵が自殺したっちゅう悲報が届いてん。

なんでも、出入りしとった組事務所のシャブを使い込んでしまい、ヤクザに追い込みかけられ、金の工面をしようと彼女と一緒に親戚縁者を訪ねまわり、最後に青森の生みの母親のとこに行ったところ「あんたなんか知らん。いまは違う家庭をもってるから、そっとしといてくれ」といわれたらしい。途方に暮れて青森に何日かおったら、母親のとこまで追い込みがかかり、ヤカラ入れまくられ、もうあかんと思て、逃げるのに必死で伸び放題になっていた二人の髪の毛を結んで岸壁から飛び降りた。彼女は即死で、柵は内臓が破裂したまま虫の息で生きとったけど三、四日後に息をひきとったらしい。

それを聞いたとたん、みんな大人しなって柵の思い出話をし、ユーミンのテープをかけて泣きながらラリってん。

ほんで、いま柵の家で葬式してるっちゅうことで、柵んとこは第四住宅で、第一住宅からはガードくぐるだけのすぐ近くなので、みんなでトルエンの匂いをプンプンさせて泣きながら線香をあげにいき、集まった柵の親戚連中には白い目で見られてん。

参列者たちは、「なんで十五、六の若さで自殺なんかしたんや。若いねんからまだなんぼでもやり直しきくのに」と悲しみにくれており、俺は、そない悲しむんやったら最初からちゃんと面と向こて見つめ続けたったらええねんやんけぇ！　誰かがそばにいてくれてると感じるだけでどんなけ強うなれることかと思てん。

遺体は岩にぶつかり倒したためグチャグチャで、変死扱いのため司法解剖もせなあかんからそこにはなく、遺影に手を合わせ線香立てて帰ってん。

トンコかました神尾君

夏休みになってすぐのころ、去年一緒にパクられた神尾君が脱走してきた。神尾君は前にも一度半年ほど入っており、今回は四刑[1]でいかれたんで一年半うたれて大阪の年少に入っててんけど、ケンカばっかりするもんやから京都の年少に移されることとなり、その移送中に「ババさせてくれえっ」ちゅうて便所に入ったんか、スキをみて逃げたんか詳しゅうは知らんけど、とにかくトンコかまして俺んちへ来てん。

寝てたらドアをドンドンドンドンドン叩いて、「チュチュチュ〜っ、チュチュチュ〜っ」ゆうて呼んどおるから、まだ昼にもなってないのに誰やねん思てドアを開けると、坊主頭で作業服のようなヘンテコな服を着た神尾君が血相を変えて立っててん。こっちも寝ぼけてるもんやから「どないしたん。なにかあったん。でも、いつ出てきたんっ」ちゅうと「チュチュ〜なに寝ぼけてんねん。これが見えへんのかあっ」ちゅうて手を突き出し、鎖のちぎれた手錠のブレスを見せ「トンコかましてきてん。高槻のへんで逃げてツレんとこ寄ってサンダー[2]で叩き切ってん。ほんで途中で単車《たんこ》パクってきてんけど東三国のへんで

1 トルエン吸引、窃盗、婦女暴行、無免

2 電動の研磨機。広い平面の均一な研磨、木材の仕上げ研磨、古い塗膜の研ぎ落とし、鉄部のさび落とし、金属のバリ取りなどにつかう

ガス欠になりよったから、そっから歩いてきてんっ。十三におったらヤバいから淡路のツレんとこまで送ってくれやっ！」ちゅうんで、単車で送っていった。

翌日、神尾君とこのおかんと警官が俺んとこまで来て「ここにけえへんかったか」ゆうたけど、トンコかましたんを初めて聞いたような顔をしてバックレてん。

それから一週間後、神尾君は三コンとこに現れ「単車ちょっと貸してくれやっ！」ちゅうて、三コンの黄色のシーヨンに乗っていったらしく、その「ちょっと」はしばらく続き、三コンも貸してから二週間ぐらいは我慢しとったみたいやけど、みんなから「淡路で見た」だの「上新庄で見た」だの「集合もエンジンの下で切られてドンヅツで、色もピンクメタリックみたいなんになっとった」などと、いろんな話を聞くもんで、とうとうポリに盗難届を出しよってん。

「もうグチャグチャになって捨てられてもうてんでぇっ」と、みんなは噂しとってんけど、その予想を裏切り、その後パクられたとき神尾君はその単車に乗っておった。シーヨンは三コンのもとに戻ってきてんけど、見るも無惨に原形はとどめておらず、色はムラだらけのザラザラでツヤ消しのようなピンクメタ、集合はエンジンの真下で竹ヤリのように斜めに切られたドンヅツ、おまけに聞いたことないメーカーの三連が付けられていた。

3　HONDA ドリーム CB400Four の通称。1974 年 12 月より発売。翌年の中型限定免許導入で 408cc から 308cc にストロークダウンした。77 年までの 3 年間で生産打ち切りとなった一応ちゃんと帰ってきたということで、神尾君にも地元の後輩の単車やという意識があったんやのうとみんなで感心した。しかしそれ以降、三コンがその単車に乗った姿を見ることはなかった。

4　集合管。エンジンから何本も出てるエキパイ（エギゾーストパイプ）をひとつにまとめたマフラー。エキパイとはエンジンから出てる排気管のこと

神戸で共同危険行為

盆も終わり田舎へ行ってた奴らも帰ってきて「みんなで海へ行こうぜいっ！ クラゲもようけ出てきよるけど内海やったら大丈夫やろう」ちゅうことで単車《たんこ》十台ぐらいで須磨へ行くことになってん。

阪神工業地帯のド真ん中を貫くR43は閑散とした産業道路で、その排気ガスでムッとする道を西へ向かってひた走り、三宮付近でR2に合流。そのR2を順調に走り長田に入ったころ、ヘンなタクシーの集団に幅寄せされたり、いちびられたんでムカついて、タクシーのドアに蹴りを入れ、仕込んでた鉄パイプで屋根をボコボコにしてそのまま須磨へ向かってん。するとタクシーが無線連絡したんか、ケツからパッツンと白バイが来て、みんなでブッチ体勢に入ったその矢先、前からも白バイが十台ほど逆走してきて、嘘やんっ、西部警察[1]とちゃうねんぞと唖然とし、停まってしもてん。全員パクられてもうて、兵庫の交機本部までパレード状態で誘導されていってん。

とにかく全員が顔写真を撮られ、単車は一週間の没収。著しい改造が認められるため、

1 1979年放映開始。渡哲也率いる大門軍団が、事件を解決していく刑事ドラマ。アクションが派手で、すさまじい武装で犯人を追いつめたりしていた

引き取りの際には親同伴でノーマル部品を持参し、その場で改造箇所をノーマルに戻さなければならないということであった。

おまけにタクを壊した俺を含む数人は共同危険行為[2]（当時十二点）の即免停の赤キップが切られ、その上、俺とチャメ垣はマフラーの芯を抜いていたため消音器の違法改造[3]（三点）のキップが切られてん。イーマンとマクはちゃっかりしてて、「兵庫県警はうるさいから」ちゅうて前日に芯を入れており、俺とチャメ垣も当日慌ててコーラの空き缶を詰めたものの、やっぱりやられてもうて、俺は最高得点の十五点を叩き出してん。

十五点取られると持ち点がゼロになり、単車に乗れんようになってまうんかなあと不安になった俺は、ポリに「今回初めてキップ切られて合わせて十五点になるんですが、こんな場合一発で免取になりますのん」と聞いてん。すると「免取にしてほしいか」といわれて「いいえ」と答え、さらに「ほな家裁に行くんと免取とどっちがええ」と聞かれたんで、また鑑別か、いいや今回は年少かも知れんという考えが頭ん中をよぎってんけど「免取になるぐらいやったら家裁に行ったほうがええわっつっ」ちゅうと「よっしゃ、わかった！　警察も二つもするようなマネせえへん。家裁へ行くようにしとく」といわれホッとしてん。

帰りの電車ん中では、ツレらから「チュチュ、ハメられたのうっ。チュチュは一回も

2　道路交通法第68条。2台以上のクルマやバイクが路上を走行中に、危険な行為や他人に迷惑を及ぼす行為をしてはならないという法律

免停になってないから今回は九十日の免停ぐらいちゃうかぁ。悪うても百二十日の免停やでぇ。家裁で審判受けさそう思てええようにまるめこまれたんやでえっ」といわれ、な〜んやそうかあ、でも免許さえなくなれへんだらそれでええわぁ思て帰ってん。

帰っておかんに、ポリにパクられて、また単車取りにいかなあかんこと話したら、近所に住むおかんの弟の弘美のオッサンにゆうてくれて、次の日曜日にオッサンの車にマフラー積んで、イーマンやマクらの分も載せれるだけ載せて引き取りに行ってん。車のない満タンやチャメ垣らはノーマルマフラー担いで十三駅から阪急に乗って山陽電鉄に乗り換えていったため、みんなからジロジロ見られてメッチャカッコ悪かったようである。

帰りは久々にノーマルマフラーの静かな音で走り、十三に着くとすぐにまた集合に戻してん。

それから何カ月か過ぎ、家裁への出頭通知が来て、おかんに付き添われて行ってん。審判は三、四人の少年がまとめて受けるようになっており、二、三人の判事が前に座り、話したことをメモしてるオッサンが横におって、一人ひとりの罪状認否をして、族であればそのチームの名称から会長や副会長やらの組織構成や交遊関係など、事件のことだけでなく身のまわりすべてのことを聞かれ、族でなければ家庭環境や現在の状況などを

3　オーバーフェンダー、リアスポイラー、チンスポイラー、シャコタン、マフラーの音などが代表的なもの

聞かれ、俺の場合はいままでの事件や昨年の鑑別のことなどいろんなことを聞かれ、きっと再度いかされるやろうと思とったら、おかんが気を利かして淀警におるおかんの弟に相談したようで、その叔父さんが家裁に出向いて、書面上、俺の身元引受人になってくれ、そういう立派な親戚もおり、現在高校生であるということから保護観察処分[4]だけですんでん。

これで二十歳まで、またあの保護司の富森のオッサンとこ通わなあかんねんやぁと思うとゾッとしてん。ほんで帰るとすぐその処分決定通知書を持って富森のオッサンとこへ「またよろしくお願いします」と挨拶をしにいってん。

4　少年院や刑務所や収容されるに至らなかった人、少年院を仮退院、刑務所を仮出獄した人などに助言、指導を行い自立更正を促進しようとするもの

滋賀で田んぼにはまる

神戸でパクられ単車《たんこ》を引き取りにいったその晩、みんなで〈ブレロ〉におったら一コ上で免許取りたてのニンケと黒っちが、車を買うたとかゆうて顔を出してん。二人とも同じRX3のサバンナ[1]で、ニンケのが赤で黒っちのが黒。どちらも知り合いから買《こ》うたらしく、ニンケのは前の持ち主が族というのがまるわかりのバネを取っ払いショックだけのベタベタ、ドアのインパネ[2]にはスヌーピーの壁紙が貼られたかわいらしいもので、黒っちのはファインチューニング[3]という正当派の走り屋っぽいものであった。

ほんで二人ともどっか行きとうてうずうずしてたようで、「琵琶湖やったらクラゲもおらんし泳げるやろうっ」ちゅうことになり、こないだパクられたばっかりやっちゅうのに懲りない面々は、車二台と単車五台ぐらいで、R1は検問やってる可能性が高いと判断し、新御からR171を抜けて京都の手前でR1に合流する道で行こうと出発してん。

途中でガソリンがめ[4]ながらR1に入り、京都と滋賀の県境近くの緩やかな坂のところ

1　1971 年登場。当時レースで常勝だったスカイライン GT-R の連勝記録を止める。2 年後にはレース仕様の GT が発売された

2　インストゥルメントパネル。運転席正面の計器類周辺のこと

まで来ると、滋賀ナンバーの単車十台ぐらいが蛇行運転して前に出さしてくれへんもんで、突っ込んで横付けしてケンカになっててん。滋賀の田舎モンがあっちゅう感じでボコボコにしたったら泣き入れてきよったんで、そこで仲良うなって一緒に走り、西大津の奴らしく、そこで別れて俺らは滋賀まで行ってってん。

滋賀に着いてもまだ夜明け前で車が少ないんで、順番に車に乗せてもらってブレーキターン[5]なんかをして遊んどったら、族車や単車がようけやってきて、そのうちの一人が俺らのほうを指さし、大勢が車から降りて、こっちに向かって歩いてきよってん。ほんでソイツらの顔をよう見たら、さっきしばいた奴らがおって、

「おいおい仕返しにきよったでぇっ、どないするう」

「どないするゆうたかて俺らの倍以上おるやんけぇ。こんなときはこうするんじゃいっ！」ゆうたかと思うと一人が走り出し、みんなあとに続けえっちゅう感じで逃げてん。ほんなら敵も車に戻って追っかけてくるわなあ、俺らも必死で「こないなったら恥もクソもあるかいっ」ちゅうて逃げ倒してん。

近江今津で左に折れて京都の大原の方から抜けていこうと、グネった田舎道を走ってたら後続が来えへんから、なんやねん思て戻ってみると、あせってハンドルを切り損なったんか、黒っちの黒のサバンナが田んぼに落ちており、噓やんっ！　ほんましゃあな

3　出荷される車はもちろんメーカーの基準をクリアしているが、それをうわまわる精度で調整すること

4　盗む

いのうと思て、みんなで車を押しに水浸しの田んぼん中に入ってん。早よ出してまわな、アイツらに追いつかれてまうでぇっ、ほんま早よせな夜が明けて百姓も来よんでえ思いながら、必死で押すけど、足がズブズブ沈んで力が入らず、黒っちも必死やってんやろう、ギヤを入れてタイヤをまわしよるから車はうんともすんともいわんのに俺ら全員泥はねだらけになって、やっぱり追いつかれてしもてん。

でもソイツらは根はええ奴らで、俺らが必死こいて車を押してたら、ケンカなんかしてる場合とちゃうと思たようで、押すのを手伝ってくれ、そのうち誰かがロープを持ってきて、それで牽引して黒っちの車は無事救出されてん。ほんで礼をゆうて、ケンカになんのんかなあと思とったら、みんな泥だらけでそういう気にはならなかったらしく大笑いして、田んぼがグッチャーッとなってるんで、とりあえず早よその場所を離れようぜいちゅうことで、俺らは近くの近江白浜に身体を洗いに行って、ソイツらは帰りよってん。

みんな泥だらけなもんで服着たまんま琵琶湖に入り、浜でゴロ寝して服を乾かし、ほんで「なんか疲れたのうっ」ちゅうて帰ってん。

5 後輪を止め、ドリフトしながら目的の方向へ車を急激に向ける技術

俺と付き合うてくれへんか

夏休みの最終日の八月三十一日、宿題はもろたときのまんま手つかずで残してあり、ちょっとでもやっていかな悪いなあ思て、優二んとこへ電話してみると藤田んとこへ行ったっちゅうことで、藤田んとこへ電話してみると二人で宿題をやってるとこやっちゅうんで、「写させてくれや」っちゅうて藤田んとこへ行ってん。

ほんで、これでええかあっちゅうぐらい写さしてもろてからダベっとったら女の話題になり、同じクラスの木下みさとがかわいくてええでえっちゅう話になってん。

木下みさとっちゅう女は、ちょっとしたきっかけがあって名前と顔は知ってんねんけど、確かにかわいいねん。なんでも学年で一、二を争うほど人気があるらしい。しかし造園科の男と中坊んときから付き合《お》うてるそうで、その彼氏さえいなければ、誰もが付き合ってほしいと思てるとゆうんで「アホかいっ！　彼氏がおるとかおらんとかそんなん関係あるかいっ。ほんまに好きやったら当たって砕けろで、なんでもやってみなわかるかいっ！」ちゅうと「そんなんゆうてもなあ～」ちゅうて二人して顔見合わせよるんで「お前ら二人のうちどっちか電話して付き合うてくれえっちゅうてみぃ。なんぼ彼氏がおっても流れでとりあえず付き合うてるっちゅう奴も多いねんから、上手いこと話して興味をこっちに引っ張ってしもたら勝ちやんけ。自分が納得するまでなんべんも電話したらしまいには打ち解けてきよるかもしれんやんけぇっ。なにもせんとあきらめるよりは、なんかして好かれるか嫌われるか白黒はっきりつけた方がええやんけぇっ！　そうすれば一生忘れられへん存在として、相手のオツムん中に残るかもしれんやんけぇっ！　若いねんからそれぐらいやっていろんなもんを残していこうぜえっ！」ちゅうてハッパかけてん。

するとと優二が「そんなゆうんやったらチュチュさんが手本見してくださいよお。俺、チュチュさんがあかん方に一〇〇〇円かけますわぁ」ちゅうてケツまくってきよるんで「アホかあ、たった一〇〇〇円で動けるかいっ」とかゆうてるうちにしまいには一人五〇〇〇円の二人で一万円となり「よっしゃあ、乗ったぁ！」ちゅうてやることとなってん。正直俺ん中では八割方あかんねんけど、とりあえず前のこともあるしやってもうたれえっと思てん。

前のこととは、園芸に入って一カ月ぐらいしたころ、遠足でどっか行ったとき、木下みさとの友人に「写真撮らせて」といわれ、なんでも木下みさとが俺に好意を持ち憧れてるらしく、そのころすでに木下みさとは結構有名で、ほんで造園科の男の噂も聞いとったもんで、嘘やろう、この女、なにいちびっとおんねん思て写真撮らせへんかってん。そんなこともあったけど、まあええか、それにそんときのことがほんまか嘘かわかるし丁度ええやんけぇ思て、二人に「木下みさとはどっかのお嬢みたいで、なにを話題にしたらええんかわからんねんけどなんかないかあ？」ちゅうて聞くと「確か今日が誕生日のはずですよ」ちゅうんで、それでいこう思て生徒名簿出してきてもろてん。ほんで生ツバをゴックンと飲みながら電話してん。

二、三回ベルが鳴って、かわいい声の女が出てきよったんで本人かなあと思いながら「吉永と申しますが、みさとさんいますでしょうか？」というと「わたしですが」と返事があり、オバチャンが出んでよかったあっちゅう思いと、本人や、本人やっ！本人やでぇ〜っ！どないしよっちゅう思いが交錯してんけど、後輩の手前カッコつけなあかんから「園芸で同じ組の吉永なんやけどわかる？」と聞いてん。するとと「は、はいっ！わかりますっ」てゆうんで「誕生日おめでとうっ！今日誕生日やねんてなあ」ちゅうと「へっ？違いますう。私の誕生日は二カ月後の十月三十一日ですう」といわれ、今度はこっちが「へっ？」となってしまい、これはまずいことになったぞおっと思いつつ二人を睨み「お前らぁ今日誕生日とちゃうゆうとるやんけえっ」ちゅうと、二人共拍子抜けしたような顔を見合わせて「どうもすみませんでしたあっ」「間違うてどうもすみませんでしたあっ」ちゅうてん。

そうこうしてる間に受話器の向こうから「吉永さんどこにいはんのお？　吉永さんから電話あるなんて思えへんかったからびっくりしたわあ」ゆうもんで、どないしてええかわからず「おうっ、宿題はできたんかあ？　いややいや今日が誕生日やて聞いたもんやから、おめでとういおう思て電話してんっ」ちゅうと「うん、宿題はもうとっくにできてるよお。でもまだ心臓がドキドキゆうてるわぁ。思ってもみいひん人から電話あるからなんかあがってしもて、なにゆうてええのんかわからんわぁ」といわれてん。なにか話題探していわなあかん、話題探していわなあかん思てんねんけど共通の話題なんてあるわけがなく、とりあえずいってもうたれえっ。ええいままよ、どないでもなれえっちゅう感じで「木下、俺と付き合うてくれへんか？」ちゅうてん。「へっ⁉」といったまま沈黙があったけど「はい」とゆう返事があり、またまたこっちが「へっ⁉」となってもうてん。

「〝はい〟ゆうて、お前付き合うてる彼氏おるんとちゃうんかい？」

「いてるけど別れます。吉永さんの迷惑ならんよう、上手いことゆうて別れるから」

「お前簡単に別れるっちゅうけどそない簡単でええんかい。最近彼とは、上手《うも》ういってなかったんかいっ？」

「うん、前みたいに会うことも少なくなったし、もうあかんわあって思てたから……それに私、ずっと吉永さんのこと好きやったからあ」

嘘やんっ、前のあれほんまやったんやぁ。おいおいこんな簡単でええんかい？　まあええか、コイツらから銭もらえるし、木下がどんなコかわかるし、ええわいっ。やったぜぇっ！　と思い「ありがとう！　ほな今度デートしようかあ」ちゅうと、俺んちへ来てみたいっちゅうんで、次の日学校終わるんが早いんで早速来ることになってん。

電話を切ると優二らも、嘘やろうっちゅう顔をしており、俺もその日一日中、狐につままれたような感じで、夜も寝苦しかってん。

あくる日、学校で目を合わせると、えらいこっぱずかしく、相手もそう思とったようで顔を伏せてしまい、帰るころになってようやく話してん。ほんで木下は一旦帰って服を着替えてきて、十三駅に着いたら電話してくることになってん。

優二はまだ半信半疑で「嘘みたいやぁっ」とほざいとおるんで「それやったら今日の夕方俺んち来てみい。木下が来よるから」ちゅうて、優二も何時になるんか知らんけど来ることになってん。

十三駅に着いたと木下から電話があったんで迎えに行ってん。私服姿の木下は、思わず「うっそお〜ん」といいたくなるような雰囲気で、なにも知らんお嬢様のようなコが「いつどこでおぼえてんっ！」と叫びたくなるような化粧をし、身体にピタッとしたニットのワンピースを着て大人の色香を醸し出してたてん。驚いた俺は「おお、お前、学校で制服着てるときと全然ちゃうやんけぇっ！　いっつもそんなナリしてんのんかあっ？　それにお前も女やねんのうっ。学校では真面目でかわいいっちゅう感じやのに化粧で全然変わってまうねんのうっ！　そんな化粧の仕方知ってるっちゅうことにビビってもうたわあ」ちゅうと、いつもはそんなカッコも化粧もせえへんらしく、俺がそういう大人っぽい女が好みちゃうかなあ思て、お姉さんに服を借り化粧をしてもらったらしい。

なんとも泣かせる話で、そこまで一生懸命やってくれるんやぁっと感動はしてんけど、やっぱ自然でなく、慣れないヒールの靴で無理して歩いとるから「べつにそない無理せんでも、お前はお前のままでおったらええやんけぇっ！　最初は学校とえらい雰囲気ちゃうのう思て驚いたけど、やっぱなんかギクシャクしててヘンやでぇ。気持ちは嬉しいけど自然な方がええでえ」と、ちょっと酷かなあ思てんけどゆうて、淀川通りを十三市民病院の前を通り過ぎ歩きながら話してん。

そしてちょっと顔が曇ったかなあ思たら、急に明るい顔に戻って「大崎先生に聞いてんけど吉永さんとこのお母さん夜仕事に行っててていっつも一人なんやろぉ？　昼はいっつも学食やし夜も店屋物ばっかしやろうから、今日はうちがなんか作ったるわあ。途中で市場かスーパーに寄って！」ちゅうんで、大崎も他人にいらんことというなやぁ思てんけど「なんやお前なにか作れんのんかい？　家でいっつも作ってんかあ？」ちゅうと、「ううん。家ではお母さんが作ってくれるけど、うちかて女なんやからなにかできるわぁ。それにほら、ちゃんと本も持ってきたし」ちゅうて料理本を鞄から出して見せてくれてん。

女と一緒に近所の市場へ行くっちゅうんは照れくさかったけど木川公設市場[1]の方に左に折れてん。八百屋でバイトしてたこともあって、公設市場や商店街には知った顔が多く、しかしみんな女連れの俺を見て気ぃ使《つこ》てくれ、会釈はするが話しかけてくる者はなく、「肉屋はどこ？　八百屋はどこ？」という木下を見ていると、ほんまコイツええやっちゃのう、かわいいやっちゃのうと思え、そない思てもやっぱりメッチャこっぱずかしかった。レジで俺が金を出そうとすると「今日は、うちにおごらせてえ」といって出さしてくれへんかって、ほんまええコやのう思て甘えさしてもろてん。

家へ帰ってすぐに、ビーフなんちゃらちゅうのんとオムレツを作るということで、すぐに米をとぎ、用意をしだして、互いのこと全然知らんのにあんまり喋る間もなく、いったいこれはなんやねん、早よ優二が来よれへんかのおと思いつつ待っててん。そのう

1　十三にある生鮮食料品を扱う市場

ちサラダができ、オニオンスープができ、〝ビーフストライキ〟か〝ストライク〟かなんか忘れたけど、なんせ牛肉を煮込んだものができ、ご飯も炊け、あとはオムレツを残すのみで、それもサッと作り、木下がお膳に料理をせっせと運んでたら、そのとき戸がガチャっと開いてん。

「マ〜！　おるのうっ、今日はえらいめでたい日らしいやんけえ。俺にもちゃんと教えてくれなあかんわぁ」ゆうてカンが入ってきて、その後ろから優二が続き、俺があっけにとられてたら、「優二に聞いてんけど、マ〜、彼女ができたんやてぇ〜。ちょっと俺にも紹介せえやあ。どんな女子やねん。見してみいっ！」ちゅうて木下の方を向き、この調子やとかなり酒入っとおんのうっちゅう感じで「おっ、えらいかわいいコやんけぇっ、それになんやぁえらい真面目そうなコやのう。おっ、メシまで作ってくれとんかあっ、ほんまええコやのうっ。マ〜にはもったいないもったいないっ」ゆうてん。

そしたら木下も「初めまして、木下みさとといいます。ご飯食べはりましたあ？　もし食べてはれへんのんやったら食べていってください。ようさん作り過ぎたんですぅ、優二さんもよかったらどうぞ！」といわんでええのにゆうてん。

カンは大喜びで「ほうか俺らえらいええとこに来たのおっ。タイミングばっちりやぁっ。優二、遠慮せんともろていこもろていこ」といい、しかし優二は俺の顔色が変わっているのに気づいたのか「いや僕メシ食いましてん。ちょっとそこで先輩とたまたま出会ってついて来ただけやから帰りますわあっ」ちゅうて逃げるように帰りよってん。

カンはというと、木下がせっせと俺のために作ってくれた料理を俺がまだ箸もつけていないのにバクついて「うまいのうっ！　ほんまマーはええ彼女持ったのうっ。ところでこれはなんちゅう料理ですのん？」と〝ビーフなんちゃら〟のことを聞き、木下が説明しとったけど、やっぱりカンには名前を記憶できず「うまいのう思たらアチャラの料理かいっ。ほんますごい彼女やのうっ。毛唐の食う料理作れる女なんか、滅多おらんぞうっ！　でもこの卵焼きはあかんのうっ。中にいろんなもんが入ってて食いにくいでぇ。やっぱ卵焼きは出汁巻きか普通の卵焼きに醤油かけて食う方がうまいでぇっ。それになんかこれちょっとしょっぱいでえっ！」ちゅうていいよるもんで、木下が気にして「ほんまですかあ。すいません！」ちゅうて懸命に味見してんのを見てると、コイツはなに御託並べとおんねん思てちょっとキレてん。

「カンっ！　えらい飲んでんかいっ。もうでき上がって酒グセ悪いオッサンになってないかあっ。いったいなにしに来てんっ？」

「おうっ！　今日は朝から〈尾西〉で飲んどんねんっ。ほんで夕方前に〈尾西〉の前で優二を見かけて声かけたら、マーの彼女に会いにマーんとこ行くっちゅうから一緒に来たんやんけえっ！　なにか気にくわんのんかあ？」

　このカンという男、シンナーなど薬物関係は一切やらず、しかしアルコールには滅法弱く、酒癖悪く、飲んでキレて暴れるんはしょっちゅうで、優二も酒乱のカンちゃんをわざわざこんな日に連れてくんなやあと思いつつ、こっちも気がおさまらんので「気にくわんのうっ！　俺がまだ箸もつけてないのに料理がしょっぱいだのどうだのぬかしやがってえ。これはコイツが俺のために作った料理なんやぁっ。そんなグチャグチャゆうんやったらもういねやっ！」ちゅうと「ヒィック！　なんやねん邪魔やったら邪魔やとさっさとはっきりゆうたらどないやねん。ハイハイわかりましたよおっ。邪魔者はサッサと消えるわいっ」ちゅうて立ち上がり、いまにもこけそうにフラフラしながら「こんな料理なんじゃいっ！」ちゅうて、ペッペッとツバをかけ、あっけにとられてると、千鳥足で玄関まで行き「こんなボロ文化二度と来たるかいっ！」ちゅうて捨て台詞吐いてドアをバタ～ンとしめて台風のように去って行きよってん。

　やっと帰りよったかぁ思て木下を見ると泣きそうな顔になってたんで、カンのツバをものともせず「うまいうまい」ゆうて食うたら、なんとか機嫌が直り「もう遅いから……」ゆうて駅まで送っていってん。

　最初は優二らと賭けて付き合いだしてんけど、それからちょくちょく会うてたら、ほんまに性格のええコで、すぐに惹かれていって好きになってしもてん。付き合ってるっちゅうても木下は大人しいコやったから、それまでの女のようにところ構わずベタつくことはなく、きっとハラハラドキドキしながら俺を見てたんちゃうかなぁと思うねん。

あるとき授業中、屋上で寝てたら誰かにツンツンと突っつかれ、起きると木下で「こんなとこでよう寝るわぁ。もうちょっと寝返りがひどかったら落ちとったでぇっ。みんな冷や冷やして見てて、大崎先生が〝落ちたらあかんから起こしてこい〟ゆうから来てん。ほら見てみいっ」ちゅうんで校舎に目をやると授業中にもかかわらず、みんなこっちを見ており、俺もなんでそんな端っこの方で寝てもうたかわからんねんけど、きっとタバコ吸うて、あ～気持ちええなぁ思て横になって空を見てたら知らん間に寝てもうてん。ほんで木下に手を引っぱられて教室に戻ってってん。

別世界の彼女

付き合い始めたころ、木下からもらった手紙に「違う世界の人やと思ってた」と書かれてたことがあって、そういう気持ちは俺も同感で、とくに木下の家に遊びにいったときにそれを強烈に感じた。

木下の家は池田駅から呉服町、室町といった旧家の古い家並みを通り過ぎた桃園というダイハツの工場近くの猪名川沿いにあり、一戸建の家が二軒並んだ片方が住まいで、もう一方は木下のお父さんが書道家なので書道教室となっていた。確か木下もそんときすでに六段か七段で師範免許を持ってたと思うねん。なんせ俺らのツレの中で一戸建なんかに住んでる奴などおらず、その家を目にしたとき、えらいコンプレックスを感じてしまい、やっぱ住む世界が違うんやと思たもんやから、その日は木下ん家にいても落ち着かず、外に出て猪名川の土手を歩いていてもほとんど無言で家に帰っててん。

家に着いたんを見計らったかのように木下から電話があり「お母さんがハキハキしてしっかりしたいい子じゃないと誉めてくれた」と喜んでおり「ほうか」と答えたけど心

の中では、こんな制服着て金パツにパーマかけた、いかにもちゅう感じの奴を、あんな家の人が心から誉めるわけないやんけえっ。とりあえず初対面やから適当にゆうといて、そのうち別れさそうとすんねんやろうと思てん。

ある日、入学前の学校見学に来た後輩のクニと廊下でパッタリ会うて喋っとったら、たまたま木下が通ったんでクニに「俺の女や」ゆうて、木下に「後輩のクニやっ」ゆうたら、木下がニコッと微笑んで「木下みさとといいます」ちゅうてペコッと頭下げて向こうへ行ってん。ほんでクニが「嘘や。あんな人がチュチュの彼女のわけないっ。あの人なんか笑とったやんっ！　二人してグルんなって俺をからこうてんのとちゃいますのんっ」ちゅうんで「アホかっ！　笑《わろ》てんと違うて愛想笑いしよっただけやんけぇ。それに俺の女やゆうたら頭下げて挨拶しよったやんけぇっ」ちゅうと、しまいには「それにしてはタイミングよ過ぎるわぁ。それにあんな真面目で純情そうな人がチュチュの彼女であるわけないっ！」といい放ちよってん。しかしクニがそう思うのも無理はなく、それほど木下は清純でキュートなのである。

が、そうはいっても男と女で、しかも好奇心旺盛な思春期なのであるっ！　会っているうちになるようになるのであるが、しかしキスのとき舌突っ込んだだけで驚くようなウブなコなんで処女やろなぁ思いながら、ことに臨んでん。

あれはいつのころか忘れたけど夕方やった。俺んちは昼でも陽が入らず、薄暗くて電気つけなあかんねんけど、夕方だけは小さい窓から朱色の陽が入ってきよるから、それだけはようおぼえてんねん。ほんまきれいな夕映えのする日で部屋全体が朱に染まってて、なんでそないなったんかようおぼえてないねんけど、とにかく彼女を押し倒し、あっつ〜い接吻をかわしトレーナーの裾をまくりあげ、ブラジャーを外し、俺の掌とちょうど同じぐらいの大きさの、若さではちきれんばかりのお椀型のきれいな乳を揉み倒し、小豆ほどのちっちゃい乳首をねぶり倒し、吸い倒してん。肌も透き通るように白く、しっとりして滑らかなモチ肌で、ほんまなにからなにまでよう揃った女やのうっと思いながらスカートん中のパンティに手を突っ込むと俺好みの薄い陰毛で、もうすぐやっ！とワクワクドキドキしながら、オメコにいますぐにでも指突っ込んでもうたんでえっちゅう感じで、恥丘や腿の付け根あたりを撫でまわしながら、木下の顔を見あげると、やっぱ処女やねんなぁ、歯はガチガチと震えて身体は固くなっており、そしてよく見ると目の横には涙を流した跡が一筋あり、そんな様子を目にするとなんか、コイツにこんなことして、俺はコイツをどうしてやれんねんやろうっちゅう疑問が出てきてん。こんとき俺は正真正銘、木下のことが好きやったし大切に思とってんけど、俺みたいにいろんな女とヤりまくってる性獣のような男が、なんぼ付き合うてるとはいえ、こんなに純真無垢な女の子を汚してええんやろか？　手ごめにしてええんやろか？　ほんまに縁があればいまじゃなくてもまたチャンスがあるはずやっ！　と思てしまい、こんなこと思た俺の方が純真やったんかもしれんけど、結局それから唇と目と涙にキスして終わってん。きっと彼女も覚悟を決めてたと思うねん。ほやから、震えてたものの身体を俺にあずけてたと思うねん。ひょっとしたらこれで彼女を傷つけてしもたかもしれんけど、俺とすればこんときしなかったことが彼女に対する最高の愛情表現やってん。

　でもいまは振り返るたびに、青かったなあ。ほんま惜しいことした。ヤっときゃあよかったと深く深く思ってんねん。

　彼女とおるときはマジやったけど、それで俺自身が変わるわけではなく、ツレとおるときはそれまでと同じ調子で女引っかけにいったりしててん。きっと木下はそんなことを気にはしてたやろうけど、恋人同士にありがちな詮索などまったくしなかったし、俺が一言いえばそれを信じてくれてたから涙がちょちょ切れるほど嬉しかってん。

　ツレと女引っかけにいった次の日、木下と会うて〈かっこう〉っちゅうサ店でメシ食うてると、ゴンジが勢いようドアの鈴をカランカランカランゆわして入ってきよってん。木下はドアを背にして座り、俺は木下の対面で座っとったら、ほんまゴンジは気がきかんっちゅうんか、アホやから俺を見つけたとたん、いきなり「おうっ、チュチュ。

ここにおったんかいっ！　それはそうと昨日のあの女とあれからどないしてんっ！　ヤったんかっ？」ちゅうてマシンガンのように息つく間もなく喋りよんねん。

俺はというと、目の前に木下がおってグラタンかドリアかなんかフゥーフゥーしながら食うとおって、ヤバいっ！　思てゴンジに目配せすんねんけど、ほんまトロいっちゅうんか、たぶん視野が角度なしの点になってると思うねん。俺の目の前に女がおんのに俺しか見えてないねん。なんべんも目配せして手ぇ上げたりもしてんのに、そんなことお構いなしに「チュチュ、お前なに目で合図してんねん。キショイやっちゃのう。それより昨日の女いったんかどうやねんっ。あのあとホテル行ってんやろう？」ちゅうて、俺の仕草はまったく無視でテーブルまで来て、木下が「こんにちわぁ」ちゅうて挨拶して初めて気づくなんて常人やないでぇっ。俺やのうてアイツがキショイわいっ。ほんでバツ悪そうな顔して「おっ、悪いっ！」ちゅうてUターンして帰ってまいよってん。ゴンジが帰ったとたん木下は涙ボロボロ流して泣き出すし、ほんま、参ったことする奴やねん。

かと思えば逆に、引っかけた女に「コイツの彼女はええ女や」とか「かわいいコや」とか、わけわからんこといいだすこともあるし、ほんまアイツのドタマかち割って脳みそがどないなってんか見てみたいわいっ。

ゴンジは懲りない男

　ほんでゴンジときたら女子寮オンリーでゆわしまくっとおるから面が割れて、女子寮前でポリは呼ばれるわ、たまたま〈サンチェーン〉の前で引っかけた女子寮ギャルとケンカになって「あんた寮の後輩やら引っかけまくってんのんもうバレてんねんでぇ。ええ加減にしときやっ。結局女やったら誰でもええんちゃうん。ぶっさいくな顔してっ！」といわれてん。コイツはやらせてくれへんとわかったときのゴンジには慈悲や情けなど皆目なく、しかも相手が女だということなど、まったく考慮に入れず瞬間的にキレてしまうのである。

　こんときも例外ではなく「じゃかましいんじゃいっ！　お前自分がぶっさいくなんを棚に上げて誰にぶっさいくやゆうて口きいてけつかんねん。わしは十三《じゅうそう》の十三《じゅうぞう》いうもんじゃあ〜っ。ナメとったらオメコにグー突っ込んでもうてギタギタにゆわしてまうぞっ！　ワレこそオメコさせてくれへんねんやったら、早よいんでまえっ！　ワレみたいな女はこっちから願いさげじゃっ！」と、こらなんぼなんでもいい過ぎちゃうかと思て、

「ゴンジもうやめとけやっ」ゆうてもキレた奴にはきかず、「アホいえっ！　田舎もんにはこれぐらいいわなわかれへんのやっ！」と、よくもまあこんなけいろいろと思いついて口がまわりよるのお、自分の顔、鏡で見したろかぁと思いつつ、泣き出した女の子を「ごめんなぁあいつ養護やから許したってなぁ」といいながら慰めとったら「誰が養護やねんっ。こんなメンタ[1]相手にしたらんでええんじゃいっ。ワレ、早よいなな犯してまうぞっ！」と、また狂暴なことをいうんで、その女子寮ギャルは逃げだしよってん。

　その女子寮ギャルは金髪で、結構かわいかったんでこの機を逃すのは惜しいと思い、追っかけていって再度なぐさめ攻撃をしかけ「ほな単車《たんこ》でも乗したるわぁ」ゆうて俺んちに持ち帰ってん。家ん中まで入れてしまえばこっちのもんで、ほんまイヤヨイヤヨも好きのうちで、食っちゃったはええけど出身を聞いたらなんと池田のコらしく「親戚がおんねん」ゆうて家の場所聞いたらこれまたなんと木下みさとの家の近所で、みさとらより一コ上やねんけど幼なじみという可能性はものごっつう高く、こらヤバいわぁ思て家から女子寮の二百メートルほどを単車で送ったってん。えっ、こんなけっ？　ゆうような呆れ顔になっとったけど、「ちょっと用事思い出してん。また今度どっか乗してったるわ」ゆうて、バレたらどないしよう思いながらイーマンちへ行ってん。

　ほな一足先にゴンジも来てて「なんやねんチュチュ、まさかさっきの女もろたんちゃ

1　女性

うやろなぁっ」ちゅうんで「なにゆうてんねん。ゴンジがどうぞっちゅうて差し出すからもらわなしゃあないやんけっ」というと、「なんやねん自分だけええのう。俺に貧乏くじ引かせて自分だけは上手いことやりやがって、ほんまキモいやっちゃのうっ」ちゅうて、えらい怒りよってん。

「そんなんゆうてもしゃあないやんけ。ゴンジがえらいこと痛めつけて、どうぞいってくださいって目の前に差し出しよってんやんけっ」

「ハッタリこくなやぁ！　どうせチュチュの口で上手いこというてんやろぉ、ほんまピラニアみたいになんでも食いやがってっ」

「アホか俺がピラニアやったら、お前はなんでも口に入るワニじゃいっ」ちゅうて、その女が、みさとん家の近所っちゅうんがゴンジにバレたらとんでもないでえ思いながら、ほどほどに口ゲンカしてん。

それはそうとゴンジはワニに似てて、しかも電話番号の下四桁は７９８２、買うた車のナンバーも３８２で、つくづくワニとは縁のある男で、ことあるごとにみんなから「ワニは黙っとけいっ！」ちゅうてからかわれとおってん。

木下の事件以来、いつかゴンジゆわしてもうたらなぁと思てたら、ええことを思いついてん。

ゴンジと女引っかけに行った次の日には必ず朝から俺んちに来て自分の報告をし、俺に無理矢理報告させよんねん。ドアをドンドンどついて俺が起きていけへんかったら、いきなり「〽[2]朝だ朝だ〜よっ！」とか「〽[3]モーニンモーニン君の朝だよ」とか、うたいだしよってええ迷惑やねん。

　ほんでその日、いつもの調子で朝の八時ぐらいに来よったんで、うたいだすんを待ってて一一〇番したってん。「外にヘンな人がおって大声で歌をうとて迷惑してるからすぐ来てください」ゆうて受話器を傾け、ゴンジのヘタクソな「モーニンモーニン」を聞かせて受話器を置くと、五分ほどしてチャリポリが来て、ゴンジが「ツレんとこ来てるだけやんけいっ！　なにさらしとおんねんっ痛っタッタッタッタッタッ。チュチュ、早よ出てきてツレやてゆうたってくれやっ！」と叫んどんのが聞こえ、ドアをノックする音がするんで出てみるとポリで、ゴンジは、やっと出てきよったかあっちゅう感じでホッとした顔して「チュチュ、ちゃんとゆうて教えたってくれやあっ！」と喚いており、ポリが「電話くれた吉永さんはお宅ですか？　彼は友人やゆうてるんですがほんまですか？」ちゅうんで「はい、僕が電話したんですけど、彼は見たこともなく知らん人で、怖いんで、早よ連れてってくださいっ。外でうたいまくるから迷惑しとったんです。どうもありがとうございました」ゆうたら、ゴンジんとこへ行って「お前なに嘘ついとお

2　「朝だ元気で」の歌詞。八十島稔作詞・飯田信夫作曲。1942 年発表。戦後歌詞の変更があった

んじゃあっ！　自分がこんなアホなことして他人に迷惑かけといて、ええ加減なことゆうなあ」ちゅうて、もう一人のポリは無線でパッツンを呼んでおり、俺はニタニタしており、ゴンジは「なんやねんチュチュ〜。キモいのう。ほんまおぼえとけよっ。お前なんか金輪際ツレでもなんでもないからのうっ」といいつつ、腕をとられてベルトを持たれて連行されていき、俺はそれを見て大笑いして部屋に戻り再びねむの森へと入っていってん。

そしたら今度は防犯の刑事からの電話で起こされ「吉永、お前なんで嘘ついて権野《ごんの》捕まえさすんやあ」ちゅうんで「朝っぱらから人んちの前で歌なんかうたうから、やかましゅうてしゃあないから、ちょっといちびったってん」

「そんなことでいちびって警察使うな。お前らに付き合《お》うてるほど暇ちゃうんやぞ」ちゅうて怒られてん。

しばらくしてゴンジは釈放され俺んちへ来て「お前ほんまひどい奴っちゃのう。なんやねんっ。ほんで昨日の女どないなってん？」と、ほんま全然懲りない男なのである。

3　岸田智史（現在は敏志）が歌う「きみの朝」の歌詞。岸田は1976年にデビュー。テレビドラマ『愛と喝采と』に新人歌手役で出演。挿入歌として使われたこの曲が大ヒットした

エロエロ行動隊長中野

二学期になり中野が出てきよった。

中野は東三国のヤンチャでダブリやねんけど、一学期はほとんど学校に来ず、もうトリプり決定！　ちゅう感じで、一学期は俺もようサボタージュっとったから中野とはすれ違いで、二学期に初めて顔を合わせてん。

中野は園芸ん中では相当ワルやっとったようで、二年の奴らから「中野は右翼に入っとおるんで、来たらイチャモンつけてきよるかもしれんから気ぃつけろよ」といわれてたんけど、なにを気ぃつけたらええかようわからんかってん。しかし中野の方も俺のことを二年の奴らから聞いてたらしく、園芸ん中では互いに知ってる者が同じやからすぐ仲良うなってん。それにツレのイーマンが東三国の番のジンをしばいたことがあったから、十三の人間にはちょっとビビってたみたいやねん。

しかし中野は見た感じそこらヘンのヤンキーとは違《ちご》て、どっちかっちゅうとソウル系で、頭はアフロでピタッとした黒のスリムジーンズを穿いて学校に来とってん。なんでもディスコに入り浸ってるようで、中坊んときに流行った「ソウルトレイン」を見て影響を受けたらしい。

しかし中野は、俺が制服着てんのを見て「やっぱ制服やのうっ！」ちゅうて、ある日、着て来よってん。見ると上は短ランで下が腿幅五十センチ、裾幅四十五センチのドエントツで、どないしても袴にしか見えず「そらお前やりすぎやでぇ。バカ殿さまに見えてまうでえっ」ちゅうて笑とってん。けど正真正銘のアホなんやろなあ、しょっちゅう穿いてきとったわ。

十三の俺んちにも何度か遊びに来よってんけど、地元の俺のツレは俺ほどフランクではなく、よその人間をなかなか受け入れようとせえへんのもあり、中野もビビっとったみたいやから、二、三回来ただけで来えへんようになりよってん。ほやから放課後の付き合いはほとんどなかってん。

中野は男前やったから女にはようモテて、そこら中でヤりまくっとった。相手には彼氏がおる女もいて、中野が本気とちゃうのんわかってて、なんであないなってまいよんねんやろう思て不思議やったもん。

ビニールハウスの畑でやるのはもちろんやねんけど、便所んときなんか中野に「チュチュ悪い、入り口んとこで誰も入らんように見張っとってくれへんかぁ」いわれて、連れてきた女を見たら、目をパッチリと見せるような化粧をうっすらとしてるけど、あまり目立たん真面目そうな二年の女で、なんでこんなコが？　と思うような女やねん。とりあえず便所んとこで見張っとったら、「アンッアンッ」ゆうてえらい大きいヨガり声がして、ほんまあんなコがなぁ思てんけど、なんで俺がこんなことせなあかんねんと我に返り便所に入っていくとパーンパーンパーンゆう音が勢いようリズミカルに聞こえて、中野らがヤッてる大便所のドアを開けようとしたら鍵がかかっとったんで、よじのぼって中を見ると女が壁に手をついてバックでやっとおって、中野がこっちを見て「なんやねんチュチュ～」ゆうたけど、「中野ぉ俺もう行くぞおっ。なんかアホらしなってきたわあっ」ちゅうと、「チュチュ～そんなこといわんと、ちょう待ってくれやぁ。もうちょいで終わるからあ」といいながら腰を振っており、女は喘ぎ声をあげ、ようぃわんでえっと思いながら「アホかっ、待ってられるかいっ！　それとも待っとったらその女がヤらしてくれるんかいっ！」ちゅうと中野が、「おうっ、ええぞっ！」とはいうものの、女は「アンアン」いいながらイヤイヤと首を振っており、あ～、アホらしっ思てそのまま出ていってん。

授業中やったから教室に帰ってんけど、中野は「もうすぐやっ」ちゅうとったのになかなか帰って来ず、終わりごろになって帰ってきてん。ほんで「チュチュすまんかった

なぁ」ちゅうんで、

「お前、もうすぐやっちゅうとったのにえらい遅かったやんけぇっ」

「そうやねん。あのあとすぐに終わってんけど、あの女がもう一回ちゅうてチンコしゃぶり倒しよるから今度は立ってやったってん！」

「でもお前あんときゴムはめとったかあっ？」

「アホいえっ。あの女がやってくれえっちゅうて来よんねんからナマに決まってるやんけえっ」

「ほな避妊はどないしてんねんっ」

「ほんなもんするかいっ中出しやっ！」

「お前ほんまひどいやっちゃのう」

「アホかっ！　女が、〝今日はでけへんからええでえっ〟ちゅうとおるし、俺は〝ナマで中出しでけへんかったらせえへん〟ゆうて、あの女にゆうとおんねんっ」

ほんまどないなってんねんと思てしもてん。

またあるときは、化学科の不良の溜り場となっていた落研の部屋に一服しに行くと、中野と、十三で同級のトロ子が乳くりあっており、トロ子とは中坊んとき一緒にサ店に溜ったり遊んだりしてて、昔の彼氏もいまの彼氏も知っており、俺も一回だけ相手したこともあり、嘘やろ～、トロ子までいかれてもうとんかい思たらその通りであった。

二人は思いっきりディープキスを始め、中野はズボンを下ろしパンツを脱いで、「トロ子～しゃぶってくれぇ～」といいだし、トロ子も「いやや～、そんなんなんぼなんでもチュチュの前ででけへんわぁ～」と口ではいうものの、中野に「そないゆうんやったら、もうしたれへんぞうっ」といわれると、俺の目の前で中野のをくわえて上下運動をし、そのうちトロ～ンと淫乱のような目になり、しゃぶってくわえての連続で、ほんまこりゃどないなっとんねん。やっとれんわぁっちゅう感じで一服して早々に外に出てん。中野には毛ジラミやタムシとかの噂もあんのに、しかも、トロ子にはちゃんと彼氏もおんのにようやんのうと思いながら教室に戻ってん。

その日の夕方中野から、「十三の〈コナ〉っちゅうサ店におるから来えへんかあ」ちゅうて電話あったんで行ってみると、中野とトロ子がおって、またかいっ！　ちゅう感じで、中野が「俺らいまからホテルに行ってくるわぁ、トロ子ぉ～かわいがったんでぇ～っ」といい、トロ子は「いややぁ～中野ぉ～そんなこといわんとってぇ～」ときて、ほんまコイツらだけは勝手にやっとけやぁ。なんでいちいち俺を呼ぶねんっ思とったら、中野が便所に立ち、トロ子が俺に寄ってきて手ぇ合わして「ごめんなあ、チュチュ～。十三のみんなにいわんとってなあ。それとあの人にもいわんとってぇ～お願いやでぇ

〜」と、歯クソのついた歯をむき出しにし近寄ってきたもんで、えらい息が臭くてむせそうになり、「おう、わかったからあっち行けやあ〜」ちゅうて手で押し返してん。ほんで二人は嬉しそうな顔して〈コナ〉を出て、ホテル街の方へ歩いていきよってん。一人とり残された俺は、なんぼ顔が男前とはいえ、病気持ちのハンデで五分五分やのに中野のなにが女をあないさすんやろうと首を傾げながら家まで帰ってん。

あるとき、学校からの帰りに中野に聞いてみてん。「お前右翼やってるっちゅう噂やけどどこの右翼やねん」ちゅうと、先輩の誘いで入って庄内か曽根かそこらへんで行動隊っちゅう、いわば使いっ走りのようなことやらされ、学校に来てないときには街宣したり、企業に消火器やらを売りつけに行ってるらしい。

さらに、「お前、毛ジラミやタムシやっちゅうて噂んなってるけどほんまかぁ」ちゅうと「そやねん。前なあ、どこの女かわからんねんけど、たぶんディスコで引っかけた女やと思うねんけど、伝染されてもうてのう。いまだに治りよれへんねん。そやから時々チンコんとこが痒うて痒うてのう」

「お前そんな病気持ってんのに、ヤりまくっとおんのんかぁ？」

「そうやぁ。そんなもん関係あるかいっ。それに女の方からヤりたいっちゅうて来よんねんから伝染したらんかいっちゅうようなもんよ」

と、ほんまに呆れた奴なのであるが、そのうち再び学校には来んようになり知らん間に辞めてまいよってん。

十八んときに再び電話があって、会おうぜいっちゅうことになって十三まで車で迎えに来てくれよってん。車に北方領土返還のステッカーなんかが貼ってあったんで、まだやっとおんねんやぁと思ててんけど、とりあえず「いまなにしてんねん」ゆうても「まあ、ちょっとな」ゆうてお茶を濁しとおった。

家に行ってみると「尊皇愛國」とか刺繍された特攻服がかかってあって「なんや、まだ右翼やってんかいっ」ちゅうと、「そうやっ。いま行動隊長やねんっ。話っちゅうのはそれやねんけど、チュチュ〜うちに来てくれへんかあ。久々に二人で暴れようぜいっ！　チュチュやったらうちのオヤジに話して、いまの俺と同じ待遇の行動隊長で迎えるから来てくれやぁっ」といわれ、「すまない。いまの君ほど情熱もなければ勢いもないから」と丁重に断ってん。それで再び十三まで送ってもらってん。

ヤクザにボコボコにされてん

夏ももうすぐ終わりやなぁ、秋がそこまで来ましたよ〜っちゅう、ちょっと寂しさを感じ始めたころ、何人かで俺んちにおって「ラリでも買いに行こうぜいっ」ちゅうて、ニンケのサバンナにはニンケ、カマやん、イーマン、マクが乗り、俺の単車《たんこ》に俺とケンジが乗って、夜中の二時ごろ、池田のオッサンとこまで突っ走っていってん。表のシャッターをどつき倒してオッサンを叩き起こしてラリ缶を一ダース手に入れてん。

ほんで近くの飛行場のそばを流れてる猪名川の支流の土手に車を乗り入れ、夜中の三時ごろやし車の乗り入れ禁止区域やったんで、「大丈夫やろ？」ちゅうて、そのまま車を停めて土手のとこでラリりだしてん。その土手は両側が切り断っており、片側の五、六メートル下が、周辺の町工場の排水が匂う流れの緩やかなドブ川で、反対側は三メートルぐらい下に飛行場と土手に挟まれたような形で道があり、着陸時には乗ってる人の顔が見えるほど飛行機が低く飛び、とにかくインパクトある地形やった。

そうして何時間経ったんか知らんけど、まだ夜は明けておらず、懸命にラリこいとったら、そんな時間にそんな場所に車が入ってきてパッパァ～パッパァ～とヒステリックにクラクション鳴らしよんねん。最初は、じゃまくさいんでみんなほっといてんけど、しつこうにずうーっと鳴らし続けよるんで、イーマンが立ち上がって、「ガタガタうるさいのうっ」ちゅうて行きよってん。一番でいってまわんと気の済まん石丸先生が行ったもんで、とりあえず、俺らもケンカかいっ思て立ち上がってん。すると一人の奴と気いよう喋っとおるんで近寄ってみると、なんか北陽のツレのようで、ちょっと気が抜けたような感じでイーマンのねきに行って話し終わるのを待っててん。するとすぐその脇でカマやんが、「それがなんぼのもんやねんっ！」ちゅうて相手をしばきだし、俺らが「やめとこうやっ」ちゅうて止めにはいったものの相手が調子こいて、どうのこうのとエラそうに能書きたれよるんでケンカになってもうて、知らん間にイーマンも相手をボコボコにしばいており、ソイツらは車に乗ってバックして逃げてまいよってん。

ほんでイーマンに「学校の奴しばいてもうたけど大丈夫なんかあ？」ちゅうと、「ええねん、ええねん。アイツ学校では使いっ走りのくせにツレの前やからゆうてエラそうに口ききやがって、ちょっとムカついててん」ちゅうて、ラリも醒めたし、もうすぐ明るなってきよるから帰ろかあっちゅうて帰ってん。

空港線を十三に向かって帰ってたらマクが、「単車のキーがないない。さっきケンカしたとき落としたんやぁ」ちゅうんで、その土手に戻って、ちょっと明るくなってきてたんでキーを探してん。

十分もせんうちに見つかって帰ろうとしたら前からアメ車が二台来て、なんやろう思てる間に、いかついオッサンらがようけ降りてきて、そん中にさっきしばいた奴が二人おって、オッサン連中に「コイツらですわぁ」っちゅうてゆうとおんねん。ヤーコかもしれんなあ、ヤバいなあ思とったら、ソイツらがみんな来て「わしらK組や！ ワレらなにさらしとおんねんっ！」ゆうて、ますますヤバなってきて、しかしここで手引いたら男がすたるとばかりに、やめときやぁええのにカマやんが「なんじゃいっ！ ソイツらがガタガタうるさいからちょっといわしたっただけやないけぇっ！ わしはF会やっ。やるんかいっ！」とゆうたとたんにしばきまわされて、俺らもシッチャカメッチャカにしばき倒されてん。俺は馬乗りになられてソイツらが用意してきたレンガで顔をどつきまわされ、蹴られまくり、ふと向こうを見ると、イーマンは傘で突かれまくって、とくに顔を狙われてるみたいで必死になって避けており、あとの連中もレンガでどつきまわされており、そのうちにニンケが何人かに抱えられて土手から五、六メートル下のドブに放り投げられてん。「ギャーーッ」というニンケの悲鳴が聞こえ、こらあかん思て俺とケンジは自ら進んで土手から川へ落ちていき、マクは反対の空港のフェンス横の道へ飛び降り、顔中メッタ突きされて血だらけになってるイーマンも土手から川へ放り投げられ、「F会や」とゆうたカマやんは、そのまま車に乗せてかれよってん。

ほんで、ニンケ、イーマン、ケンジに「大丈夫かあ？」ちゅうて声かけながら顔を見ると、みんなボコボコで二倍以上に腫れあがっており、イーマンは反則攻撃されたプロレスラーのように顔中血だらけで、「イーマン、ごっつい血いやんけぇっ。大丈夫かあ？」ちゅうと、「アイツら絶対ケンカのプロやでぇ〜。俺の目ぇばっかり狙《ねろ》て突いてきよんねん。チュチュどこが切れてる？」ちゅうんで見てみると、とくに目の上が七センチほどパックリ割れており、そこから大量の血が出てて、「イーマン、あちこち傷はあるけど目の上が一番ひどいわぁ。こら医者行かなあかんでぇっ。でも目ん玉やのうてよかったやんけぇっ！」

「ほんまやのう。俺も必死でよけたからのうっ」ちゅうとったら、「う〜んう〜ん、誰か助けてくれや〜、痛うて身体動かされへん」ちゅうてニンケの声がするんで近寄ってみると、放り投げられたまんまの形で寝ころがって上半身を浮力にまかせ川ん中から顔だけ出して呼吸をしてる感じで、その格好がおかしくて思わず、「プッ」と吹き出してもうてん。

ほんならニンケが「お前らなんやねんっ！　あ痛たったたったたっ。笑いごとちゃうぞう。

腰が痛うて立たれへんねん。あ痛たったたった」ちゅうとったら、今度は「お〜い大丈夫かあ〜」ちゅうてマクの声が聞こえ、見上げると土手にマクが立ってて、「大丈夫ちゃうでぇっ。ニンケが立たれへんようになってるわぁ。でもどないしよ。どうやってこっから上がったらええやろ」ちゅうと「ちょっと待っとけや！　どっかでロープかなんか探してくるわぁ」ちゅうて、すぐ帰ってきて「こんな長い竹の棒が落ちとったわぁ。引っ張り上げるからつかまれやぁ」ゆうて、太い竹をニョキィと出してきてん。とりあえず元気のええ俺から引っ張り上げてもうてん。さすがに怪力パワーの持ち主で俺一人やと軽々と持ち上げ、次にイーマン、最後にみんなでニンケとケンジを、ケンジがニンケを背負う形で引っ張り上げてん。

ほんですぐ近くに、そこらで事故ったりすると必ず行く救急病院があってんけど、誰かが「あっこで結構人が死んでるからヤブかもしれんしやめとこうぜいっ」ちゅうんで、十三へ戻ることになってん。ニンケが運転でけへんようになってるから、マクがニンケの車を無免で運転して朝焼けの中を帰ってん。

十三に着いて地元やし気心知れてるからっちゅうことで救急の豊田外科に行ってん。朝早うから俺らが連なって行ったら豊田のオッサンが「なんやお前らケンカしたんかいっ」ちゅうて、腫れまくってる顔に思いっきり消毒液を振りかけ、擦りまくって、腫れがもっとひどなるんちゃうかあ思うぐらいゴシゴシ薬つけよるから、「痛いやんけぇ、もっとゆるくやってくれやっ」ちゅうと、「自分らが好きでケンカしてきとって、なにぬかしとおんねんっ。こんなもんなんぼやっても死ぬことないわいっ！」ちゅうて、もっとひどうやりよるからほんま泣きっ面に蜂で、イーマンはというと眉毛のとこを十針ぐらい縫われて、腰が痛いゆうとったニンケは腰骨にヒビが入ってたらしく、結局そのまま入院し、半年以上は寝たきりやろうゆうことで、ほんま散々な目にあってん。

次の日、みんなで俺んちに溜ってやられた報告を他のツレにしてたら、さらわれたカマやんが、まるでいまそこで地雷でも踏んづけたように服はボロボロで血だらけで、ほとんど裸に近い格好で帰ってきてん。

「やっと帰してくれよったわぁ。あれから事務所に連れてかれてボコボコにされて、ほんでほんまにF会に出入りしてる人間とわかってやっと放してくれよってん」

「しかしそんなカッコでどないやって帰ってきてん？」

「金ないから電車に決まってるやんけぇ。メッチャカッコ悪かったっちゅうねん。アイツらの事務所が阪急伊丹駅から近かったからそこまで歩いて行って、そっから阪急や。そこらのオバハンとかジロジロ見よるからほんまかっこ悪かったわぁ」

「でも医者行かんで大丈夫かぁ？　ニンケは腰の骨にヒビ入って半年以上の入院やて

え。イーマンは十針も縫いよったでえ」

「嘘やん！　ニンケ半年以上も入院かいっ、どんくさいのう、アイツ。いっつもいざとなったときにどんくさいねん。だいたいなんかやって逃げ遅れんのん、いっつもアイツやもんのう。ほんまにどんくさいやっちゃのうっ。そうや見舞いに行って思いっきり笑てもうたろ」ゆうて、そのルンペンのような格好で帰ってまいよってん。

新車でピカピカのＧＳ

こないだのケンカで顔がえらい腫れてて学校へ行くんがカッコ悪いんで一週間ほど休み、だいぶ腫れがひいたころ久々に出ていくと見知らぬＧＳ[1]の新車が俺の単車《たんこ》置き場に停めてあり、誰のんかなあと思とったら二年の具志が牛丼の吉野家蒲生店でバイトして買うたやつやってん。

放課後、校門前の道で単車を停めて具志と喋っとったら、二年の、親が箕面や池田で美容室をチェーンで経営してる、ボンボンのヌノフンが、関連[2]の桃太郎の白い特攻服着て来よってん。

「なんや、桃太郎って関連やったんかあ」ちゅうと、「ついこないだまでは、ちゃうかってんけどな、箕面の１７１走っとったら関連のプレイボーイっちゅうとこにボコボコにやられて無理矢理入れられてもうてん」

「プレイボーイやったら会長西池（ニンケ）ゆうてなんだか？」

「チュチュ、西池さん知ってんの？」

1　スズキ GS400。1978 年から施行される排気ガス規制から排気煙、燃費の点で 2 サイクルより勝る 4 サイクルエンジンへと次代のニーズが移り変わっていくなかで 1976 年に発売された

「十三の一コ上の先輩やねん。ようツルんで遊んでんでぇ」

「嘘やんっ！　ほんなら西池さんにゆうとってえや。〃箕面の桃太郎にツレおるからあんまりイジメんとったくれ〃ゆうて頼むわ」

「なにゆうてんねん。お前知らんのんかあ？　イジメるもイジメんもニンケは腰の骨にヒビ入りよって半年以上入院せなあかんからなんもでけへんでぇ」

「初耳やわぁ……全然知らんかったわぁ。でもどないしたん？」

「ケンカでしばかれてもうてん」ゆうて、ケンカのいきさつ喋っとったら、ヌノフンが単車に気づいて、具志に「乗せくれやぁ」ゆうて頼んどおんねんけど、無免やし、あんまり信用してないようで乗り気でなく、「チュチュと一緒やったらええでぇ」ちゅうことで、具志のＧＳにヌノフンをケツに乗してそこらへんを走ってくることになってん。

　ほんで、俺が金髪でヌノフンが紫やから、目立つしええやろっちゅうことで、ノーヘルで走り出してん。

　学校裏の１７１に出たところでパッツンに呼び止められ、ヌノフンも「族の特攻服着てるからとりあえずブッチじゃあ」ちゅうて、思いっきりいったってん。ほんで、次のタバコ屋んとこで左に曲がったろう思て突っ込もうとしたら、そのタバコ屋のオバハンが道に水撒いてんのが見え、嘘やん！　大丈夫かなあ思いながらバンク角の浅いＧＳのステップを擦りながら曲がっとったら、アスファルトに白く大きく書かれた「とまれ」の文字の上でツルッといき、そのままスコーンと滑ってもうて、ヌノフンは道沿いの畑に吹っ飛ばされ、俺は単車と共に横に滑っていってん。

具志の新車でピカピカのＧＳは幅五十センチほどの溝にスッポリはまってしまい、俺はそこらでゴロゴロ転がってもうて、具志の新車がぁ思て溝のとこへ行こうと立ち上がったところにパッツンが追いついてきよってん。

ポリが降りてきて、「大丈夫かあ。ケガはどうや？」ゆうて声かけてくれて、そこに泥だらけのヌノフンが破れてボロボロになった特攻服姿で戻ってきよってん。ほならポリが、「なんや、お前ら族か？　関連の桃太郎いう刺繡が入っとるやないか。ノーヘルでえらいスピード出して走って、お巡りさんから逃げようとするからこないなんねんや！」とかゆうてんけど、具志の新車の単車をこかしてもうたショックから、「はぁ」としかいえず、どないゆうて具志に謝ったらええやろ。アイツが吉野家で一生懸命牛丼売って稼いだ金で買うた単車やのに、どないしようとばかり考え、うわの空で聞いとったら、「この単車、車両保険とか入ってんのんか？」とポリに聞かれ、保険のことなんて他の誰からも聞いたことないし、自賠責は強制で入らなあかんのは知ってても、強制でない保険なんて誰がわざわざ高い金払《はろ》て入んねんと思てたから、「入ってません」というと、「ほな事故証明を取る必要ないなあ。それやったらキップ切んのんは許しとったろ。でも、もし事故証明が必要やったら一週間以内に池田署交通課までゆうてこい。そしたら書いたるから。でもそんときはキップ切らなあかんようになるから、その覚悟で来いよ。ほしたらお巡りさんら行くからな。ケガ大丈夫やろな。あんま無茶すんなよ」ゆうて行ってしまいよってん。

そしたらヌノフンが急に泣きベソかきだして、「チュチュ、この特攻服高かったのにぃ〜。あんなスピード出してこんな細い道入ろうとするからこんなんなんねん。向かいのレストランの人みんな見ててメッチャカッコ悪いやん」ちゅうんで、レストランの窓を見ると、ほんまにみんなポッケエ〜とした顔でこっち見とおんねん。

気が動転してたからかヌノフンにいわれて初めて気づいて、アッチャ〜ほんまや、カッコ悪うと思てんけど、こんなときにそんなことをゴチャゴチャゆうヌノフンにムカついて、いきなり蹴りを入れ、「お前はガタガタうるさいんじゃあっ。そんな能書たれる前に単車引っ張り上げえやあっ！」ちゅうと、ピュ〜ッと単車んとこに飛んで行き、二人で必死んなって、あのポリらが手伝うてくれたらひょいと持ち上がんのに上手いことゆうて逃げやがってぇと思いながら重い単車を時間をかけて溝から抜いてん。

溝にスッポリと入ったからか幸い傷は少なく、ウインカーとバックミラーの全損と、タンクのへこみと、ハンドルとステップがちょっと曲がってるぐらいやってん。ガソリンはちょっと漏れとったけど、すぐにエンジンがかかって、やれやれっちゅう感じで学校へ帰ってん。

具志は、えらい遅いなぁ思て待ってたらしく、単車がちゃんと走ってんのと俺らの姿を見て安心した顔となり、しかしウインカーが折れてんのを見つけたんか不安そうな顔となり、学校に到着したときには青ざめ、いまにも泣き出しそうな感じで、へこんだタンクを見つめ絶句状態となり、やっとのことで「どど、どないしたん?」と声を発し、「すまんなあ」ゆうてポリに追っかけられた話をして、「ちゃんと直すから心配すなやあ～」ゆうて、学校から適当な鉄パイプ見つくろってきて、それを曲がったステップとハンドルに突っ込み梃子の応用で、ほぼ元の位置に戻して、「とりあえずハンドルとステップは、ほとんど元通りになったから。タンクとウインカーは近いうちに新品を持ってくるから心配すなや! ほんま悪かったなあ」ゆうて、その場は解散してん。

家へ帰ってツレに、GSの新品持ってないか、誰か持ってる奴知らんか、方々尋ねてんけど誰も持っておらず、三国のヒロんとこに電話すると、「ほな新車見つけてゆわしてきましょか?」ってゆうてくれるんで、「俺も一緒に行くからめぼしいん探しとってくれ!」ゆうて電話切ってん。

三国のヒロのへたれ

ヒロには前に俺の単車《たんこ》のショックがパクられたときにも世話んなっており、ほんまこんなときにはヒロ様々であった。そのヒロには東郷っちゅう俺らと同い年で、ちょっと頭のイカれた怖ろしい先輩がいて、この東郷と俺がケンカがきっかけで知り合うて、これもなんかの縁なんやろうけど、東郷とイーマンが同じ小学校やったらしく、東郷はイーマンにしょっちゅうイジメられてたようで、完全に恐怖心を植えつけられており、そのため十三と聞くだけで異常なほどビビってしまい、ほんでそのツレである俺のこともメチャメチャびびっており、結局、その怖ろしい東郷先輩がビビってしまっている俺はさぞ凶暴やろうっちゅうことでヒロもよくしてくれてててん。

このヒロっちゅう男もかなりのクセもんで、顔はケンケン[1]のように下顎が出てて決して男前とはいえんのに、そこら中で女を引っかけまくっており、とくに地元の三国のローラーディスコでは、相当いっていたようである。しかもそのやり方がひどく、バージンであろうがなんであろうが、とりあえずヒロんちに連れ込み、女の数が男の数と合《お》う

1　1970年に放映されていた「チキチキマシン猛レース」の主人公。大きな顎と「イヒヒヒヒッ」という独特の笑い方で知られる

たらええねんけど、女の方が少ないときは、まわしてしまうらしい。泣こうがわめこうが下の口はもちろん、上の口にも無理矢理チンコ突っ込んで、噛んだらしばき倒し、ほんまに容赦のない奴であった。聞けば園芸の女の名前も出るわ出るわで十数人出てきて、そのうちのほとんどが処女やったらしく、そん中に俺と同じクラスの女も二人おり、一人は庄内のコで別のコといるとこを引っかけて四人でまわしたらしく、もう一人は池田のコで泣いて困ったから、付き合うと約束し、しかもその後はブッチしてるそうで、つくづくヒロは無茶しよんのうと思てしまうのである。

　そんなある日、その池田の女の子が話しかけてきて、「吉永さんて十三界隈で結構顔広いんでしょう？　それやったら三国のヒロっていう子知ってはるぅ？」て聞いてきたんでブッチの件かなあ思て、「知ってんでぇ。時々ツルむでぇ～」ちゅうと、やっぱりその件で、「付き合《お》うたるゆうてくれたのに連絡もくれへんし、連絡しても嘘の電話番号やってん。もしヒロの連絡先知ってたら教えてほしい」いわれて、「家は知ってるけど電話番号知らんねん」ゆうて嘘ついたら、「ほな連絡するようゆうてほしい」っていうから、「わかった。でも、しょっちゅう会《お》うてるわけやのうて、たまたまサ店や道でばったり会うて喋るぐらいやから、いつになるかわからんでぇ。でも家知ってんねんやったら行ってみたら？」ってゆうと、「あの子もあの子の友達もなんか怖いから行かんねん。あの子もあの子の友達のこともあんまりよう知らんねんけど、どんな子らやのん？」ちゅうんで、「たぶん自分らには手ぇおえんでぇ。それに怖い思うねんやったらやめとった方がええと思うでぇ」ちゅうと、シクシク泣きだして、「あの子がそこら中で女引っかけて同じようなことやってんのん知ってるけど……」ゆうんで、事情はヒロから聞いて知ってるけどかなわんなぁ思て、「よっしゃっ、わかったたっ！　連絡するようゆうとくから泣くなや」ちゅうて、バツ悪いのう思てどっか行ってん。

　ほんでヒロに会うたとき一応その話はゆうてんけど、そんなんどこ吹く風という感じでほんまに悪どい奴やねん。

　でも単車はえんのん見つけてきてくれて、ウインカーはノーマルやのうてヨーロピアンやってんけど、それをそのまま学校へ乗っていったら具志も喜び、「こっちのんがよかったら車体番号ヤスリで削ってナンバーだけ変えて乗ったらええねん」ゆうて、蒲生の具志の家まで乗っていって渡してん。

　これで一件落着やと思とったら、ヒロが別件の窃盗でパクられたらしく、淀警にいるおかんの弟が家に来て教えてくれてん。その叔父さんはこないだまで交通課やってんけど留置場に配置換えなり、ほんでヒロが留置され、飲み仲間の同僚が調べてるらしいねんけど、なんでも俺の名前を出してるようで、オッチャンから「三国のヒロっちゅう、

2　ヨーロピアンウィンカー。純正のものよりも小さい円柱形のウィンカー

ちょっと小狡いガキ知ってるか?」と聞かれ、「知ってる」というと、「お前、アイツとなにか関係してないか?」といわれ、ギクッとしてんけど、

「いいや。三国の奴やから名前は知ってて道でばったり会えば喋ったりするけどツレとちゃうからツルむことなんかないからなぁ。なんなん? ヒロがどないかしたん?」

「いま淀警にパクられて来とおんねんけど、なんかお前の名前出してるらしいから確認しとこう思てな」といわれ、前にパクッた単車のエンジンやフレームもカバーかけたまんまで裏の路地の行き止まりに置いたあるし、ヤバいなぁ思てんけど、ヒロがなにぬかそうが知らんで通したら大丈夫やろう思とってん。ほんでもやっぱヤバいから、誰かエンジンいらんかなぁゆうて探しとってん。

ほんならそのうち淀警から任意出頭の呼出し通知が来て、ほんなもん関係あるかい思てブッチかましてん。

それからちょっとしてから、その路地んとこにヘンなオッサンがうろちょろして単車見たりしとおるから、「おいオッサン!! ワレそんなとこでなにさらしとんじゃいっ!」ちゅうて声かけたら、まったく慌てた様子もなくロボットのように無表情な顔つきで「これは君のか?」ゆうて聞いてきたんで、こらポリやでぇ〜思て、「いいや。それよりオッサン、こんな他人ん家の裏の細い路地でなにしとんねんと聞いてるやんけぇ」ゆ

うと、「どうもすいませんでした」っちゅうてポリメン[3]出しよってん。「君はこの近くに住んでんのんか？」

「そこや」

「名前は？」

「吉永」

「君が吉永君かあ。これなんか知ってるか？」

「いつか忘れたけど、ちょっと前から置いてあるんでなんやろ思て、カバーめくってみたら単車のエンジンでしたわぁ」

「そうやねん。これ盗まれたやつらしいねんけど、ある人間の通報でわかってんけど、これ誰がここに置いたか知らんかなぁ」

　知ってるわいっ、俺じゃいっと思てんけど、「知りませんわぁ。知らん間に置かれてあって、動かそう思ても、えらい重うて動かせんからこっちも迷惑してますねん。ほんま盗むっちゅうて悪いことする奴がいますなぁ」ゆうと、「どうもありがとうございました。またなにか気づいたら教えてください」ちゅうて行きよってん。

　こら本格的にヤバいでぇ、引き取り手が見つかる前に捨てたろう思て、軽トラ持ってる奴を探してん。探しとったら二コ下のトシアキが家に来て、「チュチュがＦＸ５５０

のエンジンいらんかぁゆうてるって聞いたもんで来たんですけど、僕にもらえませんか？」ちゅうんで、天の助けやぁ思て二つ返事で「おうおう」ゆうて、「その代わり俺も手伝うから今日明日中に全部処分してくれっ」ちゅうて、ポリが調べとった話をすると、「ほんじゃあ親の軽トラ借りてきますんで、いますぐ運びましょか」ゆうてガラス屋やってる親父の軽トラ借りて、ツレの純也とコージと、後輩でクリーニング屋の息子の山西を連れてきて四人でそれをセッセと軽トラの荷台に載せて、俺は自分の単車でトシアキの家へ行ってん。

トシアキん家のガレージにも俺と同じＦＸが入ってあり、中三で無免やのに誰かから売ってもらいみんなで乗りまわし、こけてかなりボロボロで、最近エンジン載せ換えようと思てたようである。

ほんで俺は、万が一コイツらがパクられたらと思たんで、「お前らこれどないする？エンジンをお前のに載せ換えんのか？　これにタイヤやショックつけて乗るんか？　どっちすんねん」ゆうと、「エンジンとキャブを載せ換えますわぁ」っちゅうんで、「その方がええのお。車検証の車体番号って全部フレームの番号やからのう。それでこのフレームどないすんねん？」ちゅうと、「そこらに捨てますわぁ」っちゅうんで、それはヤバいと思て、「あかんあかん。ポリがかなり調べとおるからフレームの車台番号削って十三大橋の上から淀川へ投げてまお」ゆうてん。ソイツらも「はいっ、わかりましたあっ！」ってゆうてんけど、心配やから、「とりあえずエンジン降ろして、いますぐフレーム捨てにいこ」ゆうて、トシアキにヤスリ持ってこさして車台番号削らして、その間に俺らはエンジンとフレームを繋げてるネジを外して、みんなでエンジンを降ろして、トシアキと一緒に十三大橋の真ん中まで行って車を停め、人がいないのを確認して橋の上から淀川へ投げ落としてん。これでやっと一息ついたなぁ思て帰ってん。

しかし数日後、俺が任意出頭をブッチしたからか、朝早う絶対に俺がおるぞっちゅう時間帯に少年課のセトヤマと、もう一人ポリが家に来て、寝てんのを叩き起こされ、寝ぼけ眼をこすりながら玄関へ出ていってん。

「吉永！　あんたにちょっと聞きたいことがあんねんけど、なんで出頭通知を送ったのに来えへんかったん？　ちゃんと届いてたんやろ？」

ほんま朝っぱらから、なんでこんなぶっさいくな顔見せられ、キィーキィー声聞かされなあかんねん。ほんまいつ会うても気ぃきっついババアやのうと思いながら、

「届いとったけど忙しかって行かれへんかってんやんけぇっ！　それに任意ゆうて書いてあったから、俺には思いあたる節はないし、なんで用もないのに、わざわざ時間割いて行かなあかんねん思とったから行けへんかっただけやんけっ」ちゅうと、

「それはまあええわ。あんた三国の木村知ってるやろ」

えっ、木村って誰や？　思たんで、

「知らんでぇ」

「あんた嘘いいな！　相手は知ってるゆうてんでぇ。あんたと一緒に単車を盗んだゆうてんでぇ。嘘ゆうても、すぐバレんねんから正直にゆうときいっ」といわれ、あっ木村ってヒロの苗字なんやとピ〜ンときたけど、

「そないいわれても知らんもんは知らんわいっ。木村って誰やねん。ソイツが誰かかばうために俺の名前をどっかで聞いて勝手にゆうとおんねん。三国の木村なんて聞いたこともないし見たこともないわいっ。嘘や思うねんやったら、ソイツここまで連れてこい。人の名前勝手に使いやがってぇなにぬかしとおんねんっ！」ちゅうと、

「ほんまに知らんのんかぁ？　三国のヒロやで〜」といわれ、

「ヒロやったら知ってんでぇ。なんやアイツ木村っちゅう苗字なんやぁ。知らんかったわぁ。でも俺アイツと一緒にパクリなんかしてへんでぇ。ツルんだこともないし道で会うて喋るぐらいやで。そやのにアイツなにいらんことぬかしとおんねん！　こないだ親戚のオッサンにも聞いてんけどアイツいまパクられてんねやろ？　ほんなら帰ったら、〝出てきたらグチャグチャにゆわしてもうたるからようおぼえとけぇ〟と吉永がゆうと

ったと伝えてください」

「あんたほんまに知らんのんかぁ？　ヒロがゆうてんのんと辻褄が合うねんけどなぁ。それにヒロがパクった単車をなんでわざわざこの裏に持ってくんのん。そんなんおかしいやん」と、単車の置いてあった場所を振り返り、「あっ、こないだまで置いてあった単車なくなってるけど誰がどこにやったか知らんかぁ？」

「嘘っ！　裏のポンコツなくなってる？　こないだまであったでぇ。よかったよかったあんな重いもん邪魔んなったときどうやって運ぶねんやろう思とってん。でもあれヒロが置きよったんやぁ。誰があんなもん捨てていきよってん思ててん。でもあんなんまで人の家の裏に置いていきやがって、俺のせいにしたろう思とったんやろう。人の家の裏にパクった単車ほっていきやがってぇ。ほんまに出てきたらようおぼえとけゆうとってやぁっ！」

「よしわかった。ほんまやねんなぁ。ただしあとで泣き入れてきても知らんでぇ」ゆうて帰りよってん。

あ〜ヤバかったぁ、ほんなもん証拠がないのになにぬかしとおんねん。しかしヒロの奴へたれやのう、俺の名前出しやがってぇ。ほんまアイツ出てきたら焼きじゃあ〜思てたてん。

で、ヒロは二回目の鑑別ということで年少行きとなり、その後は噂も聞かんし、道で会うこともなくなり、どないなったんか知らんねん。

久しぶりぃ元気？　うちとせえへん？

それからポリもけえへんようになって俺は助かってんけど、その代わり淀警の叔父さんは以前よりよう来るようになってん。きっと俺や俺のツレがタバコの吸殻やラリ袋をそこらにポンポン捨ててたために近所から苦情が出て、それをおかんがオッサンにゆうて、ほんで職場が楽な留置場に移ったこともあり、本腰入れて俺の様子を見にくるようになったんちゃうかなあと思うねん。

ある夜、一人でラリやってたらオッサンから電話があって、俺が呂律まわってへんかってんやろなぁ、「お前シンナーやってるなぁ。いまから行くからそこで待っとけぇっ！」いわれて、こらヤバいなぁ思て裏の文化に住んでる、これまたおかんの弟で、淀警のオッサンの兄貴にあたる弘美のオッサンが今日は夜勤でいないことを思い出し、そっちへ避難して念のため半キーにしておいてん――昔の鍵は内から半分だけかけてる状態にすると外からは動けへんようになってまうねん――ほんで安心してラリってたら鍵をガチャガチャする音が聞こえ、嘘やん！　こっちの鍵も持っててんねんやぁどないしょ

う と思とったら、「マサユキぃ～こっちにおんのんわかってんねんぞ～鍵開け～い。お前、中でなにしてんやぁ～鍵がまわれへんやないかあ～」とわめいており、ヤバいでヤバいで、どないしょどないしょとあたふた考えとったら、「こらぁマサユキぃ～なにしとんじゃあ、早よあけんかぁ～」と、かなりエキサイトしてきて、ほんまヤバいでぇどないしたろうと思てたら、ガラス戸をガンガンガンガン割れそうな勢いで叩きだし、「こらあ～マサユキぃ～開けんかい！　こらあ～」とわめきちらし、こら警察のすることちゃうでぇ、ヤクザやでぇ、近所迷惑のことなんか考えとおれへんわぁ、窓から逃げよう思て、そ～っと靴を取りに行き、窓んとこで履いとったら、パリ～ンとガラスの割れた音がし、とうとう割りよったぁ思て、見ると手を伸ばし鍵を開けようとしてるんで、こらいか～ん思て窓から飛び降り隣の家の屋根づたいに走り、下に降りて、無我夢中で走っていってん。

ほんまどこをどない走ったかわからんけど気がつくとキョーコの家の近くにきており、そうやキョーコんちの前の植木鉢ん中に埋めてもうたろう思て、植えてある花を引っこ抜いて、そん中にラリ缶と袋を埋めて、とりあえず夜中までブラブラしとったら、あきらめて帰りよるやろう思てそこらをウロチョロしててん。

ほんで夜中二時ごろ家に帰ると、珍しくおかんが早ように帰ってきており、その横には淀警のオッサンがおってん。アッチャ〜待ってやがったぁ、開き直るしかしゃあないのう思て中に入ると、いきなり顎と頬っぺたのとこを鷲づかみにされ、口がパックリ開いた形となり、「こらっ、マサユキ！　なに逃げとおんねん！」ゆうて俺の口ん中に鼻を突っ込みそうなぐらいまで持ってきて、「わぁっ！　シンナーくっさぁ〜」ゆうて、コンコンと怒られてん。ほんで「今度やったら叔父さんやのうて警察としてパクってしまうから、やりたかったら好きなだけやれ！」といわれ、心ん中で「おうやったるわい！」とゆうたってん。

もう電車もないから泊まることになり、いきなり話を変えてきて「あんなぁマサユキ、お前、川西ロミっちゅう女の子知ってるか？」と聞かれ、「知ってんでぇ。中学んときの同級や。家がすぐそこの市場の向こうやん。川西がどないかしたん？」ちゅうと、「いや〜いまなあ、シャブと売春でパクられてきとおんねんけどなぁ、まだ十六やゆうのにほんまメチャクチャやでぇ。ヤクザがヒモについとおるらしいねんけど、アイツらほんま十六のガキやいうのに、ほんまメチャクチャやったっとおんねん。最初は売春で引っ張ってきて、シャブの疑いもあったからションベン調べたら出てきて、なんせそんときにはシャブ中やろ。切れてきたときには、喉渇いたぁ〜喉が焼けるう〜ゆうて、便器ん中顔突っ込んでガブガブ飲むし、虫がいてるう〜ゆうて素っ裸になったと思たらオメコしたい〜誰かオメコしてぇ〜ゆうてわめき散らすし、ほんま、まともに見られへんぐらいかわいそうで。まだ、たったの十六やでぇ。誰が十六の子を捕まえてこんなんにしたったんやぁ思たら、はらわたが煮える思いやったわぁ。あれじゃあ親も一生懸命育てたのに不憫で泣くに泣けんやろなぁ」

と、普通の感覚じゃすごいことを聞かされたんやろうけど、俺はまったく驚くことなく、「ふ〜んそうなんやぁ。でもアイツは中学んときから悪うて、そんときにはもうヤクザと同棲しとおったでぇ。鑑別も行っとおるから何回かはパクられとおるし、いまに始まったこととちゃうやろう。それにここ最近、近所では川西運送の娘さんは時々素っ裸になってベランダに出て、〝あ〜男欲しい〜オメコしたい〜誰かオメコやってぇ〜〟ゆうてわめきちらしてるいうて評判やもん。中学んときからシャブ食うとおるから、そないなってしまいよったんやろなぁ。でもほんまシャブて怖いなぁ気ぃ狂わしよんねんなぁ。もうボロボロやなぁ。まだ十六やいうのに立ち直りきくんかなぁ。ほんまかわいそうやなぁ」ちゅうと、「あんなぁマサユキ、怖いんはシャブだけやのうてシンナーも同じやねん。お前もしまいにはあないなってまうぞう。ほやからもうやめとけよ」ゆうて、俺んとこにふられてもてん。

川西がムチャクチャんなったんは、だいぶ前からで、俺が中華屋で働いてたころやから、かれこれ一年近《ちこ》う前、突然家に電話かかってきて、「チュチュ久しぶりぃ元気？いまなにやっててんのん？　うちとオメコせえへん？」ゆうていきなりいわれてコイツなに考えてんねん思たし、コイツとやったりしたら喋りやからすぐみんなにバレてもうて、なにいわれるかわかれへんのう思て遠慮してん。ほんなら「そんなんいわんとヤろうや！　なぁヤってぇやぁお願い！」とかゆうて、えらいしつこう誘われて、ほんまコイツなんかおかしいでぇ、ヤバいでぇ思て切ってん。

それから川西は前歴もあったやろうから茨木にある女子少年院に送られ、ほんで随分経った十八ぐらいのとき、道でバッタリ会うて声かけられてんけど、最初誰だかわからず、あのチャウチャウみたいな顔しとった女がきれいになって、化粧も濃いからか大人のお姉さんみたいになっとおんねん。ほんで「なんやお前、えらいきれいなったやんけぇ。わかれへんかったわぁ」ゆうたら「そやろ。あんなぁ、目と鼻と顎と整形してん。ようなったやろ！」とケロッとぬかしよんねん。

それから再び二十一ぐらいのときに会うて、今度は赤ちゃん抱いてて、「久々やのう、なんや赤ちゃん抱いて。どっからペチってきてん？」ちゅうと「いややわぁ。なにゆうてんのん。うちの子に決まってるやんっ！　でもなぁ男が誰かわからんねん。だいたい思いあたる節はあんねんけど、その思いあたる男が多すぎてムチャクチャ入り組んでるから、なにがなんかわからんようになって考えんのんダルいし、どっちにしてもうちが腹痛めて産んだ子には違いないから、男は誰でもええわぁ」ゆうて、これまたケロッとぬかして、ちょっとの間は子育てに励んでたみたいやけど、男作って子供ほって家出したようで、それからの消息は知らんねんけど、近所では川西さんとこは、ほんま娘さんに苦労かけられっぱなしで子供もおばあちゃんが懸命に育ててるらしいけど、見てる方が痛々しくてつらいわっちゅう噂が流れていた。

バットはやめとけ

その日は八のつく日で、俺んちの前の文化に挟まれたジャリ道を抜けた郵便局前の広い道では夜店が立ち並び、子供ははしゃぎまくっていた。

夜店もそろそろ店じまいかなぁちゅう感じで、外のざわめきもおさまったころ、もうじき九月も終わりやっちゅうのに暑いのう思て、俺が家で扇風機にあたりながらナイターー中継を見とったら突然ドアが開き、ケンジが入ってきて、「チュチュ助けて！　マクがしばかれてんねん」ゆうて、血相を変え、息すんのと喋んのとがチグハグになってるような感じでガナり散らしよってん。

俺は脱いでた甚平をはおって「どこでやねん？　どこの奴や？」いいながら中坊のとき草野球で使ってた青い金属バットを握り、表に出てん。

「俺も、さっきまでしばかれてててんけど逃げてきて、相手がようけやからツレ集めにきてん。たぶん日食の奴らと思うねんけど税務署の裏でボコボコにやられてもうて、そのうちの一人が天六のなんちゃら組っちゅう組の名前騙っとおんねん」

「なんでそんな奴らとケンカになっててん？」

「淀川でラリこいてフラフラ歩いとったら、ソイツらがガンつけたゆうてイチャモンつけてきて、マクが誰にぬかしとおんねんゆうて相手しばいたらケンカになってもうてん」

「〈錦湯〉の前らへんに誰かおれへんか見ていこうぜいっ」ちゅうて走りながら喋り、キョロキョロしながら〈錦湯〉を通過し〈龍亀〉の店ん中に目をやるとカンがなにか食うとったんで、ドアを開け「カン、ケンカや！　マクがやられとんでぇ！　税務署裏に来てくれっ」ちゅうて再び走りだすと、カンはチャーハンをレンゲで食いながら追いついてきてん。「こんなとこで、わしらにケンカ売っとんのん、どこの誰や？」ちゅうて、そこら中にボロボロ落としながらまだ食うとるから「お前、いまからケンカやど〜。なに考えてんねん！　普通そんなん鉢ごと持ってけえへんでぇ」ゆうてんのに、カンは「そうかのう。そないいうてもしゃあないやんけぇ。メッチャ腹へってて、やっとメシにありついたのに置いて行けるかいっ。もったいないやんけぇ」いいながら食い終わると、その鉢を投げ捨てよってん。

「ほんでもカン、金払《はろ》てきたんかあ？」

「アホかい！　そんな暇あるかいっ。それより相手どこのやっちゃあ」ゆうたところで、現場近くの〈サンチェーン〉のとこまで来たんで、「こっから歩いて息整えながら行こうぜっ。どうも日食の奴みたいやでぇ。なんか組の名ぁ騙っとおるらしいでぇ」ゆうて走るのをやめてん。「ほんまかぁ日食の田舎者がなにとち狂ったことぬかしとおんねん。笑わしよんのう」ちゅうたカンを見ると、パーマがビッシィーなっており「なんやカンお初かいっ？」ちゅうと「おうよっ！　ニグロピッシィ〜ンいったたぁ」ゆうて、志賀勝そっくりの顔に、つむじまで届きそうなソリコミと頭にひっついて海苔のようなニグロに、紺のシャツとスラックス、薄紫の腹巻きを露出させ雪駄履きで、この風貌があれば怖いもんなしやのう思いながら歩いてると、アホが十人ほど雁首揃えてるのが見えてん。

マクはボコボコにされており、俺が「お〜いマク〜助けに来たぞ〜」ちゅうとホッとした顔で上を向き「お〜チュチュ〜、カン〜待ってたでぇ〜だいぶんやられてもうたわぁ」ゆうてん。

するとカンが「ちょ〜ちょ〜ちょう待ってくれい、ションベンやっ。お前らいましばきに来んなよ」ゆうてズボンを降ろして、ジョンジョロリンジョンジョロリ〜ンとションベンしだし、俺の方を向いて「バットはやめとけ。パクられたら凶器準備集合罪ついてくんど〜。そこに置いとけやぁ。そんなんのうても、あんなションベンたれ楽勝や！」

ゆうんで、お前がションベンたれやんけぇ思いながらバットを捨ててん。

ほんでカンが相手の中に割って入り「誰や、ヤクザの名前出したん。どこや、ちゃんと名乗れ。きっちりケツまくって落とし前つけにいったらあ！」ちゅうと、横からケンジが「兄貴ぃ！　どないしますのん。事務所に連絡して集合かけまっかぁ？」ゆうんで、ほんま役者やのうと思い肩を震わせ必死で笑いをこらえながら、今度は俺が「だ〜れかな〜極道の名前騙ってんのんは。どこの組かはっきりゆうてちょうだい！　事務所乗り込んできっちりケジメつけさせてもらうさかいっ」ちゅうても誰もなにもいわず、ただ呆気にとられたようにボッサーッとしており、「マク〜どいつやねん」ちゅうと「あのガキや」いうて一番でかい男を顎で指してん。

カンは雪駄を脱ぐと、二メートル近い大男のソイツの前まで行き、下から見上げながら「ワレかい！　組の名前騙ってのんはぁ。ヤケドしてから泣き入れても知らんど〜」いいながら両手に持った雪駄で大男のホッペをパ〜ンと叩き、なんで両手やねん！　まるで漫画やんけぇ思とったらケンカが始まってもうてん。

そないなったら相手が倍ぐらいおってもケンカ慣れしてるこっちのもんで、二人一組になって一人ずつグチャグチャにいわしていくねん。なんぼまわりからどつかれようが蹴られようが目指した奴一人を二人でボッコボッコにどつき倒すねん。

ほんで俺とカンでその大男が泡を吹くほどしばき倒し、次は誰やと思い顔を上げると、物干竿を架ける木を引っこ抜いて振りまわしてきた奴がおり、振りぬいて身体がよたったとこをカンと二人でダブルキックをかまし、ソイツがひるんだ隙にボコボコにしててん。今度はマクらがちょっと不利になっとおるんでそっちへ行くと、「チュチュ！コイツが一番いちびって、あんなへたれそうな顔してエラそうにぬかしてどつきまわしよってん」ちゅうんで、見ると茶髪に軽いパ〜マ、ヤクザの好きそうなダブっとした光沢のある赤いシャツを着ており、いかにもいちびり好きそうなガキで、「よっしゃあ！」ゆうてどつきまわして、髪の毛つかんで壁にガンガン頭を打ちつけたってん。ほんなら急に重なったんで「こらぁワレ！　なに寝たふりさらしとんじゃあ」ゆうて起こしたろう思て、再びガンガンゆわしたけど起きよれへんから、こらあかんわ思て投げ捨てたら、ゴッツ〜ンゆうて角で頭を打ったようで血の泡を吹いてウ〜ッとうなっとおるんで「こらぁサッサと起きんかいっ」ちゅうて蹴り入れたらピクリとも動かんようになってん。「ほな、さいなら〜」ゆうて、ちゃう奴とこ行こうとしたら、のびてる何人か以外はみんな寮へ逃げ込んだようで、それでもキレてしまっている俺らは寮の下まで行って「出てこんかいっ！」ちゅうて石投げて窓をバリンバリンと割っとってん。ほならサイレンの音がだんだん近づいてきたんで「逃げろいっ！」ちゅうて、そこを離れてん。

みんな、どつき過ぎて手が腫れあがり、血だらけで、服にも血が飛び散っており、「とりあえず手ぇ洗おうぜっ」ちゅうて俺んちに帰っててん。

さっきのケンカの話をしてゲラゲラ笑い、腹へったんで、カンが「俺、まだチャーハンの金払てないから〈龍亀〉行こうぜいっ」ちゅうて、俺んちを出てん。〈龍亀〉で俺らはマーボー丼や中華丼を注文し、カンもラーメンを注文し、さっきチャーハンの鉢を投げてもうて、どこ行ったかわからんことをオッチャンにいうと、えらい怒られよったけど、馴染みやから許してくれよって、それから〈錦湯〉で風呂入って帰っててん。

悪いことは重なるもんで

ゴンジがバイトを始め、俺も見習わねばと思い、十月から〈サンチェーン〉でバイトを始めた。夜中になると家に帰る奴とゲーム喫茶なんかで遊ぶ奴とに別れ、週一、二回は朝まで遊んだりもすんねんけど、俺は金がなかったんでゲーム喫茶に行っても人がやってんのを見るだけでおもんなかったんで、夜中から朝にかけてバイトしたいと思ってて、たまたま〈サンチェーン〉の前を通ると朝までのバイトを募集してたんで探す手間が省けたと思てバイトさせてもらうことになってん。

バイトっちゅうても夜中やから、漫画の本を見てることが多く、賞味期限切れの弁当やおにぎりを捨てたり、パンを並べ替えたりジュース類を詰めたりすることぐらいで、ほとんど座ってるだけで、暇でボッサ〜としてることが多く、ツレもしょっちゅう遊びにきて、俺一人のときなんかは「チュチュ〜これパクってええかあ？」「ええでぇ〜っ」てな調子で、いろんなもんをパクっていきよんねん。いろんな奴が「チュチュ〜俺も行ってなにか持って帰ってもええかあ」っていいよるんで「ええでぇ」とかゆうて、シャンプーや石鹸などの生活必需品はダースで持たして、俺ももろてててん。
一、二週間したころ店長に「吉永君のバイト中にはえらいようけモノがなくなってるから万引きには気をつけるように」といわれてん。
その翌日、俺が賞味期限切れの商品をチェックしとったら、チンピラみたいな男が二人入ってきよってん。店長が、レジで値段の打ち間違いしたようで、落とし前としてなんぼか金を出せといわれ、胸ぐらをつかまれガタガタ震え、いまにも金を出そうとしてたてん。胸ぐらをつかんでる奴が主犯で、もう一人はソイツのパシリのようで、おどおどキョロキョロして誰か人がけえへんか探っとおんねん。ほやから、その主犯の奴をゆわしたったら、もう一人の奴はビビって逃げてまいよるやろう思て、近づいていって、いきなり顔をしばいて腹に蹴り食らわしてどつきまわしたってん。ほんならやっぱりパシリ風の奴はなにもようせんと、ボッサ〜となって見てるだけで、その主犯の奴は身体を痛々しく引き摺りながら「なんじゃあっこの店は。ようおぼえとけよ！」ゆうて捨てゼリフ吐いて逃げてまいよってん。

俺とすれば「ようやった！」ゆうて店長に誉められると思たのに、怯えるような目で俺を見て「吉永君いくらなんでも暴力は困るなぁ。さっきも五〇〇〇円ほど渡しとったら大人しく帰るやろうから渡そうとしとったのに。それに殴られたら警察呼べばえええねんから、気ぃつけてもらわんと。このことが問題になったら辞めてもらうことになるかもしれんから覚悟しとくように」といわれ、その日はなんとなく気まずい雰囲気で、朝七時のバイトが終わる時間までおってん。

帰ってから学校へ行くと悪いことは重なるもんで、二階に上がり女子ロッカーの前を通り三階への階段に行こうとすると、えらいガンくれてる図太のでかい奴がおり、コイツが噂の野川かぁ思てん。弟が一年におり、ソイツがまたどうしようもないボン中で、弱きを挫き強きに巻かれるという典型的なへたれの嫌な奴で、その弟をしばいた奴には必ず兄が仕返しにいってしばき返し、しばいた奴の友人までしばいて、恐喝まがいのことをゆうて金をまきあげるらしく、その噂を聞いてちょっとムカついてたもんで、わざと肩をぶつけていったってん。

ほんなら「お前ちょう待てや！　誰にぶつかって知らん顔して行こうとしとおんねん」といわれ、しめたあ思て「誰が誰やねん。お前誰や！　わしは十三の吉永やぁ！」ゆうと「お前が吉永かぁ。俺は野川や！　お前園芸でわしのこと知らんのんかいっ！」とほざきよるもんで「知らんなぁ」ゆうて、とりあえずパチキ[1]食らわして腹蹴り上げたってん。ちょうど登校時刻でごったがえしており、すぐ先生が止めに入ってその場はそれで終わり、「あとでサシでやろうぜっ」ちゅうて別れてん。

1　朝鮮語で頭突きのこと。パッチギ

ほんで授業を受け、次の休み時間に野川のパシリが来て「三、四時限目が実習で誰もおらんから、三限目と四限目の間の休み時間に三年の造園科まで来い」といわれて、三限目の授業がちょっと早いこと終わってんけど、まあええかあ思て行ってん。

野川らはサボっとったようで、サシやゆうてたのに中に入ると五、六人おってん。とりあえず野川んとこまで行って「ワレェ。エラそうなことゆうとって、ええ根性してるやんけぇ」ゆうて顔を二、三発どついたとこまでおぼえてんねんけど、あとは全然記憶がないねん。

黙っとったら十三がナメられてまうねん

気がついたら便所らしきとこに倒れて、制服が埃まみれになっとって、あれぇ？　どないしてんやろう思て、埃を払い落とし、フラフラ歩いとったら誰かに「こんなとこで、なにしてんのん？　次、チュチュの好きな体育やでぇ。早よ着替えな」いわれて、えっ？と思て「お前、着替えなぁゆうて、どこで着替えんねん？」と聞くと「チュチュ〜なにゆうてんのん？　こっちゃん」ゆうて俺を教室まで連れていってくれ「これがチュチュのロッカーやん」ゆうてロッカーまで教えてくれてん。そのロッカーを開けるとチャンピオンの水色のジャージがあり、それに着替えてん。

どこに行ったらええかわからんもんで、とりあえず運動場やろう思て、適当に階段を降り、フラフラフラフラ歩いとったら誰かが寄ってきて「チュチュもう始まってんでぇ、早よ行かな」いわれて、そないいわれても、どこに行ったらええんかわからんもんで「どこに行ったらええねん」ちゅうと「今日は体育館で走り高跳びやてぇ」ゆうて体育館まで連れていってくれよってん。

ほんで気がつくと俺の跳ぶ番やったらしく「吉永ぁなにしとんねん。早よ、跳ばんかいっ！」と体育の鬼タメにいわれて、いつものように背面跳びしてん。

落ちた瞬間は意識があって、みんなが駆け寄ってきて「チュチュ、チュチュ、チュチユどないしたん？」という声や、鬼タメが「吉永ぁどうしたぁ？　吉永ぁ大丈夫かぁ」というてんのはわかってんねんけど、だんだんだんだんと意識が遠のき、気がついたら保健室のベッドの上で、脇には野川がおり「吉永ぁ頼むから俺のことはいわんとってくれえ！　俺が悪いねんけど、いま日数がギリギリやねん。これで停学になってもうたら、またダブらなあかんねん。もうこれ以上ダブりたないから頼むわぁ！」と涙を流しながらいい、男のくせに人前で泣くなやぁ、泣くぐらいやったら最初からすなやぁと思てんけど、また気が遠なってきたんで「わかったわかった」ゆうて、またどっかいってしもてん。

次に気がついたら救急車ん中で、上川という化学科の先生がいて「吉永ぁ大丈夫かぁ」と声をかけられ「先生が暇で俺の付き添いになってんやぁ」ゆうたところでどっかいってしまい、今度は車椅子で運ばれてるところで、誰かに「マーちゃんどないしたん？マーちゃん大丈夫かぁ」いわれて見ると、ちっちゃいころ隣りに住んどった市場の肉屋のオバチャンで「オバチャンこんなとこでなにしてんのん？」「知り合いの見舞いに来てん。あんたこそどないしたん？」いわれたところでどっかいってもうて、なんか冷たいなぁ思て気がつくとクリームを塗りながら、理科の電池の実験で使うようないろんな色の銅線が頭や胸や身体のいたるところにひっつけられて、そのクリームを指先で塗られるときにヒヤッと冷たさが走るようであった。

いつの間にかドーム状の中に寝かせられていて、右上に行ったり左上に行ったり揺りかごのような動きでゆっくりと左右上下に動かされ、なにしてんねんやろう思たとこで、またどっかいってもうて、次に気がつくと、おかんや木下みさと、担任の俊さんや大崎先生、池田の叔母ちゃん、三谷たちがいて、みんな口々に「大丈夫か？」といい、俺にはなにをゆうてんのかわからんし、ションベンしたかったんで便所に行ってん。

ションベンし終わり手を洗って鏡を見ると、そこにはメッチャ短いニグロをあてた俺がおり、なんじゃぁこりゃ、いつの間にこんな短いパーマをあててん。もっと長い金髪やったはずやぞ〜と思い、慌てて元いた大部屋に向かってん。途中、俺はこんなとこでなにしてんねんと思て、部屋に戻っておかんに「なんやねん、俺の頭こんな短いパーマあたってるやんけぇ。それに俺バイトに行かなあかんやんけぇ。いま何時やねん？」と聞くと「あんた、なにトンチンカンなことゆうてんのや！　こないだパーマあててきとったやんっ！　それに今日はこんなケガしてんのにバイトなんか行かんでええ。休んどきいっ！」といわれ、えっ？　俺、自分でパーマあてに行っててんやぁ。全然知らんかったやんけぇ。どないなっとんねん。でも中華屋は休まれへんぞう。店長や金田さんやみんなメッチャ忙しいのにぃ思て「あかんあかん、バイトは休まれへん。みんな待ってるから行かなあかんねん。でもここ、どこの病院やねん？」とかゆうてる間にまたどっか行ってしもたようで、次に気がつくと真っ暗になっており、シーンとしててえらい気持ち悪いのう思て部屋から出て、ションベンしに行っててん。

なんで俺がこんなとこおらなあかんねん思て、便所から出ると横に非常口と書かれたドアがあり、ドアを開けると目の前には背丈ほどの壁があり、よじ登ると広い道路が走ってたんで、道路に降り、少し歩いているとタクシーが来たんでそれに乗ってん。ほんで行き先を十三と告げ、走り出すとすぐに１７６に出てん。

どうやら俺がタクシーを拾た場所は石橋のようで、なんで石橋の病院なんかにおってんやろう思て、時計を見ると夜の十時ごろやってん。いつの間にか寝てしもてたようで十三近くになって起こされ、家の近所の郵便局前でタクシーを停め、一銭も金がないんで、家におかんがおったら金払いに来て、おらんかったらブッチしたろう思て、タクの運ちゃんには「家すぐそこやから、金取ってくるまで待っとってぇ」ゆうて車降りてん。

家に帰るとおかんが誰かと喋ってるようで、パジャマ姿で入っていくと「あれっ？

マサユキちゃうかぁ」ゆうて電話の受話器を押さえ「マサユキ！　あんたどないしたん？　病院は？　どないして帰ってきたん？　金は？　もう、あんたのことであんたのツレから電話がジャンジャン入ってうるそうてしゃあないわぁ。いまもイーマンと喋っとってん」ちゅうてん。

電話をとるとイーマンで「チュチュ〜どないしてん？　誰にやられてん？　お前にそんなことするなんて十三に弓引いてんのんと同じやねんっ。わしがいてもうたる」といわれ、最初はなんのことかさっぱりわからんけど、徐々に思い出してきてん。

「園芸で豊中中出身らしいねんけど、野川ゆう奴で、最初ケンカになって先生に止められて、サシでしようぜいっゆうて行ったら、五、六人おって、気がついたら病院におったからどないなったかわかれへんねん」

「なにぃ！　お前一人相手にそんなようけおったんけぇ。それ袋やんけぇ。相手がそうやってやってきよってんやったら、わしらも袋にしてもうたろかぁ。チュチュ心配いらんからなぁ。わしらがきっちりケジメとって話つけたるからなぁ。それにチュチュどないなっても止めんなよ。これはお前一人の問題やのうて十三の問題やねん。これでわしらが黙っとったら十三がナメられてまうねん」

と、いわれたところでタクシーを待たしてることを思い出し、おかんに「タクシー待たしてんのん忘れとったたあ。金払てきてえ」ゆうて、おかんは「もう、あんたいまごろなにゆうてんの！　もっと早よ、いいやぁ」いいながらも行ってくれよってん。ほんでイーマンに「みんな心配しとおるから早よ治せや」いわれてん。

ほんまにツレがおってよかったなぁ思て、嬉しさを嚙みしめとったら、カンから電話があって「なんや、お前入院してんちゃうんかい？　さっきから電話してんねんけど話し中で、やっと繋がったわぁ。どないしてん？　しばかれてんやてえ？　誰やねん？」ゆうんで、さっきイーマンにゆうたように説明したら「ほうかいっ！　豊中の田舎モンがなにさらしとおんねん。まとめてゆわしたらなしゃあないのうっ。お前に手ぇ出したっちゅうことは十三ナメてるっちゅうことやからのうっ。ナメたらどないなるかわからんガキにはきっちり教えたらなあかんやんけえっ」ゆうて、ほとんどイーマンと同じノリで、やる気満々になってるようで、なんとも心強い連中をツレに持ったなぁと、すごい嬉しかってん。

おかんが帰ってきて「マーちゃん、なんやぁ病院のスリッパ履いて帰ってきたんやぁ。タクシーおらんかったでぇ。近所をちょっと見てまわったけど、どこにも待ってへんかつたわぁ。あんたが早よ、いえへんから乗り逃げや思て、タクシー行ってもうたんやわぁ。ほんま悪いことしたなぁ」ゆうて、しゃあないからもう寝よかゆうて寝てん。

朝、電話の音で目が覚めて、おかんが出たら学校からで、俺がおらんようになったゆうて病院中大騒ぎになったらしく、俺んちの電話番号を控えてなかったため、朝、学校に電話あり、慌てて俺んちへ電話したようで、昼までには病院に戻ると告げ、電話を切ってん。ほんで〈ライラック〉でモーニングをもろて病院に戻ってん。

病院では看護婦さんに、黙っていなくなったことで怒られ、医者には「若いから元気がいいですね。でもまだ意識が朦朧としてるでしょう。記憶もとぎれとぎれになってるでしょう。ここ一週間のうちに意識も記憶も戻るでしょうから心配しないように」といわれてん。

おかんに聞いた話では、最初に目が覚めたとき、おかんに「あんた誰？　ここどこ？」ゆうてまた寝たそうで、それに中華料理屋でバイトしてた一年前に記憶が戻ったことなどから考えると、俺のは一時的に記憶を失う健忘症という症状で、これは脳が瞬間的に予測できないとこから強い衝撃を受けたときになり、衝撃を受けたその瞬間と前後の記憶は完全になくなってしまうらしい。

俺の場合は後頭部に打撲が見られることからバットか棍棒、鉄パイプなど、なにか硬いもので、いきなり強く不意討ちのようにやられたんやろうということであった。

しばらくの間、安静にして頭を休ませ、脳に激しい衝動を与えるような運動はしないようにといわれてん。

その日の夕方、授業が終わったころ、担任の俊さんと副担の大崎先生と、もう一人先生が見舞いにきててん。

俺のツレが七、八人、単車で学校に来て「野川出てこ〜い」ゆうて校門や裏門でアクセルふかしまくり、何度か校内に入りそうになったんを先生らが止めて、手の空いてる先生が交代で見張りをしてたらしく、生徒らも窓から顔を出したりして授業にならず、明日も来るようやったら、やめるようにゆうてくれといわれてん。

俺は「知らんなぁ。俺のツレが勝手にやっとおること、なんもいうことでけへんわあ。それにだいたい野川が汚いまねさらしよったからこないなっとんのに、当の本人は見舞いにもけえへんやんけぇ」とゆうと「吉永ぁ、そないいわんとお前のツレを止めれんのはお前しかおらんねんから頼むわぁ」いうて帰っていってん。

翌日、学校の昼休み時間ぐらいに野川がおどおどして担任に付き添われてきよってん。「すまんかった」ゆうて詫び入れよってんけど「お前なんじゃぃっ。先生にゆわれな来られへんのんかぃっ」ちゅうと、俺のツレがおるかもしれんのが怖かったらしく、ほんで誰に電話番号聞いたか知らんけど、野川の家に「野川出せぇ」とか「山に埋めてもうたる〜」とか「簀巻きにして放り込んだるからの〜」ゆうてジャンジャン電話がかかってきてるそうで「家族にも迷惑かかるからやめさしてほしい」とゆうてきよってん。

でも俺は知らんかったんで「ほんまに俺のツレがやっとおんか？　他に恨みもたれてる奴ようけおるんちゃうんか？」ゆうたってん。野川はいつも弱い者や年下をイジメとったから、今回、便乗して嫌がらせする奴もおるかもしれんと思とってん。でも、もし俺のツレの仕業やったら、かわいそうやから、やめるようにゆうたろう思てん。

三時ごろ、ツレが何人か見舞いにきてくれよってん。

「今日も園芸行ってきたでぇ。野川ゆう奴、ビビってもうて全然出てきやがれへんねん。こないなったら待ちぶせするか家行くしかないのう」ってゆってたんで「先生には手ぇ出してないやろなぁ」ちゅうと「先生なんかに手ぇ出すかいなぁ。話ややこしなってもうて、野川どころの騒ぎやのうなってまうやんけえ。それに一応目上やから、ゆうことは聞いたってんでぇ。それにチュチュが世話んなってる先生もおるやろ。そんなん顔つぶしまっかいなぁ」ゆってたんで一安心してん。

「誰か野川とこ電話してんのん？」と聞くと「おう、何回か電話したけど親が出しよれへんから電話してもあかんなぁ」ちゅうんで「今日、野川が見舞いにきよってなぁ。家にイタ電がジャンジャンジャン入って怖いゆうてビビって泣いとったでぇっ」ちゅうと「俺らジャンジャンゆうほど電話してないでぇ。なにぬかしとおんねん」ちゅうんで「電話はやめたってほしいねん。やっぱ家族を巻き込んだら相当こたえると思うからやめたってくれや！」ちゅうと「わかったわかった。親が出してくれよれへんからやってもしゃあないしのう。でも、お前が登校できるようになるまでは学校には行ったるで」とかゆうて帰りよってん。

するとと今度はツレが帰るを待ってたかのように、タイミングよく先生らが入ってきてん。

ツレらが学校に来るのをやめるようにゆうてくれっちゅうことで、「俺が登校するまで行くっちゅうとったからなるべく早よう出ていくわぁ。でもたぶんこのままでは治らんと思うでぇ。文化祭なんかヤバいんちゃうか」ちゅうと「吉永ぁそんなことゆうなやぁ。文化祭になにかしようと思てんのんか？　そんなんせんとってくれよ。頼むぞ！いまみんな居残って催し物をいろいろ作っとおんねんから、それをぶち壊すようなまねせんとってくれよう」といわれてん。

「そんなもん知るかいっ。俺にばっかりいわんと野川にもいえやぁ。俺を汚ない手でしばいてんから、潔う十三の連中にしばかれてこいって。そないゆうても野川が出てきよれへんかったらどないなるか知らんでぇ。それでのうても野川以外の奴、誰がおったか思い出せんで苛々しとんねん。野川に聞いても〝それは勘弁してくれっ〟ていいよるし、そんな虫のええ話あるかいっ。それやったらワレの身体に聞いたろやないけってゆうてるだけやんけぇ。ガラ渡すかゆうかどっちかしかあるかいっ」

ちゅうと、先生らは肩を落として帰っていきよってん。

ちょっといい過ぎたなぁ、明日から学校行ったろう思て看護婦さんとこ行って「今日で退院しますわぁ」ゆうて荷物まとめてん。

看護婦さんには「そんなこと聞いてないんで困りますう。まだ脳波も乱れてて検査もいっぱい残ってるんですから。外泊なら許可しますんで勝手に退院するなんて決めないで明日戻ってください」といわれてんけど「学校に行かなあかんから、とりあえず明日学校終わったら来ますわぁ」いうて出ていってん。

家に帰ったら、おかんは仕事に行ってておらず、ツレに電話しよう思ててんけど、えらい眠たなって、そのまま寝てもうてん。

夜中、おかんが帰ってきて「あれっ、マーちゃんどないしたん？　もう退院したんか？　病院の金は？」と矢継ぎ早に聞き、叩き起こされてんけど、えらい眠かったんで適当に返事して、また、ねむの森に入ってもうてん。

翌朝、〈コナ〉に行ってみてんけど誰もおらず、しゃあないから一人でモーニングもろて、遅刻して学校行ってってん。

学校では先生やみんなが「もう退院してきたんか？　大丈夫か？」ゆうて驚き、次の休み時間には職員室に呼び出され、病院を勝手に退院したことで怒られ、戻るようにいわれてんけど、「今日病院に行ってちゃんと話して、どうしても入院せなあかんねんやったらまた入院するから」ゆうてん。それから、また文化祭の話になり、鬱陶しかったんで「野川にはなにもいわんと、俺にばっかりそんなグチャグチャゆうんやったら学校にはけえへんわい」ゆうて教室に戻ってん。

ほんで授業に出とったら単車の音が鳴り響いたんで出てみるとケンジやイーマンらで「なんやいつ退院してん？　昨日行ったときおったやんけぇ」ゆうて驚いており「もう退屈で退屈で死にそうやったから〝退院します〟ゆうてブッチしたってん。でも、もう学校来てるから来んでええでぇ。なんぼ来ても野川逃げとおるから出てきよれへんでぇ」ゆうたら「わかったわぁ。チュチュ、もう学校ブッチして俺らと一緒にいのうやぁ。サ店でも行こうぜいっ」ちゅうもんで、もう病院はええかぁ思て、そのままケンジの単車のケツに乗って帰ってん。

みんなでサ店に行って、文化祭でやってまおうゆうことで話しがまとまり、もし逃げておらんかったらクラスに乗り込んでグチャグチャにやってまおうぜいっちゅうことになってん。

十三軍団の恐怖

夜、退院するまで休みをもらっていたバイト先の〈サンチェーン〉に行き「退院したんでいつからでも来れます」といってん。

すると、いままでの分のバイト料を渡され、俺が未成年なので、未成年を深夜に働かすわけにはいかんという理由で解雇になったことを知らされてん。いきなりのことでムカついたもんで「それやったら電話したときゆうてくれや！　ほんまはあのケンカが原因やろうっ」ちゅうたけど、とりあってはくれず、ほんまおぼえとけよと思て帰ってん。

翌日は学校をサボりイーマンちに行ってラリってん。みんなは「大丈夫かぁ？」ちゅうていってくれてたけど、ラリってしまえばこっちのもんで、なにもかも忘れてまうから関係あるかいっちゅう感じあった。

ほんで家に帰ったら木下みさとが待っており、俺がシンナー臭かったんで「あんなことがあったばかりやのに、なにやってんのん。そんなんが一番脳を刺激するんちゃうのん」ゆうて涙ぐみ、それが頭にきて「俺はボン中やから、あんなことぐらいではやめられへんのんじゃあっ。ほんま女を武器にしてメソメソメソメソするような、お前みたいな女、ムカつくんじゃあ。ほんま犯してもうたろかあ」ゆうてヤりかけてん。でも、みさとの悲しそうな、宙に投げられたような目を見ていると、俺みたいな奴が、こんな真面目なコにこんなことしたったらあかんねやと思い、またできんかってん。

次の日は学校に行くゆうて、みさとと約束しとってんけど、やっぱりブッチして、カンとパチンコに行き、カンがかなりゆわしよったんで昼メシおごってもろて、そのあとイーマンちに行っても誰もおらんかったもんで、モックんちへ行ってラリもろて、家に帰ると、担任と隣りクラスの担任、生活指導の花田が来とおってん。

ほんで「文化祭では、なにもせんと約束してくれぇ」ゆうてガンガン責められ、花田に「当日は池田警察にお願いして私服の警察の方に来てもらうことになってるから、ケンカしたら捕まるぞ」といわれ、アホかこのオッサン! 高校の文化祭やぞ、そんなガキの集まるとこに私服が来てもすぐわかるに決まってるやんけぇ。勝手にさらさんかいっ思てん。

「なんぼいわれても、俺がやるんやのうてツレが勝手にしよんねやんけぇ。そんなもん俺一人で止めよう思ても止まるかいっ。俺はなにも知らんし関係ないでぇ。アイツらがなにしようとアイツらの勝手やからのう」ちゅうと「お前のツレなんやから、お前がいうて止めてくれやぁ。俺は自分の学校がムチャクチャになってまうんを指をくわえて眺めているだけにはなりたないねん。知らん顔はできんねん」ゆうて泣き出し、このオッサンええ歳こいてなに泣いとおんねん思てん。

しかし、良心の呵責もあり「俺がいうてもあかんかったらどうすんねん」ちゅうと「そんときはしゃあないやんけぇ、ただしお前だけはなにもせえへんと約束してくれえ」といわれ「わかった約束する。ほんでツレにもやめてくれるよう頼んでみる」ゆうて、先生方にはお引き取り願ってん。

その晩、カンに「やめてくれへんかぁ」ゆうて頼んでみてんけど、「アホかいっ！このままナメられっぱなしで放っとけるかい。なんべんもゆうけど、もうこれはお前だけの問題とちゃうねんぞ。十三全体の問題やねん。わしらがあんなけ行ったのにシカトされて詫び入れにもきよれへんやんけぇ。わしらのこともナメとんねん。なんぼお前にいわれても今回は聞けんでぇ。そんなナメとおる奴、いっぺんギタギタにゆわさな気が済むかいっ。でも、お前は自分の学校やねんから手ぇ出さんと遠目で見とったらええねん。ほんなら関係ないやろう」

「でも私服呼んであるてゆうとったでぇ」

「ほんなもん関係あるかいっ！　出てきよったらしばくか逃げるしかないやんけぇ。お前には迷惑かけんと、わしらだけでやるから心配すんなや」

といっても、もうすでに迷惑かけてるっちゅうねん。でも、もうこうなった以上しゃあないわ思てあきらめてん。

学校は文化祭ムード一色で、みんな一丸となって催し物の用意をしており、しかし俺がなにかすんのんちゃうかという妙なピリピリとした空気も広がっており、なぜかヨシノリや三谷は「チュチュ、俺らもやるからなぁ。ちゃんと呼んでやぁ」ゆうてヤル気満々で、セッキンは「チュチュ、やめとけやぁ」心配しとおった。俺は先生らにツレを止めたけどあかんかったことを伝えておいた。

文化祭の前日、野川に呼び出された。「必死で謝ったらどないなんねん？　俺はどないしたらええねん」ちゅうて、えらいビビってゆうてきよったんで「ツレは絶対にいてまうゆうて、息巻いとおるから、ほとぼりが冷めるまで逃げ続けるか、ガラ渡して、しばき倒されるかしかないでぇ。でも俺が乗り気とちゃうから、たぶんこのままいけば家まで押しかけることはなさそうやわぁ。すぐにほとぼり冷めてまうと思うでぇ」ちゅうと、少し安心したみたいで教室に戻りよってん。いちいち俺にお伺い立てに来んでも、男やったら自分で何とかしようとせえっちゅうねん！　それでのうても俺のツレより園芸の不良の方が断然数が多いのに、一応ツッパってんねんやったら、返り討ちにするぐらいの気持ち持っとけよと思てん。

教室に戻ると、高木という教師が、文化祭についての注意や説明をしているところで、俺が遅れてきたことをグチャグチャいい、いわんでもええのに俺のツレのことを茶化して「ああいった連中も来るんで、ケンカの元を作らんように充分注意すること」とゆうたもんでカチンときて「高木ぃ！　それどういう意味じゃぁ」ちゅうと、顔色がサッと変わり、そのまま無視して、みんなに喋りだしよったんで、ほんまムカつくガキやのう思いながら窓際の自分の席に座ってん。

話が終わり「飾りつけがあるんで各自机と椅子を外に出すように」と締めくくったんで、さっきの仕返しじゃあ思て、教室がある三階の窓から机と椅子を放り投げたってん。ガッシャーンと大きな音を立てて中庭に落ち、その音にビビッた高木は慌てて窓に駆け寄り下を見て「誰やっ！　こんなことすんのんわぁ。下に人がおらんかったからええようなものの、おったら大ごとやぞっ」とイキってゆうとおるんで「俺やぁ、先生が外に出せゆうから出しただけやんけぇ」ちゅうと「吉永ぁ、外ゆうても窓から放り投げる奴がどこにおんねん。常識で考えたらわかるやろう。学校の備品にそんなことしやがってぇ。壊れとったらお前の机と椅子はなしやぁ、すぐ拾てこい！」といわれてん。

クラスの奴ら、最初はビビって声も出んようになっとったけど、すぐに大笑いし、俺は机と椅子を取りにいってん。高木の上からものいう、いい方が気に食わず、机も椅子もちょっといがんでるだけで壊れてなかってんけど、無理矢理叩き壊して塀の外へ放り出したってん。教室に戻って「壊れとったから体育館横の倉庫に放り込んできましたぁ」ゆうて高木に報告して終わってん。

ほんで文化祭の準備ちゅうても、俺にはやることがないんで、ヨシノリや三谷らとサ店に行き、そのあと病院に寄ってん。

医者には嫌味をいわれたが、若いからか回復力はすこぶる早く、通常の倍近い早さで、ほとんど脳波の異状は見られず、あと数回、週一か隔週ぐらいで通院し、その先は定期的に通えばよいということで、面倒なことにならんでよかったと思いながら帰ってん。

文化祭当日は家にツレらが十数人来て、昼ごろ単車《たんこ》で学校に行ってん。校内に入ると、ツレらは殺気立って目の色が変わり、歩いていくと、どんなに混んでいてもおもろいようにサッと道が開けてん。

俺のクラスに行くと女子らが俺のツレを見てヒソヒソ話をしており、一人が寄ってきて「チュチュさんの友達ってほんまに怖い人ばっかりなんやなぁ。チュチュさんのことは、いつもソフトクリーム舐めながら歩いてたりとか、いろんなところ見てるからそんなに思えへんねんけど、こういう人が友達なんやて、あらためて知ると、やっぱりワルやってんなぁって思てしもたわぁ」と囁いた。

教室ん中は、ツレがタンベやってるもんやから煙が充満しており、そのうちヨシノリと三谷がやって来て、野川が来たらすぐわかるように正門と裏門に見張りを立たせているといった。しばらく喋っとったら「野川がタクシーで来きよったでぇ」と伝令が大声で叫びながら走ってきて、一瞬、その場におった全員に緊張が走り、カンが「ヨッシャ！着きよったでぇ、ゆわしてもうたれぇ」ちゅうて走り出し、みんなあとに続いて正門に向かい、ヨシノリや三谷もついてきて、もうすぐ正門やいうところで、誰かが「野川が逃げていきよったぁ」ちゅうてん。

野川は女と一緒にタクシーに乗って正門につけ、いったん降りて学校に入ろうとし、そこで誰かとゴソゴソと喋ったあと、突然顔色を変え、慌てて女と乗ってきたタクシーに戻り、そのまま乗っていってしまいよったらしいねん。

それを聞いたツレらは「ほんま、へたれで汚いやっちゃのう」ゆうて怒りで身体を震わせ、俺に「チュチュ、野川以外の奴は思い出されへんのんか」と聞き、おぼえてないと答えると「でも同じクラスの奴らやってんやろう？」ちゅうんで「たぶんそう思うでっ」ちゅうといきなり「ほんなら野川と一緒のクラスの奴ら全員やってまおうぜいっ。ひょっとしたら、そん中にチュチュやった奴おるかもしれんし、野川と一緒のクラスやっちゅうだけでも同罪や！」ちゅうて、ヨシノリに「兄ちゃん、悪いけど野川のクラスに案内してえや」ゆうて歩き出しよってん。

頭ん中では、ほんまに私服がおったらどないしようとは思てんけど、いっても聞かない連中なんで、どうとでもなれぇ思てついて行ってん。

野川のクラスではディスコをやっており、教室内は暗くタンベの煙がモウモウとし、三年のワルらが溜ってたようで、そこに俺らが乗り込んだ形となった。

最初はみんななにもせず様子をうかがっていたが、カンがいきなり「なんじゃいその曲は！　俺にわかるようなんかけんかいっ」ちゅうて、レコードプレーヤーが載ってい る机を蹴飛ばし「わしら十三やぁ、野川のツレやっちゅう奴がおったら出て来いっ！野川が逃げよったから、ここにおる奴全員ゆわしてまうけど悪ぅ思うなよ」ゆうて机を抱え、人がようけおるとこに放り投げ、シッチャカメッチャカの騒動が始まってん。

ほとんどの男は逃げようと必死で、逃げた奴は追っかけず、つかまえた奴を次から次へとどつき倒し、机や椅子を投げまくり、窓は割れ、何人かの女が「やめてください、なんでうちらがそんなことされなあかんの」ゆうて理屈をこいても、誰がなにをいおうといまの十三軍団を阻むことは不可能であった。

在学生である俺やヨシノリ、三谷は茫然とし、しかし、いっこうに私服が来る気配がないのでハッタリやってんやぁとわかり、先生が駆けつけたときには教室内はメチャクチャであった。

十三の連中は案外みんな冷静やったみたいで、俺が「先生来よったぞ」ちゅうと、みんなピタッーと暴れるのをやめ、なにごともなかったように「ほな、いのかぁ」ゆうて、先生らにも「ほな、いにまっッサ。すんまへんなぁ」ゆうて歩いていってまいよってん。

先生やまわりの生徒らは呆気に取られ、なすすべもないといった感じであったが、俺はこのままここにおったらヤバい思て、三谷とヨシノリを促して素知らぬ顔して出ていってん。

ツレらは俺を待っていて「チュチュ、みてみいっ！　私服がおるなんてハッタリやったやろう」「ああ気持ちよかったぁ。スッキリしたわぁ」「しばこうとしたら〝許してくださいっ〟ちゅうてピューーッと走って逃げていきよんねん。〝許してくださいっ〟ちゅうて、なんもお前ら悪いことしてないっちゅうねん。俺らがヤカラ入れてるだけやっちゅうねん」とかいって、みんなで大笑いしながら帰ってん。

俺は、お前らなにしにきてん？　本命は野川ちゃうんかいっ。その野川はどないすんねんと思てんけど、きっとアホばっかりやから、ああスッキリしたぁでみんな忘れてまいよんねやろなぁ思いながら歩いててん。

ほんでみんなでＲ１７１から新御を半ば暴走状態で帰ってん。

その後、俺がしばらく学校を休んだため、野川はホッと一安心しよったらしいねんけど、今度はクラスのみんなから、お前が逃げたからこないなったんやぁと責められたらしい。

ラリやめてん

学校を休んでる間、ツレらとラリ三昧で他校の文化祭へ遊びに行ったりしててん。淀ブスの文化祭に行ったときは、知った顔も多く、また顔は忘れてしもてんねんけどお世話になったコも多く、顔を見て互いに「どっかで会うたことがあんなぁ」ゆうとったら徐々に思い出し、俺らもアホやけど敵もやるのうっちゅう感じで、そうやって引っかけてヤりまくってるから、結構軽い気分で乳揉んだりスカートめくったりして騒いでると、私のパンツを見てよとばかりに机の上に立って踊り出すアホな女もいて、そうなったら俺らの餌食で、スカートめくるんはもちろん、スカートの中に頭突っ込む者もおったりで、しまいにはパンツずり下げ、しかし女もまんざらではなく「キャ〜嫌やぁ」とはいってても嬉しそうな顔で、その場から離れようとはせず、パンツん中に手ぇ突っ込んだり、ひょっとしたらオメコん中に指入れた奴もおるんちゃうかなぁと思うねん。

しかし知った顔が多いとかえってテイクアウトしづらく、みんな手ブラで帰ってん。

しかし、そのころのラリが最悪で、野川とのケンカでしばかれ頭を強く打ったせいか、途中で失神したり、挙句の果てには一緒にラリってるツレにケンカを売りまくったようで、こんときばかりはツレに多大な迷惑をかけてん。

　マクんちでみんなでラリしたときは、やり始めてすぐに急にまっ暗闇になり、下から引っ張られるような感じで、いきなり落ちていき、気がつくとマクが上に乗って俺をしばきながら「ワレェ、なにケンカ売ってきとんねん」てゆうとおんねん。俺には、なにがなんだかようわからず「マク〜なにすんねん。やめてくれやぁ〜」ちゅうと「ワレがケンカ売ってきたんちゃうんかぃっ」ちゅうんで、みんなに聞くと「チュチュが悪い。いきなりチュチュがわけのわからんイチャモンをマクにつけだして、それがあまりにもひどうて、しつこいからマクが怒りだしよってん」ということで、俺には記憶がなかってんけど、見てる奴らがそないゆうとおんねんからほんまやろう思て、マクに「すまんなぁ」ゆうて謝って、またラリりだしてん。ほんならまたどっかへ連れてかれるような感覚となり、またわけわからんことをいいだしたらしく、みんなに押さえつけられラリを取り上げられ「もうすんな」っちゅうことになってん。

　イーマンちでやってたときも、いきなり畳が下に観音開きになりスット〜ンと落とされて、その落下中に気がフッと遠くなってまい、気がついたら、俺もイーマンも立っており、イーマンが俺に平手打ちを食らわし「チュチュどないしてん。お前なにゆうてんねん」といっており、俺にはなにがなんかようわからず、やっぱりそんときも俺がイーマンにケンカを売ったらしく、みんなに「チュチュが悪い。イーマンに謝っとけ」と責められ「もうすんな」ゆうてラリを取り上げられてん。

　中学の先輩でペンキ屋で働くボン中のタカオちゃんのアパートに、ケンジと遊びに行ったときも、いきなりフッと気が遠くなり、気がつくとタカオちゃんが馬乗りになって俺をしばいて、「ワレェなにさらしとんじゃいっ」といっており「タカオちゃん、やめてぇや。やめてぇやぁ」とゆうてもボッコボッコにやられてもうて、ケンジが止めに入ってやっとおさまってん。タカオちゃんが、えらいでかい長さ三、四センチもある菱型の石のついた指輪や、一センチ角ぐらいの24金の指輪をしてたもんで、頬骨のところが穴が開いたような感じでボッコオ〜ンとへこみ、タカオちゃんも指や手が腫れまくっとったけど、なんせひどい顔になってもうてん。ケンジが「チュチュ〜タカオちゃんに謝っとけぇ謝っとけぇ」ゆうて、なんでこんな血だるまにされてまで詫び入れなあかんねんとは思てんけど、やっぱ先輩なんで詫びを入れ、深く反省してん。

　ケンジんちでやったときも、気がついたらケンジが馬乗りになっており、俺んちで均一とゴンジとやったときも、いきなり俺が均一とゴンジにパンチを食らわしたらしく、どないなってしもてんやろうと思とってん。

みんなからは「もうチュチュと一緒にラリしたない。チュチュがおんねんやったらやめとこ。チュチュもうラリやめた方がええでぇ。気が狂てきてんでぇ」といわれ、やめようとは思てもなかなかやめれず、しゃあないから一人でやってたてん。

一人のときも何度か気を失ってまい、俺は気をどっかに持ってかれてまうことに対してムカつき、ムキんなって学校へも行かず、おかんがおる昼間には、淀川の藪ん中やマンションの屋上なんかでラリりまくったたってん。

ほんなら内臓や喉や、いろんなとこが痛なってもうて、ある夜、胸がムカムカして咳でゲホゲホして、腹の底からなにかが出てきそうな感じでえづき、家の炊事場で吐いてん。喉が詰まりそうなくらいのどす黒い塊がボトンと流しに落ち、電気を点けて見ると、なんか得体の知れん血が固まったようなモノで、えらい気色悪く、すぐに水で流してしもてん。

ほんで、ヤバいんちゃうかぁ、ラリやめな死んでまうんちゃうやろか思て、みんなにはラリやめろいわれて村八みたいにされるし、この事件以来ピタッーとやめてん。

タンベで停学になってん

ツレには村八にされとったし、誰かんとこ遊びに行ってもしょっちゅうラリこいとおるし、その場におんのはしんどいから真面目に学校へ行ってて、ある日、そうやって朝から登校してると顔辻と駅で会ったんで二人で裏通りを歩いててん。

顔辻という奴は、ほんまは高辻っていうねんけど顔が大橋巨泉に似ており、その上、巨泉なんか目じゃないほど顔が大きく、さらに地黒で、遠くから見ると巨大で黒い顔だけが宙に浮いてるようであることから「顔辻」と呼ばれててん。

その顔辻も俺もタンベをきらしており、しかし自販機は学校指定の通学路である表通りにしかなく、俺は我慢できんかったんで「しゃあないから買いに行こうぜいっ」ちゅうて表通りに出てん。

そこにはようけの生徒がダラダラと歩いており、顔辻は気が引けたんか「こんなようけ通学してる前で、俺ええわ」っちゅうもんで「俺が買うたるやんけぇ。なに吸うてんねん。金出せやっ」ちゅうて顔辻のセブンスターを買うてタンベと釣銭を渡し、俺のシヨッポを買い取出口に手を伸ばすと、いきなり後ろから「吉永ぁなにしとんねん？」と声をかけられてん。鬱陶しいのおと思いながら「なんやワレェ見てわからんのんかいっ。タンベ買うとんのんやんけぇっ」いいながらショッポを取って振りかえると、生活指導の花田がニイッとして立っており、ほんなもん関係あるかいっ思て「お、おはようさんっ」ちゅうて行こうとしたら、腕をつかまれ「吉永ぁちょっと待てぇ。こんな公衆の面前で堂々とタバコ買いやがってぇ。今回は大目に見ることはできんぞ〜。ちょっと生活指導室まで来いっ」ちゅうて、そのまま指導室まで直行させられてん。

ほんで、こないだの文化祭の件など能書きをタレられ、今回の件も「学校辞めるかタバコやめるかどっちかにせえ」といわれたんで、

「ワレェなに講釈ばっかりタレとおんねん。生活指導かなにか知らんけど、学校の決まりや！　法律や！　ゆうて、悪い部分ばっかり目ざとく見つけてグチャグチャぬかしやがってぇ。生徒のケツ拭いたろうっちゅう気なんかサラサラないくせにエラそうなことぬかすな。わしはワレに世話んなったことも迷惑かけたこともあれへんやんけぇ。そんな奴に能書きタレられる筋合いないんじゃやい！　タンベ買うただけで学校辞めなあかんねんやったら、いますぐ辞めたらあ。退学届け持ってこ〜い！」と啖呵切ったところに大崎先生が入ってきて「こらぁ吉永ぁ、なにいうとんじゃあ。そんな簡単に学校辞める

やなんかいうなぁ」と、いわれてん。

いつも親身になってくれる大崎先生にだけは頭が上がらず、大人ししとったら、さっきの啖呵が効いたんか、花田の態度がガラッと変わり「吉永ぁわしはそんなつもりでゆうたんちゃうのに、そんなこというなやぁ。わしはタバコが身体に悪いからやめえっちゆうとるだけやんけぇ」とぬかし、俺は「アホぬかせぇっ。そんな身体に悪いもん、おたくも大崎先生も他の先生もようけ吸うとるやんけぇ。それがなんで俺だけが身体に悪うてやめなあかんのんじゃいっ。なに寝ぼけたことぬかしとんねんっ」ちゅうと「そうかあ、どうしてもタバコはやめんっちゅうねんなぁ」

「おうっ！　やめんやめん。中一んときからやっとおんのに、いまさらやめれるかいっ」ちゅうと大崎がちっちゃい声で腕をひっぱりながら「アホ、吉永ぁっ！　形だけでもやめるっちゅうてゆうとかんかいっ」とゆうてん。

結局、おかんが呼び出され「おたくの息子さんは反省の色がまったくない」とかなんとかいわれ、一週間の停学になってん。

免取になったやんけぇ

停学になるわ、ラリの件でツレからハミゴ[1]にされるわで、えらい暇やから、バイトしてた中華屋で世話んなった金田さんと会うたり、本町にあるその中華屋に顔を出したり、本町に行ったついでに単車を世話してくれた川口さんとこのサ店に行ったりしてたてん。

川口さんが単車のおもろい話をいろいろしてくれるもんで、しょっちゅう遊びに行くようになり、夜になったら川口さんのツインターボのZに乗せてもらって環状へ走りに行き、初めて二〇〇キロオーバーの世界を体験し、ションベンちびりそうになってん。

二〇〇キロオーバーといっても巡航速度で、最高速は二四〇キロから二六〇キロやと思うねんけど、ツインターボの強烈な加速とコーナーでのものごっついGとシートベルトしてなければフロントガラスに突っ込みそうな凄まじいストッピングパワーで、ほんまシートベルトが食い込んで痛かったもん。なんせ脳みそが揺り動かされてる感覚が常にあり、首がカックンカックンなんねんけど、ほんまおもろい体験で、正直ゆうて怖かったけど鳥肌が立つほどメッチャしぶいやんけぇと思たりもしてん。

1 仲間はずれ

かと思えば、川口さんの弟さんに、後部シートから内装、クーラーに至るまで、走りに不必要なものすべてを取っ払ったバリバリのカローラに乗せてもらったまではよかったが、渋滞にハマり、強化クラッチで足がごっつい重そうで、暑うてもクーラーはないし、ちょっと出っ張ったマンホールや踏切があったら腹擦ってまうし、こらあかんわと思ったこともあった。

また、その下の弟さんのレーサー仕様のTZ125に乗してもらい、その強烈な加速とクラッチのキレに驚き、いくら一二五ccとはいっても、俺の四〇〇ccより早いと実感し、あらためて単車を知ったような感動に浸ったりもした。

そうやって一週間の停学を過ごすうちに、俺もレーサーになりたいと思うようになり、ある日、川口さんに相談してん。

とりあえず原付でもなんでもええから免許が必要で、あとは申込書を出して鈴鹿とかで受講してサーキット場を走ればB級ライセンスをもらえ、そこからがスタートで、その後、練習走行時間やレース出場経験などでランクアップしていくらしいねん。

そんな話をしてたら、川口さんが「ほんまにやる気あんねんやったら俺が申込書もろてきたんぞ。ほんでライセンス取ったら俺が所属しとったレディバード・レーシングチーム紹介したんでぇ」といってくれ、俄然やる気が湧いてきてん。「申込書出すぐらいはやったるけど、鈴鹿へはお前一人で受講しにいかなライセンスはもらわれへんぞ」といわれ「鈴鹿ぐらい一人で行けますよ〜。中坊んときにはチャリンコで行きましたもん」ゆうて、その日はえらい嬉しくて帰りに金田さんとこへ寄ってん。

金田さんにその話をすると「アホか、吉やんがいくらがんばってもレーサーなんかになれるかいっ！　金がなんぼいると思てんねん。川口さんとこは金持ちのボンボンやからできてんねん。レーサーになってスポンサーがつくまでは全部自分で金の工面せなあかんねんぞ。十代のガキが作れるような額とちゃうねんぞぉ」といわれてん。でも、やってみんことにはわかるかい思て、チャレンジすることに決めてん。

次に川口さんとこに遊びに行ったときには、申込書を持ってきてくれており、その場で記入して渡し、あとは受講料の一万数千円を用意すればよかってん。ほんで川口さんに「お前の単車でも出れるレースがあるから、ボアアップ[1]して速うして出たらええ。俺のツレに、カワサキでテストライダーやっとおる奴がおって、ソイツに頼むと、安うやってもらえるけど、どうする？」といわれ、二つ返事でお願いしてん。

ボアを四五〇ccに上げ、それにともないパーツを強化するのだが、輸出仕様のＦＸ５００のパーツを流用して結構安くできるらしく、おまけにそのエンジンに合うたマフラーまで作って、総額で一五万ということで、たぶん当時でもバカ安やったと思うねん。

1　シリンダーの容積を拡張して、排気量を上げること。ピストンのヘッドを削って行うのが一般的な方法

十六歳の俺には大金やったけど、絶対にやりたかったんで、中学んときにお年玉なんかを貯めた金が一二、三万残ってたんで、やってもらうことにしてん。

　そんときには、神戸で共同危険行為と違法改造でキップ切られた一件で、聴聞会のハガキが来ててん。しかし誰に聞いても、免停になったことのない俺が一発で免取になることはまずないといい、俺も、どうせ免停やろうと思てたてん。免停の間にボアアップしてもろたら終わってからすぐ乗れるし、ちょうどええわっちゅう感じやってん。

　ほんで聴聞会の一週間ほど前に貯金を全部おろし、残りはおかんに借りて、川口さんとこに行くと、ツナギを着た人を紹介され、その人がテストライダーをしている川口さんのツレやってん。俺が、挨拶して一五万円を渡すと「まかしとき！　ＺⅠやＺⅡにも負けんぐらいバリバリにしてきたるからあ」ゆうて、俺の単車に乗っていってん。

　鈴鹿でのライセンスの受講は聴聞会の二十日後ぐらいで、「そんときは免停になってると思うんですけど、大丈夫ですか？」と念のため川口さんに聞くと「免停でもなんでも、とにかく免許さえあれば大丈夫や。走んのはサーキット場で、そこは免許なんかいらんねんからあ」といわれて、ホッとして聴聞会に臨んでん。

　門真の試験場に行き、聴聞会の部屋に入ると学校の教室の倍ぐらいの部屋が満席状態で、こんなようけの人間が免取になりよんねやぁと驚き、しかし俺にとって今日は、いつ免許が返ってくるかがハッキリする日なんやぁと内心喜んでいた。

すぐに警察のオッサンが入ってきて「名前を呼ばれた者は、前に出て処分の対象となった一番最近の違反をゆうからその件に対しての正否と……」などといい、順番に名前を呼んでいった。呼ばれた人はみんな詫びを入れ、自分にとって免許がどんなけ必要かを説いて、最後に「二度と同じ過ちを繰り返しませんので寛大な処分をお願いします」とゆうとおるから、俺は免取にはなれへんやろうけど、万が一っちゅうこともあるから、一応同じようにゆうとったらええやろ思て、順番を待っとってん。

いろんな人の違反の状況を聞いとったら、覚せい剤を使用して運転してたオッサンがおり、なんでそんな人がこんなとこおんねん、刑務所とちゃうんかい思て、どんなこといいよんねんやろうと興味津々で聞いとったら、みんなと同じように謝って「二度とせんから寛大な処分を……」ゆうとんねん。シャブ食うとって、なにぬかしとおんねん！

ほんで、そうこうするうちに俺の順番が来てん。

「俺は神戸でキップを切られたときには、赤キップで免許取られてもたんで、そこで免許を渡す必要はなく、俺は高校生やけど俺とこは母子家庭で家が貧乏なため、朝夕新聞配達をしており、夜は中華のバイトで、両方ともバイクを使ってやっているんで免許が絶対に必要で、免取になったらバイトでけへんようになってまうから、家に金を入れれなくなり母が困ってしまいます。一つ寛大な処分をお願いします」などとハッタリをこいて席に戻っててん。

休憩のあとが結果発表で、また同じ部屋で順々に呼ばれて処分が決定した理由をいわれ、それで終わりやねんけど、ほとんどの人が免取で肩をガックリと落として帰っていきはんねん。免取になれへんかった人はえらい喜んで小躍りしながら「ありがとうございます。ありがとうございます」ゆうて握手を求めたりすんねん。そんな様子を見ているうちに俺の番がきて名前を呼ばれてん。

行くと免許取消処分決定通知書を渡され、「君のやった行為は、まるっきり暴走族で、君のような者には、いくら親を助けるためとはいえ、免許を持たせとくわけにはいかない。それにまだ高校生で、免許がないと生活できないわけではないんだから取消と決定しました」といわれてん。

俺は頭にきて「話がちゃうやんけぇ。パクったポリに家裁か取消かいわれて家裁を選んで、親と一緒に行って保護観までついてんぞ! そやのになんで取り消しになんねん。汚いやんけぇっ」ちゅうと「現場で警察とどんなやりとりがあったか知らんけど、家庭裁判所と道交法は一緒とちゃうぞ」といわれ「なんじゃいっ! お前らポリはやり方汚いの〜。十六のガキをペテンにかけやがってぇ〜っ」ゆうてサッサと出ていってん。

もうなになんだかわけがわからず、怒り狂って兵庫県警交機本部の俺をパクった奴に電話してん。ソイツがおったんで「なんやねん！　家裁に行って保護観までついたのに免取になったやんけぇ。おたく家裁か免取かどっちがええ？　二コいっぺんはないゆうたやんけぇっ」ちゅうと「そんな話、知らんぞ」といわれ、クッソ〜！　ハメやがってぇ思て「ポリのくせにハッタリこきやがってぇ〜おぼえとけよ〜」ゆうて切ったってん。

単車はボアアップ頼んでもうてるし、申込書は出してもうてるし、どないしょ〜思て、川口さんに相談すると、レーサーはあきらめるしかないといわれてん。

「ボアアップした単車は無免で乗ったらええねんやんけぇ。パトカーぐらいやったら逃げれるやろ？　白バイが来てもお前の単車の方が速いやろうから直線で振り切ったったらええねん」といわれて、それもそうやなぁ思て、無免で乗ることに決めてん。

ほんで十三へ戻り、みんなが溜っている満タンちの前に行ってん。ツレらに免取の報告をすると、みんな処分の重さに驚き「嘘やん！　一発取り消しかい。免取になって嬉しいか？　嬉しいやろ。やっぱ、ポリも人を見る目あんでぇ。でもお前、単車ボアアップに出してんとちゃうんかいっ」といわれ「そうや！　しゃあないから無免しかあれへんやんやんけぇっ」ちゅうと「ほうやのう。いったれ、いったれ、いったれぇっ！」ゆうて、みんなと〈錦湯〉へ行ってん。その日はハミゴやのうて、また以前の感じに戻った気がしてん。

無敵のFX

大好きな山口百恵が引退し、久米宏と黒柳徹子が司会する「ザ・ベストテン」[1]には、自分で作詞作曲をするニューミュージックと呼ばれる人らが出ており、中でも久保田早紀や八神純子が好きで、他に思い出すとこでは原田真二、五十嵐浩晃、岸田智史、渡辺真知子、〽飛んで飛んで……の円広志に、「青葉城恋唄」のさとう宗幸、妖怪人間ベラに似た五輪真弓。

歌謡曲では、たのきんトリオ、三原順子、聖子、明菜、キョンキョン、シャネルズ、桑名正博、アン・ルイス、「あんたのバラード」の世良公則、「まちぶせ」の石川ひとみ、「待つわ」のあみんも、このころやったと思うねん。

しかし「ザ・ベストテン」にサザンが初めて登場したとき[2]には驚いたなぁ。ランニングシャツに短パン姿という海に行くようなカッコでテレビに出てきて「勝手にシンドバッド」をうたいよってんけど、なにゆうてんのんかようわからんかってん。なんじゃあコイツらぁと思てんけど、結構好きで、ツレ内でもみんなに人気があり、イーマンがL

1　1978年に放送開始。それまでになかったデータを駆使したランキングを紹介し、ハガキリクエストという形で視聴者が番組に直接参加できた画期的ベストテン番組。司会の久米宏、黒柳徹子の軽妙なトークも話題になる

P買いよってんけど、なんべん聞いてもやはりなにゆうてんのんかようわからん曲が多く、なんか世間をおちょくってるような歌に聞こえ、いままでにおった奴らとはちょっとちゃうなぁ思てん。

一方、永ちゃんは三曲以上うたわさな出ないとかゆうて、相変わらずやってくれるのうと思ててん。

「ザ・ベストテン」は家で見ることこそ少なかったけど好きな番組やった。そのころのテレビ番組でおぼえてんのは、「ザ・ベストテン」と「オレたちひょうきん族」しかなく、他になにやっててんやろう？　ラリったり遊んだりしてる方が多かったから、あんま記憶がないんかもしれん。

そうしてるうちに元ビートルズのジョン・レノンがニューヨークで暗殺されたというニュースが届き、世間はえらい大騒ぎとなっててんけど、当時の俺にはビートルズの偉大さなどわからず、ふ〜んすごい人が殺されよったんやぁと思うぐらいであった。

ほんでそのころに俺の単車《たんこ》がボアアップされて帰ってきよってん。川口さんとこに単車を取りに行った日ぃは、もう嬉しゅうて嬉しゅうて……。顔を合わせたとたん川口さんに「おう、ええ単車になっとんぞ。もうバリバリや。ほとんど変えてくれとおるわ。それに合わせて強化パーツ組み込んでくれとんぞ。集合も世界に一本しかない、お前の

2 「ザ・ベストテン」には1978年8月31日に、ライブハウスからの中継で初登場

単車専用のやつやし。キャブのセッティングもバッチリや！」といわれ、俺は喜んで川口さんとこの裏に単車を見に行ってん。

俺の単車はエンジンまわりがピカピカで、本来なら全部まっ黒のFXのエンジンのカムカバー、シリンダーがシルバーになっており、上からシルバー・黒・シルバー・黒のツートンカラーでメッチャ渋いねん。おまけにポイントカバーとジェネレーターカバーもシルバーで、当時、BEET[3]から出ていたフィン付のものなんやけど、通常のフィンの倍ぐらいの長さの武骨なもので、中心にKAWASAKIのロゴが浮き出ており、メチャクチャカッコええねん。

早速エンジンに火を入れてみると、アイドリング状態でノーマルよりちょっと低温で二〇〇〇から三〇〇〇回転に吹かしただけでも、しびれあがるエグゾーストノイズで、メッチャ嬉しかってん。

その日は、川口さんに一番効率よく効果的な慣らし方法を聞いて家に乗って帰ってん。ほんで明日は学校休んで一日かけて慣らしすんでぇとワクワクしながら寝てん。

翌日、寝起きの悪い俺が珍しくスパッと八時ごろ起き、〈ライラック〉にモーニングをもらいに行ってから、環状へ慣らしに出かけてん。

塚本から入り、環状を一番大回りに最初の一〇〇キロは三〇〇〇回転以下、三〇〇〇キ

3 日本ビート工業製作所。バイクのカスタムパーツ国産メーカー

ロまでが四〇〇〇回転以下、五〇〇キロまでが五〇〇〇回転以下というぐあいに徐々に回転を上げていってん。

強化パーツで固められてるんで五〇〇から六〇〇キロも慣らしをすれば充分で、しかし一応五〇〇〇回転以下で七、八〇〇キロぐらいまで、オイル交換する時間を残し、できるとこまで走ったろう思てグルグルグルグルまわってん。環状の一周が約一〇キロやから、百周したらもう完璧なんやぁ楽勝やんけぇ思て走ってたてん。

俺の単車の集合音はすこぶるよく、市販のマフラーみたいな長い芯は入れてないんで、こもったような感じはなく、ヌケすぎでパワー不足を感ずることもなく、ほんまにええ感じにヌケたスコ～ンと乾いたような音がしていた。

昼過ぎに二十周ほど走ったところで給油と昼食のために一旦下に降り、川口さんとこに行ってメシを食うてん。ほんで、ちょっとだけ喋って、再び環状に入りグルグルとまわってると二度ほど白バイにケツにつかれたものの、な～んも悪さもスピード違反もしてないから止められるはずもなく――しかし無免やから内心ヒヤヒヤもんやったけど――再びガソリンタンクをリザーブに切り換えたころ下に降り、給油してまた上がって、次にリザーブにしたら帰ってオイル抜いてもうたろう思て、もう、かなりの距離を走ってたんで、ちょっと飛ばしてまわってん。

十二月中旬やったから、メチャクチャ寒いはずやのに寒さを忘れて、いつケツに来るかわからん白バイと、まわりをトロトロ走ってる車やパッツンを気にしながら走り続けてん。陽が落ちてまっ暗になった五時三十分ごろ、まだリザーブにはなってなかったけど、すでに七〇〇キロ弱走り、車も混んできたんで下に降り、みんなが世話になっている淀川沿いの〈岡本モーターサイクル〉に行って、金属粉がいっぱい含まれてるであろう慣らし後のオイルを抜いて、カストロール[4]のオイルを入れてん。

ほんで明日から走りまくったんでぇ～と意気揚々となって満タンちの前に行くと何人かツレがおって、「今日一日で慣らし終わらしてきたったぁっ」ちゅうと、みんなに「嘘や～ん！　このクソ寒い中、一日中単車乗りまわしとったんけぇっ！　アホちゃうか。ほんまチュチュは狂っとるのぅ～」といわれてん。「人のことアホ呼ばわりしてるお前らも、クソ寒いのに外でタムロって何時間もダベってアホやんけぇ～っ」と返したものの、自分でも、皮ジャンと防寒には糞の役にも立たんカラー軍手だけで思いっきり身体を固うして、同じところをグルグルグルグルまわってたなんて、なんぼ早よ慣らし終わらせたいからっちゅうても、やっぱりちょっとアホやなぁ、ケンカんときに頭強う打ち過ぎたんかなぁ思てん。しかしツレに対しては、お前らにこの喜びがわかってたまるかいって思とってん。

4　イギリスのエンジンオイルメーカー。日本での販売開始は 1971 年

ほんでみんなで冷えた身体を引き摺って〈錦湯〉に行き身体をふやかしてん。

翌日は喜んで単車で登校し、新御から１７１という直線の多いコースを選んで行ってん。新御を走ってて、車の空いた江坂あたりで四速から二速に落として加速してみると、それは経験したことのない凄まじい加速で回転も一気に吹け上がり、驚いたことにタコメーターの針は一二五〇〇回転の刻みを振り切り、真下のとこまで行っており、なんじゃあこりゃぁと思い慌てて三速に入れ続行して加速していくと一六〇キロになって、えらい早いのお、瞬く間に一六〇キロ出とおるやんけぇ思いながら、四速に入れ加速していくと一八〇キロまであるスピードメーターをブッチしてドンドン行ってまいよるから、五速に入れ、六速に入れよかなぁ思たとこで、車が二車線並んで走ってるのが見えたんで慌ててシフトダウンし、スピードを落として車と車の間をブチ抜いて、中環とのジャンクションから１７１までの緩やかな登りと下りで構成されたストレートで再びおもくそ[5]加速していったってん。

箕面センイ団地からの車と交わる地点で進入車が見えたんで、スピードを落として１７１に入ってん。１７１に入ると通勤通学の連中が乗る単車が増え、勝負じゃあ～と思いっきりいったってん。

ほんまに速い単車で四〇〇cc相手じゃカモりっぱなしで話にならず、しかし当時、大型車は絶対数が少なく、なかなかおらんねんけど、七五〇ccキラーの座を虎視眈々と狙っててん。確実に二〇〇キロ以上は出よるし、フロントは引っ張っただけで浮きよるし、ちょっと吹かしてクラッチを早めにつなぐとケツのタイヤが空転してキャンゆうて走り出しよるし、ほんま目立つ単車で、あとはセパハン[6]とバックステップ付けたら、もういじるとこのうて完璧やでぇ思とってん。

このころの七五〇ccと言えばカワサキのZ、ホンダのCB、ヤマハのGX、スズキのGSで、その珍しい七五〇ccを見つけると横付けしてソイツにメンチ切りながらおもくそ吹かして、信号が変わるとタイヤを鳴らしてスタートすんねん。

ボアアップしてくれた川口さんのツレが「ZⅡでもぶっちぎれるようにしたる」ゆうとったけど、ほんまにその通りで七五〇ccなんかメじゃなく、当時の七五〇ccではCBが一番速く、結構食らいついてきとったけどやっぱ俺の単車の方が速く、得意気になって勝負を挑みまくっててん。

学校に乗っていくとみんな「乗してくれ」ゆうてうるさいから、171は広くてええ道やねんけど白バイが多いからやめて、学校前から石橋駅まで続く直線道路で乗したってん。普通の対面道路で、あまり道幅もないから、そんなにスピードは出されへんかったけど、みんなフロントを持ち上げながら走る加速の鋭さに驚き、俺の単車がメチャク

6 セパレートハンドル。右と左が別々の部品になったハンドルでフロントフォークに直接つけて使用

チャ早いことはすぐに有名になっててん。

単車通学するんが楽しゅうて楽しゅうして、雨以外は単車で通っていた。そうなるとポリに捕まる可能性が高くなり、しかし白バイであろうがパッツンであろうが、ブッチギリで逃げ、ほんで学校近くやったら校舎裏に隠したり、親戚んちに近ければそこまで行ってカバーをかけ、他の場所だったら適当に見つかりにくい場所に置いて、なにかを上からかけてカモフラージュして、ほとぼりがさめるまでサ店でくつろいどくねん。

一度学校近くの171で、三谷にちょっと貸したら白バイに捕まって、三谷も無免やし、改造しまくってるから池田署に即没収されてしまい、持ち主である俺が呼び出しを食らい、俺に免許がないことで四の五のゆうとったけど、「免許がなかったら単車持ったらあかんっちゅう法律あるんかい！　他人の単車を国家権力カサに着て勝手に没収しやがってぇっ！　こっちはなにもやってへんのに、三谷が知らん間に勝手に俺の単車乗っていっただけで没収する方が問題ちゃうんかいっ！」ちゅうて能書きたれて暴れまくったったら、田舎のポリっちゅうのは甘いもんで、「免許持ってる奴連れてくるか、車で持って帰るようにしたらすぐに返したる」ちゅうもんで、免許持ちに行ってもろて取り返してん。

シャブやめるから付き合うて

キョーコから電話があり、会《お》うてん。キョーコとは俺に彼女がいても関係なく、一、二カ月に一度は会うてホテルへ行くという関係を続けており、そのおかげで高校生でありながら十三中のホテルはほとんど制覇していた。

ほんでその日もホテルでヤっててん。正直ゆうてそのころは、好きだからとか気持ちいいからという段階は通り越して、キョーコが喘いでる顔を見ていると、俺みたいな十六、七のガキが大人の真似事して、キョーコもガキのクセにいっちょまえにポルノで見るような表情して、なんかおかしいなぁっちゅうて急に醒めることもあってん。しかし、深く考えるわけでもなく。ただ時と感情に流されて生きていた。

ヤり終えて、ベッドで互いの近況を話していて、キョーコの様子がちょっとヘンやったっんで「お前、今日なんかおかしいでぇ。なにかあったんかいっ」ちゅうと「うん。あんなぁ……いや、やっぱりええわぁ」ちゅうて中途半端な返事しよって、気になるから「なんやねんっ！　いいたいことあんねやったらちゃんと最後までいえやぁっ」ちゅうと「あんなぁ、あんた前からシャブやめろってゆうてたやんっ。うちシャブやめるから、その代わり、いま付き合うてる女と別れてほしいねん。うちとちゃんと付き合《お》うてほしいねんっ！　一から付き合い直してほしいねん」といわれてん。

「アホかいっ！　なにぬかしとんねん。いままで散々ホラ吹いて、人の気持ち踏みにじってきとんのに、いまさら信じれるかいっ」ちゅうと「嘘ちゃうっ。今回はほんまやねん、信じて！　あんたがまた付き合うゆうてくれたら、気持ちが元気になって、ちゃんとやめれると思うねん。ほんまにやめるから信じてぇ」ちゅうて泣き出しよってん。

「ほんなもん、いきなりいわれても、俺かてアイツのことが好きでアイツかて俺のことが好きで、アイツもお前も同じ人間なんやぞ。相手の気持ち考えてみいやぁ。それに元はといえば、お前が俺を無視して家出なんかして一方的に縁切ったからこないなってんねんやんけぇ。いまさら虫のええことぬかすなぁ」ちゅうと泣きながら「うちが家出したんは、あんたにも原因あんねんでぇ。うちとそのコやったらそのコの方が大切なんはようわかったわぁっ。うちがシャブで廃人になって、食い過ぎて死んでも後悔すんなよぉ」と脅しにかかってきて、ほんまかなんやっちゃのう思て「わかったわかった。でもほんまにやめんねんなぁ」ちゅうと「うん」とゆうんで「ほなら近いうちに電話してこいやぁ。そんときにちゃんと答え出すからあ」ちゅうて別れてん。

どないしたらええか悩んでん。シャブやめるっちゅうてキョーコのこれからの人生がかかってるし、みさととは、アイツは真面目で俺はワル、生まれ育った環境や住んでる世界が違い、引け目を感じてたんも事実やってん。このままみさとが俺みたいな男と付き合うてても、悪い影響を受けるだけで、なに一つええことなんかないねんからと自分にいい聞かせ、別れる決心をしてん。

ほんで、みさとに電話して唐突に「別れてくれっ」ちゅうと、ちょっと間を置いて「急になにゆうてんのん？　悪い冗談いわんとってぇ」といわれたんで「冗談ちゃう、ほんまや。別れてくれ！」ちゅうと「どうしたん？　なにがあったん？　なんかうちに気にいらんとこがあったん？　それやったら直すからぁ。別れるやなんていわんとってぇ」ちゅうんで「お前に悪いとこなんかなんもない。悪いんは俺やから、なにも聞かんと別れてくれぇ」ちゅうと「なんでやのん？　なんで急にそんなこといいだすのん？」「ごめんなぁ。でもほんまに俺らに縁があったら、いま別れてもまたひっつくやろうから。とりあえずいまは別れてくれっ」ちゅうと言葉を失い、しゃくりあげる音が聞こえ、俺自身泣きそうで、ほんまにつらかったけど、これでキョーコが立ち直ってシャブ漬けでなくなるんやから……といい聞かせててん。ほんで「うん、わかったぁ」ちゅうて返事があり「ほんま、すまんかった。ごめんなぁ」ゆうて電話を切ってん。

数日後キョーコから電話があり「おいっ、ちゃんと別れたぞぉっ。いまはお前だけになってんから、ほんまにシャブやめろよお」ちゅうと嬉しそうに「ほんまぁ！　ありがとう。ほんまにがんばってシャブやめるからなぁ。ありがとう」ちゅうて、しかしその電話が最後でそれから全然連絡がなくなってもうてん。

あまりにも連絡がないもんで、しにくかったけどキョーコの実家に電話してん。「突然連絡がなくなったもんで、なにかあったんかなぁ思て……」とオバチャンに聞くと詳しくはゆうてくれへんかったけど、パクられて茨木にある浪速女子少年院に入ってるらしく、出てきたら、大阪においてたらあかんようになってまうから奈良の親戚に預けるっちゅうことで、あ〜あ、あんときすぐにやめれんかったんやぁ。でも、ほんまにやめる努力しとったんかなぁ。ほんまにそうで悩んでたんやったらかわいそうやったなぁ。悔しかったやろなぁ思てん。

その後、木下に何度か電話して「あんときはすまんかった。もう一度やり直してくれぇ」と懇願してんけど、とりつくしまもなく、「もう終わったことやから。私は突然のことでなにがなんだかよくわからず、苦しんでんから……」といわれ「そらそうやけど頼むわぁ」ゆうてんけど、まったく埒《らち》があかず、そのくせ誰かと付き合うようになると、わざわざ電話で「こんな感じの人やねん」ゆうてきて、そのたんびに俺が「そんな奴と付き合わんでも、俺ともういっぺん付き合うてくれやぁ」ちゅうてもあかんで、ほんで大体が一、二カ月して別れてまいよんねん。ほんならまた電話があって「別れてん」ゆうていうてきよんねん。ほんでまた俺が「付き合うてくれやぁ」いうてもあかんで、そういうんが二、三回あってん。

それからしばらくして三谷と飲んだとき、木下と付き合ってると聞かされ、そんなんどないしようと個人の自由なんやけど、えらいショックやってん。なんせ三谷は、俺が園芸高校に入ってすぐ仲良うなった奴で、兄弟分みたいな感じやったから、聞かされたとき平気な顔して「そうかぁ」とはゆうてんけど、すごいショックやってん。

大崎先生の思い出

二月に入ると、おかんが帰ってけえへんようになってもうて、これまでも三、四日帰ってけえへんことはしょっちゅうあってんけど、今回はもう一週間が経ち、金がのうなってきたんで、学校で誰かに借りたり、ゲームセンターでカツアゲしたりしてしのいでてんけど、二週間が過ぎ、親戚や友人とこに電話してもおらんから、こりゃあヤバいでぇ、ほんまになにかバイトせなあかんなぁ思て、駅前の〈フジヤ〉っちゅう古い三階建のサ店が募集の貼り紙出しとったんで訪ねていって、そこで五時から十二時までバイトすることになってん。

そうなると遅刻がひどくなり、それでのうても二学期に出席日数が危ないといわれてたんで、先生らは気を揉んで「どないしたんや？　同じ遅刻でも、もうちょい早よ来いや。ほんまにもうあとがないぞ〜。日数だけやのうて、授業時間そのものが足りんようになりそうな教科もあるから頑張って、できるだけ朝から来い！」といい、危い教科を教えてくれてん。

ほんで、おかんがおらんようになったからバイトを始めたことをいうと「なに～！　お前んとこのおかんも、こんなときに殺生やなぁ。それでもお前が進級できるかどうかがこの一、二カ月で決まってくるんやから、ちょっと気ぃ入れて頑張れや！」といわれ、翌朝、いきなり大崎先生が迎えにきてん。

最初「吉永ぁ～吉永ぁ～」と、戸をドンドン叩いて起こされたんで、「朝っぱらから誰やねん。じゃかあしいのう～」ちゅうて戸を開けたら、大崎先生が「おう！　いま起きたんかい！　迎えに来たから、早よ用意せいっ。学校行こっ！」ちゅうて立ってて、それから毎日迎えに来てくれるようになってん。

互いに慣れ親しんでくると、俺が出席足りてる授業で、大崎先生も朝から授業のないときなどは一緒にサ店に行って、モーニングもろたり、朝やってた「オレたちひょうきん族」の再放送を見たりして、世情に疎い大崎先生は「ひょうきん族」のことを知らんかったようで「こんなおもろいテレビがあるんや～」とゲラゲラ笑《わろ》て楽しんどった。

あるとき大崎先生に「バイト休みんときにメシ食いに行こう」といわれ、十三駅前の天麩羅屋に行ってん。そんとき「他の先生はとりあえずやるだけやらしたらええゆうてんねんけどなぁ。そんなん卑怯やと思うから、実際のところをいうと、いまギリギリのところでなんぼ頑張っても、最終的には職員会議で決まんねん。化学科の先生だけやったらええねんけど、造園科や園芸科の先生も入ってきて、いままでの吉永の素行は他の科の先生には評判悪いから、ほぼ間違いなく落とされるやろう」といわれてん。俺としたら予測しとったことやったから「まぁ、しゃあないんちゃう。でも俺は先生が迎えに来てくれんのが嬉しいし楽しいから、先生が迎えに来てくれてる以上、落とされんのんわかってても学校行くわぁ」ちゅうてん。

ほんで、おかんの話となって「時々、洗濯だけしに来てるみたいやねんけど、相変わらず連絡もないし、帰ってきてないねん」ちゅうと「そうかぁ。ほんまお前とこのおかん、なにしとんねんやろなぁ。でも、いいたなかってんけど授業料が一期分しか払われてないねんけど、おかんどないしとんねんやろなぁ」いわれて「嘘やん！　そんなん全然知らんかったわぁ。授業料がなんぼか知らんねんけど、どないしたらええのん？」ちゅうと「残り七万ほどやけどあんのんか？」と聞かれ「そんな金あるわけないやん！　退学した方がええかなぁ」ちゅうと「よしわかった。とりあえず俺が立て替えとくから心配すなや。ほんで、もしおかんにゆうてもらえたら、返してくれたらええし、もしあかんかったらいつでもええから気にすんなや」といわれ、ほんまおかんだけは、どないもこないもしゃあないやっちゃのう思てん。

その後も俺が学校辞めるまで大崎先生が授業料を立て替えてくれててん。

ほんまにええ先生でこの先生がいてくれたおかげで、おかんが家出してもうてもあんまり傷つかずにすんだと思うねん。お金は働いてちゃんと返しました。

ほんで「なんぼバイトしても、たかが知れてるやろうから生活保護を受けたらどうや。ほんなら授業料もタダになるし、ある程度の生活費も出るから高校行きながら生活していけると思うけど。三谷もそうしてんねんから考えてみいや」といわれてん。

しかし「福祉の世話にはなってないっ」ちゅうのが、俺がちっちゃいころからのおかんの口癖で、唯一の自慢の種やったから「とりあえず、おかんに相談してからにしてくれっ」ちゅうてん。

おかんの新しい男

おかんが家を出てから次に姿を現したんは一カ月後の俺の誕生日であった。

その日は誕生日やし、ひょっとしたら帰ってきよるかもしれんなぁ思てバイトは休みをとっててん。ほんで家におったら夕方の六時半ごろ、ガチャガチャゆうて戸が開いて「マーちゃんいてる？」ちゅうて洗濯物を山ほど抱えて帰ってきよってん。

ほんで「久しぶりやな～ごめんなぁ、急に帰ってけぇへんようになってもうてぇ。どないしてたん？　メシちゃんと食うてるかぁ？　うちに誰か電話なかったかぁ？　今日あんたの誕生日やったやろう。あとでなにか食いにいこか。ちょっと待ってなぁ、洗濯物突っ込ましてぇ」ゆうて矢継ぎ早に喋り、ほんまこのオバハン、なに考えとおんねん。呑気なやっちゃのう思て聞いとって「あんたなぁ。いきなりおらんようになった思たら一カ月も帰ってこんと、ほんで時々、洗濯だけしに来て、それやったら電話の一本でも置き手紙の一つでも置いとけやっ！　心配するやんけぇ。あんたの兄弟も、みんな心配しとったでぇ。しかし一体どこ行っててん」ちゅうと「わかったわかった。それはあとで話すから、とりあえずどっか食べに行こう」ちゅうて出ていきよってん。

とにかくいきなりなやっちゃのう〜思て、外へ行き、駅方面へ向かって歩いていってん。ほんで「マーちゃんなに食べに行くう？　そや寿司にしよ。せっかくあんたの誕生日なんやから久しぶりに寿司食べに行こう。駅前の〈がんこ〉行こか？　それでええやろ、な？」ゆうて俺の返事も聞かんとそっちへ向いてサッサと歩いていきよってん。ほんでその道すがら「あんなぁ、おかあちゃん彼氏ができてなぁ。いまその人んとこにおんねん。あんたも、もう十七になってんから、わかってくれるやろう。あんたが義務教育終わるまでちゃんと面倒みて頑張って育ててきてんから、もうええやんな。かめへんやんな。もう大人なんやから自分でなんでもできるやろう！　もうおかあちゃんを許してえなぁ」と、いきなりいわれて、正直ゆうてえらいショックで、まだ高校に行ってるのに、いくらなんでもこんなときにそんなこといわんとってくれよ〜と思てん。

けど、せっかくおかんに彼ができてんから、俺のせいであかんようになったら悪いし、俺も男なんやから、おかんにいつまでも甘えとったらあかん思て、必死で自分の本音を抑え、平然とした顔で「うん、ええでぇ。俺は頑張ってやるから大丈夫やで。だから心配せんでええでぇ」とゆうてん。それでもやっぱり心配やから「……でもなぁ。その人どんな男やねん。おかんが好きになった人やから大丈夫やと思うけど近いうちにいっぺん会わしてえや。俺が会《お》うてどないなるっちゅうもんでもないねんけど、とりあえずどんな男か見ときたいねん」ちゅうと「そんなんわかってるわかってる。もちろん会わすやんかぁ。近いうちに会わすから待っとってえ。あっ！　あんたいま十三中学に行ってやる子で、二つ下で満タンの家の近所に住んでる森半《もりなか》君てゆう子知ってるかぁ」と聞かれて「おー、喋ったことないけど、いっつも挨拶してくれよるから。名前と顔は知ってんでぇ」「その子、お母さんがおらんようになってもうて、オバアチャンとこに預けられてやるやろ？　そのオバアチャンの家が満タンの家の近所やねんなぁ」「そんなん喋ったこともないのに知るわけないやんけぇ。なんでそんなこと聞くねん。その森半がどないしてん」ちゅうたとこで駅前の〈がんこ寿司〉に着いて席に座り「なんにするぅ？　なんでも好きなもん頼みいっ」ちゅうていわれたけど、そんなんゆうてもどうせ金持ってないやろう思て並のにぎりとたぬきを頼み、おかんもにぎりを頼みよってん。

　にぎりを待ってる間「さっきの話の続きやけどなぁ。その森半君のお父さんと一緒におんねん。自分一人で商売やってる人やから、子供にちゃんとかもてやられへんから、オバアチャンとこで預かってもろてるみたいやねん。オバアチャンとこのすぐ近くを借りて贈答品屋みたいなんをやってて一階が倉庫代わりで二階に住んでんねんけど、そこにおんねん。でも近々その倉庫を改装して店しよかぁゆうてんねん。店ゆうてもポーカ[1]

1　1981年頃から普及。それにともないゲームセンターやポーカーゲーム機を備える喫茶店、スナックでの賭博検挙件数が激増したーゲームを置いて朝まで営業すんねんけど、そのポーカーが儲かるらしいねん。一日に一〇〇万二〇〇万はザラらしいねん。儲けたらなんでも買ったるからなぁ。うちはこれで一旗上げんねん」と、わけのわからん戯言《たわごと》いいだしてん。

　ほんま森半のオッサンもおかんにいらん入れ知恵しやがってぇ。そんなうまい話あるわけないやんけぇ。しかし、よりによって後輩のおとんとひっついてくれんなよ〜。それに息子はよう面倒みきれんからゆうてオバアとこに預けて、それでもおかんの面倒やったらみれるっちゅうて、ほんまふざけた男やの〜思てん。

「なんか信用でけんなぁ〜。なんせ早よ、いっぺん会わせてくれやぁ」ゆうと「そんなんゆうたかて相手にも事情があるからしゃあないやないの。それに森半のオッサンはあんたのこと知っとおんでぇ。しばかれるんちゃうか〜ゆうて怖がっとったでぇ。だから会うたときには、なにもいわんと大人ししたってや〜」ちゅうんで「アホかいっ！　それは森半のオッサンの出方によるやんけ〜。出方によっちゃあ十三歩かれへんようにしてもうたるぅ〜」ゆうて寿司食い終わって出ようとしたら、おかんが「あれっ、あれっ？財布ないっ、あっ忘れてもた〜。悪い、あんた出しとってぇ」ゆうて、結局俺が払わなあかん破目になってもうてん。なんで自分の誕生日に、俺がおごらなあかんねん思てん。

　ほんで帰り道、学費の話をすると「あっそうや！　忘れてたわぁ。一回目は振込用紙持っていって銀行で払てんけど、次からは銀行引き落としとかなんとかゆうて口座を開いてくれと書いてあったさかい銀行で作ってんけど、それからウンともスンともゆうてけえへんから忘れてしもとったわぁ。どないしたらええのん」ちゅうんで「その銀行には金預けてあるんかい」「いいや」「金が入ってなかったら払えるわけないやんけぇっ！」ちゅうと「そんなんちゃんと説明してくれへんさかい知らんかったわぁ。へぇ〜そんな便利なシステムがあるんやぁ。銀行も学校もうちにちゃんとわかるようにゆうてくれなあかんわぁ。もうしゃあないな。いま店するんで金ないから、あんた払《はろ》ときいっ。そのうち倍にも三倍にもして返したるから辛抱しときいっ！　ほんでその立て替えてくれてる先生にはあんじょうよういうときやっ」ちゅうて他人事や思て無茶いいよんなぁ思て歩いとったら家に着き、ボストンバッグに着替えの服てんこ盛りに入れて帰っていきよってん。

森半のオッサンにいつ会えるんかなぁ思て楽しみにしとってんけど、たまにおかんが洗濯しに帰ってきても、その話はせず、催促すると「ちょっと待っときいや」ゆうだけで埒《らち》あかず、そのうち春休みとなり、俺はまたも進級できず、トリプルが確定した。

おかんが洗濯しに帰ったときは、俺のもついでにやってくれんねんけど、俺のシャツやパンツを森半のオッサンのと間違《まちご》うて持って帰ることが度々あり、しかもメーカーもんのええのんばっかり持って帰りよるから「オッサンのと間違えんなや、ほんまキモいねん。そんなんやったら洗濯だけしに帰ってこんとコインランドリーでやれやぁ。ここの家賃や電気代や水道代誰が払てると思てんねん。それとな、オッサンに〝いつまでもシカトかますんやったら家調べて寝こみ襲うぞ〟ゆうとけ。いつまでも待ってへんからなぁ〜」ちゅうてん。

やっとわかってくれたようで次の日の夜、俺がバイト終わってから飲みに行くことになっててん。ほんで、おかんと十三で待ち切って「門」か「響」かなんか忘れてもうたけど漢字一文字のやけに和風な名前のスナックにつれてかれてん。奥のテーブル席でオッサンは待っててん。

オッサンは森半丁三《もりなかちょうぞう》という名前で、白いジャンパースーツの上下に黒のエナメルの靴を履き、パンチパーマをあてて一見ヤクザか遊び人に見えんねんけど、気の弱そうな目をしており、ちょっと小太りのそこらにおる大したことないオッサンであった。

あまり会話もなく時が進み、おかんがそれを気にして「歌うたえ〜」ゆうもんやから、俺は渡哲也の「あじさいの雨」をうとて、森半のオッサンは「夜の銀狐」をうたうことになり、オッサンがうたう段になると、おかんが「マーちゃん、歌上手いからよう聞いときやっ」ちゅうもんで、どんなけ上手いねん思て、構えて聞こうとしたら、わざわざ立たんでもええのに、ちんちくりんな身体を短い足で支えて立ちよんねん。ほんま、ぶさいくなオッサンやのぉ思とったら、甲高い声でうたいだしよってん。おかんもかなりボケとんのぉアホらしゅうてやってられるかい思て帰ってん。

そんときにおかんのおるとこ聞いたら〈錦湯〉近くのバス停の前やったから、用事のあるときには電話してみんねんけど居留守の大好きなアツアツ新婚カップルで出やがれへんから家まで行くねん。玄関をどつき倒しても出てきやがれへんから下から大声で呼ぶねん。気のええときにはスッと出てきよんねんけど、オメコしてんのか、なにさらしてんのか知らんねんけど、なかなか出てきやがれへんときは石を窓ガラスに当てんねん。それでも出てけぇへんときには、あきらめるときもあんねんけど、俺の機嫌が悪いと、でかい石で窓をぶち割ってもうたんねん。そんなときは、さすがのおかんもビックリして「あんただけは、なにすんねんや！　ガラスが降ってきたやないの〜。ケガでもしたらどうすんのんっ」ちゅうて窓から顔出してきよんねん。そうなる前に顔出さんかいっ思て、なんべんもやったったらしまいには泣き入れてきて「おったらすぐ出るさかい窓を割るんだけはやめてぇやぁ。ガッシャ〜ンゆうて窓が割れるたんびに心臓が止まるかと思うぐらいビックリするんやからあ〜」ちゅうもんで、なんぼカーッときても窓割るんだけはやめたってん。

ビバ！　ポートピア

「チョッチュネェ〜」の具志堅用高が十四度目の防衛戦に失敗し引退してもうたけど、そのころのボクシング界では、浪速のロッキーこと赤井英和が活躍しており、まだそれほど新聞を賑わしてなかったが、のちに世界チャンプとなる渡辺二郎やトカちゃんも頑張っていた。

神戸には日本初の無人電車のポートライナーができ、続いてポートアイランドが完成し、テレビでは〽ポ〜ト〜ピ〜ア〜という曲が流れ、「ビバ！　ポートピア」と派手なコマーシャルをやっていた。

そのころ、いつものようにバイトから帰ってくると、俺の家の近所のタバコ屋の横にあるモービルのガソリンスタンドにツレらが溜り、口々に「ビバ！　ポートピア」と叫び、まるでナチスドイツの「ハイルヒットラー」を髣髴《ほうふつ》とさせていた。

「お前らなにやってんねん」ちゅうとカンがこちらを向き「ビバ！　ポートピアよ」ちゅうて、ほんまコイツらなに考えとおんねん、アホやの〜思とったら、マクが「わしら、いまからポートピアっちゅうんがどんなもんか見にいってくんねんけど、チュチュも行かんかあっ」ちゅうんで、俺もあんなけ宣伝してるんがどんなもんか見てみたかったもんで「うん、行こかぁ」ちゅうたら、カンが振り向いて「みてみいっ！　ビバ！　ポートピアやんけぇっ」ちゅうて、また意味不明の発言をした。

とりあえず「手振り地蔵へ行って手ぇ振ってもろてバイバイしてから行こかぁっ」ちゅうて出発してん。

手振り地蔵とは芦屋の山手にある墓地の入り口に水子供養のために建てられた子供の像で、片手を上げ、もう片手に毬を抱いてることから、最初は手毬像と呼ばれててんけど、遠目にからは手を振ってるように見えることから、そう呼ばれるようになってん。それが話題となり近県各地から人が集まるようになっていた。しかし近くまで行くと手を振るのをやめるんで、単なる目の錯覚やと思うねん。

その日も手振り地蔵は手を振っており、みんなで「お〜！　今日も元気に手ぇ振っとおる振っとおる」ちゅうて「バイバ〜イまたね〜」と手を振り返してポートピアへと向かってん。R43を三宮へ向けてひた走り三連を鳴らす代わりに口々に「ビバ！　ポートピア。ビバ！　ポートピア」「ポートピアってやっ！　ポートピアってやっ！　ピアってやっ！　ピアってやっ！」とわめきちらし、正真正銘のアホ軍団でほんま情けなくなってくるのぅと思いつつ、いつの間にか一緒にわめいている自分に気づき、ゾッとするのであった。そして第四突堤に入り神戸大橋を渡ってポートピアへと上陸してん。

そこはまだ人の手垢のついていない人工的な島で神戸港を照らし出す黄色い灯りがすこぶる近未来的に見え、建造物の一つ一つが人間を拒否するかのような無機的なものに感じられた。

舗装されたばかりの道路を「ビバ！　ビバ！　ビバ！　ポートピア～」と叫びながらローリングきって走りまくり、一番先端にあるポートアイランドまで行って、まだ運行されてない、できたてホヤホヤの観覧車を見上げて「ビバ～！　ポートピア～」と声を合わせた。そしてポートピアを周回するレースが始まり、飽きたところで「帰ろうぜぃっ」ちゅうことになってん。

第四突堤入り口付近に新しくできた橋を渡ろうと、入り口まで行くと進入禁止の立て札とロープで道が塞がれていた。しかし我らアホアホ軍団は「完成しとるに決まってるやんけぇっ。行ったれやっ。わしらが一番のりやっ！　マックスターンしてタイヤの跡つけて帰ろうぜいっ」ちゅうて立て札をどけてロープを解き、みんなで走っていってん。

それはハーバーハイウェイと呼ばれる、摩耶埠頭と第四突堤をつなぐ橋で、二層になっており、上下それぞれ一方通行というカッコええ造りで、おニューやからメチャメチャ道がきれいねん。みんな、その橋の真ん中あたりで単車を停めマックスターンをした。マックスターンとは、前ブレーキを思い切りかけて回転を上げていき単車を徐々に寝かし、タイヤを空転させ煙を上げながらタイヤのゴムできれいな円を描いていくという技で、映画『マッドマックス』のワンシーンにあったことから、そう呼ばれてたてん。

みんながそれをやったもんやから煙の量が半端じゃなく、十個ほどのきれいな円を描き、摩耶埠頭へ渡って、二層構造のもう一方にもマックスターンをしに行き、その間もみんな口々に「ビバってや！　ビバってや！　ピアってや！　ピアってや！」「マックスってやっ！　マックスってやっ！」とわめきちらしながら白煙を上げ、計二十個近くの円を描き、そのまま逆行して摩耶埠頭に戻りR43に出て大阪へ向かってん。

みんなでふざけながら走っていると車五台のグループと遭遇し、このまま気持ちよう帰ろうぜいっと思てんのに、そうは問屋が卸してくれず、幅寄せしたり急ブレーキかけたりして俺らに粉かけて、いちっびってきよってん。ついにカンがキレてもうて、ヘッチン取って、それで車をどつき倒し、サイドガラスをガッシャーンと割りよってん。ヤバいなぁ車が相手やから、轢きにこられたらひとたまりもないやんけぇ思て「停めろ停めろ！　横づけさせぇやぁっ」ちゅうて、みんなで車停めにかかってん。サイドガラスが割れた車と、その後続の二台は停まりよってんけど、前を走ってた二台はピューッと逃げてまいよってん。

ガラスが割れた車には男女二人ずつが乗っており、カンは完全にキレてもうてるから、男二人をボコボコにし、後続の車はドアロックして出てきよれへんから、イーマンがヘッチンでフロントガラスをどつき倒し、俺は車の上に昇って屋根をへこまし、その後ろの車ではマクがサイドガラスを蹴破り、運転席にいた男を引っ張り出し、それぞれがムチャクチャやってるから、なにがどないなってんのんかさっぱりワヤであった。

どの車も女連れやったもんで「ワレら女連れでなにさらしとんじゃあっ！　女の前でええカッコしたかったんかいっ」ちゅうてしばき倒してん。カンがしばいてた奴らが逃亡し、それを見て他の男連中も、あの広いR43を横断してトンコかましていった。車に轢かれたらどないしよんねん思いながら、残った女らに「自分らも歩いて帰った方がええんとちゃう？　この車は乗れんようにしてまうからぁ」ちゅうて女らを降ろし「車ボコボコにするんやったら早よやってまおうやっ。最初に逃げた奴らがポリ呼んできよんでぇっ」ちゅうて、「返ってやっ！　返ってやっ！」とわめきながら車をひっくり返してん。やがて遠くからパッツンのサイレンが聞こえてきたんで、急いで単車に乗り、走り去ってん。途中、検問を警戒してバラバラになり、みんな無事に十三まで帰ってん。

ニンケとミカ

腰骨のヒビが治り退院してきたニンケが、彼女のミカを連れて俺んちに転がりこんできよってん。

マクは家出してきたっちゅうても、アル中で仕事せん親父との口ゲンカがもとで出てきただけで、メシは食いに帰るわ洗濯もんも持って帰ってやってもろとるわで、ママごと遊びみたいなもんやったから、ニンケらが来たことで帰りよってん。

ニンケは退院してきたものの、親元には帰りづらく、前から付き合《お》うてたミカんとこへ転がり込んだまではよかったが、ミカが家賃を長いこと払《はろ》てなかったもんやから追い出され、アパート借りる金ができるまで置いてくれっちゅうことで、しかしニンケは腰がまだ完全でなく、コルセットをはめ通院しており、歩くんもちょっとしんどいという状態で、当然仕事にならず、その上、半年以上の入院が決まった時点で乗ってたサバンナを売っ払い、退院してきて車がいるからと、知り合いからゴールドラメ[1]のケンメリ[2]を買ったもんやから、その支払いもあり、金銭面では、なにからなにまですべてミカが担

1　金色ラメが入ったメタリック塗装

っとおってん。

　そのニンケの車がまた渋く、ゴールドラメとはいっても普通のラメではなく直径一から一・五センチの大粒のラメで、内装は天井からサイドパネル、リアシートに至るまですべてに永ちゃんのポスター、タオル、ビーチタオルが貼られ、永ちゃんづくしになっており、バネを取っ払ってショックのみにしてもうてるから、ショッポのケースが入るか入らんかぐらいのベタベタガチガチで、余計腰いわしてしまうんちゃうんかいっ！ちゅうような乗り物で、もちろん定番のソレ・タコ・デュアル[3]は付けとおった。後日、車の本に載ったとかゆうて、その本を持ち歩いては見せびらかしとおってん。ケンメリは、ニンケのなけなしの自慢の逸品やった。

　ミカはそれまで美容師のインターンをやっており、遊びたい盛りで、よう遊んでたのと、その割には安月給やったのとで、家賃を滞納しまくってたらしいねん。俺んとこへ来たときには金がいるため、上のヘアーを下のヘアーに、ハサミをチンコに変え、ピンサロ嬢として勝負しとおった。

　ミカは菱のO組の若頭の娘で、ニンケはこんときはまだ遊びのつもりで、適当に突っ込んでポイじゃあって思とったみたいやねんけど、アパート借りて一緒に住んでるころ、親父さんに呼ばれて家へ行っててん。そこで脅されたらしく帰ってきたときには顔面

2　日産スカイライン2000GTR。1972年に登場。「ケンとメリーのスカイライン」という曲がテレビ、ラジオでキャンペーンソングとして頻繁に流れたことからこの愛称で呼ばれるようになった

蒼白になっとった。

ミカはよう尽くしとったから、ニンケも情が移ってんやろなぁ、いまでも一緒におって、ニンケはパチプロでミカは生命保険の勧誘やっとおる。

3　ソレックス・タコ足・デュアルマフラーの略。ソレックスはキャブレーターメーカー。タコ足は各シリンダーから排気管がタコの足のようにマフラーパイプに集合している形状。デュアルマフラーは先が2つに分れているマフラー

ケンジが大変やねん

俺がバイトから帰ってきた夜中二時ごろ電話が鳴っててん。受話器を取るとイーマンで、慌てふためいて「チュチュ～助けてくれえっ！　ケンジがケンジがケンジが大変やねんっ」ちゅうて、なにがなにやらわからんから「ケンジがどないしてん、いまどこやねん」ちゅうと「ケンジが身体動けへんようになっててまいよってん。喋れねんけど身動きでけんらしいねん。どないしよ？　どないしたらええやろ？　とりあえずチュチュ、カマやんとこ来てえなぁっ」ちゅうもんで、単車《たんこ》飛ばしてカマやんが女と住んでる野中の文化へ行ってん。

部屋に入るとケンジが横たわっており「チュチュ～ごめんなぁ。いきなり身体がだるなって、手ぇとかが上がれへんようになってもうて、しまいには座ってんのもしんダルって、横になったら起きられへんようになってもうてん」っていいよるんで、イーマンに話を聞くと、さっきまでラリっとって、ほんま急にこないなりよったらしいねん。

「それやったら、とりあえずどっか医者行かなぁ。救急車呼ぼかぁ」ちゅうと「チュチュ〜救急車はやめてぇやぁ。カッコ悪いわぁ。それにさっきまでラリっとってんから、バレて通報されるかもしれんやん！　医者かて大丈夫やろか？」っていいよるんで「いま、そんなことゆうてる場合とちゃうやんけぇっ！　どっか病院行かんことにはヤバいでぇ。早よせな、一生寝たきりになってまうねんど。バレたらバレたときでええやんけぇ。通報すんのが医者の仕事ちゃうねんから大丈夫やろう」ちゅうてん。

とはいったものの、どうやって病院まで運ぶかが問題で、一旦、家に帰って、裏に住んでるおかんの弟の弘美のオッサンの車を拝借してきたろう思て、イーマンにそない話してカマやんとこを出てん。

弘美のオッサンの白いブルーバードが、いつものように路駐してあるのを確認し、シメシメと思て、オッサンとこのガラガラガラと大きな音がする引き戸をゆっくり音を立てずに開け、車の鍵はいっつも玄関横の下駄箱の上に置いてあるんで手探りで見つけ、開けたのと同じようにできる限り静かに戸を閉め、車の鍵の持ち出しに成功してん。

カマやんとこの文化に戻ると、いつもより重いケンジの身体を俺が担ぎ、イーマンが後ろから支えるようにして階段を降り、ブルーバードの後部シートに寝かせた。

イーマンは助手席に乗り「どこの病院に行くぅ？　救急やったら豊田か十三病院やけどいちばん近い十三病院にしとこか」ちゅうとケンジが「チュチュ〜、十三の病院はやめてぇなあ。バレバレやん。どっかちゃうとこ行ってぇやぁ」っていいよるから「あと俺が救急で知ってんのは天六の行岡か空港線沿いの林に豊中市民病院に、お前がC調ハゲつくったときの国立しか知らんでぇ」ちゅうと「天六の行岡がええわぁ。こっからやったら一番近いんちゃうん」ちゅうんで「ヨッシャ、ほなレッツゴー」ゆうてタイヤを鳴らしながら行岡病院に向かってん。

途中、イーマンが「チュチュ〜俺らラリってんのんバレバレちゃうん」っていいよるから「そやから俺が話するからイーマン黙っとけやぁ。ケンジはもうしゃあないわぁ」ちゅうてん。

病院の玄関前に車を横づけして看護婦さんに急患を告げ、容体を説明すると先生が出てきて、看護婦さんたちがカタカタゆわせながらコマのついた移動ベッドを持ってきて、それにケンジを載せて診察室に消えていってん。

三十分から一時間ほどして先生が戻ってきて、いきなり「彼はかなりシンナー臭いんですが、なにか薬物のようなものを常用していますか」と聞かれ「そこんとこはよくわからないんですけど……」ちゅうてお茶を濁すと「彼がどうなってもいいんですか？本当のことがわからないとちゃんとした診療ができません。いってもらえないのだったら警察に連絡して彼のことを伺ってみます。話してくれれば極力、警察方面への連絡は避けるようにしますんで教えてください」といわれ、ケンジがボン中であること、トルエン系統ならなんでもやって五年は常用しているであろうことを話した。その先生によるとケンジは、脳や背骨を走ってる神経系統がボロボロになっていて、場合によっては精神病院に入れなければならないらしく、俺らはケンジの家の電話番号を伝えて病院をあとにしてん。

外に病院を出ると空が白々となっており、もう朝やんけぇ思て、「大変なことになってもうたなぁ」ゆうてイーマンを家まで送ったあと、車を元の場所に路駐してん。弘美のオッサンとこの戸を開けると、オッサンはまだ寝てるようで、ラッキーと思て、鍵を置いて帰ってん。

めぐみとの出会い

　ケンジの入院から少し経ち、精神病院行きは見送られ、みんなでホッとしとってん。そのころバイト先の〈フジヤ〉では、こないだから毎日八時半から九時ごろ来て、ハムトーストか玉子トーストにホットを注文するメッチャベっぴんさんのことで話題騒然となっていた。「俺が注文を取りに行く」「俺が注文を持って行く」と、盆の奪い合いから始まり、「なにやってる人なんやろう」「幾つなんやろう」「どこの人なんやろう」といった、彼女に対する興味本位の話で盛りあがっていた。

　俺も彼女に盆持って行きたかったけど、その役はいつも先輩に取られ、ほんまにムカつく日々を送ってたんで、ある日、彼女が来たとき先輩にゆうたってん。

「先輩ら、ここでグダグダゆうてんとアタックしたらよろしいやん！　先輩らがアタックせえへんねんやったら俺が行きますよおっ」

「アホかぁっ。お前が行っても相手してくれるわけないやろう。そんなんやったらわしらが先に行っとるわいっ。あんなべっぴんさんなんやで～男がおるに決まってるやんけぇ。わしらが行っても相手されへんやろうし、お前みたいなバリバリのヤンキーがいって相手されるわけないやろう。怖がられて逃げられるのがオチじゃいっ！」

「ほな、俺が今日行ってきますわぁ。彼女が食べ終わって出て行ったとこを追っかけて、また店に連れ戻してきますわぁ！」

「そこまでゆうんやったら、主任にゆうて、お前が彼女を連れ帰ってきたら三階に行かしたる。今日やったら客入ってけえへんやろうから、ゆっくり使えるやろ。やってみいやっ！　まぁ、あかんのんわかりきってるけどな。なんぼでも賭けたるわぁ。万コロでもええねんけど、払わんならんお前がかわいそうやから五千円にしとったるわ。みんなも賭けへんかぁ？」

　ちゅうて、全員あかん方に五千円賭けて、計三万円となってん。こらほんま負けたらヤバいで～ローン組んでもらわなあかんわぁ思とったら、彼女が食事を終え、レジで金を払い出て行ってん。

　レジにいる主任が俺を見てニタッと笑い、みんなから「まぁ、あかんやろうけどせいぜい気張ってこいやっ！」といわれて、走って追っかけてってん。

　ほんで、彼女に追いついき後ろから「すみません！」と声をかけてん。振り向いた彼女は、うっわぁっ～ほんまムッチャかわいいやんけぇっ！　どないしよ～っちゅうほどかわいく、俺は固まってしまい顔が紅潮してくるのがわかり、「なんですか？」とつぶらな瞳とかわいい声でいわれたけど、なにをゆうてええかわからず、なんやのんこの人っちゅう感じで行きかけたんで、「すんません！　怪しいもんとちゃうんですう！　さっきのあのサ店のウエイターなんですけど、時間があったらちょっとばかしお話ししてほしいんです！　お願いしますう！」ちゅうたら「時間はあれなんですけど……なんで私があなたとお話ししないといけないんですか？　結構です！」ゆわれたけど「ちょっとでいいんです！　ちょっとでいいんです！　お願いしますう！」ちゅうたけど「すみません、結構です！　ごめんなさい！」ちゅうて歩いて行ってもうたんで、こりゃいか～ん！　思て走って追いかけ、前にまわって「お願いしますう！」「しつこくしないでください！」といわれ、どないしたらええねん！　どないしたらええねん！　ほんまにどないしたらええかわかれへんかってんけど、俺をよけて行こうとする彼女の肩を両手でつかまえて咄嗟《とっさ》に大声で「一目惚れしたっちゅうてんねん！　ちょっと話きいたれやっ！」ちゅうて、十三駅前の一番人通りの多い、酒饅頭の〈喜八洲〉[1]の前でゆうたもんやから、まわりの通行人は立ち止まり、ジロジロ俺らを見つめ、〈喜八洲〉の人や、酒饅頭に並んでる人、買ってる人らもジロジロ見ており、俺も彼女も真赤になって「ちょっと～こんなとこでそんな大声出さないでよ～頭おかしいんじゃない？　あ～恥ずかし

1　喜八洲総本舗。阪急十三駅西口を出てすぐの和菓子処。酒麹入りの生地で包まれた薄皮饅頭、酒饅頭が有名。最近では、俵型の団子を串刺しにしたみたらし団子も人気

い。わかったからゆうこときくから、もう大声出さないでください。どこまで行けばいいの」と聞かれ、飛び上がるほど嬉しく、ルンルンして彼女の手を引っ張って〈フジヤ〉へと連れ帰ってん。

自動ドアから入ると、みんな目をパチクリ口をあんぐりさせて、ビックリした顔をしており、俺は声には出さないがガッツポーズをして三階まで連れて上がってん。

さっきコーヒーを飲んだばかりなので紅茶がいいと彼女がいうので、紅茶をお出ししたものの、いまの自分の状況が信じられず、なにを喋ってええかわからず、彼女には「あなた、ほんとにちょっとおかしいんじゃない？　あんなことするなんて信じられないわ！　いっつもあんなことしてるの」と聞かれてん。

彼女は、ほんまにべっぴんさんで、上品な顔立ちで、標準語を使い、胸も大きくスタイルもよく、非の打ちどころのないような女性で、女優の五十嵐淳子[2]に似ており、五十嵐淳子が八〇パーセントとすれば、デビュー時の小泉今日子[3]が残り二〇パーセントというような顔をしていた。

そんときはシドロモドロになりながらも一、二時間話し、電話番号を聞き出してん。

バイトを終え、風呂にも入らず、帰ってすぐに半信半疑で電話してみると、ほんまに彼女が出てん。タイミングよく彼女は田舎から出てきたばかりで友達がおらず寂しかっ

2　1952年生まれ。女優。もとは五十嵐じゅんこの芸名で活躍していた。夫は俳優の中村雅俊

たようで、延々朝まで六時間も長電話し、俺にとっちゃあ本当の春が来たあ！　ちゅう感じで、「耳が痛くなったねっ」ちゅうて笑いながら電話を切り、翌日も四時間も話し、知らん間に会うようになっててん。

デートを重ねるうちに、二人とも一人暮らしだったんで、彼女の新大阪の十畳ほどのワンルームマンションと俺んとこを行き来し半同棲のような感じとなっていった。行き来しとったっちゅうても、俺んとこにはいっつも誰かが家出してきとおって、ワルの溜り場みたいになっとったから、ほとんどが彼女のワンルームに転がりこんでいた。

彼女は安野めぐみという一コ上の島根県出雲市出身の女性で、高校を卒業し、英語が好きで英検一級を持っており、英文タイプと通訳の資格を取りに大阪にやって来た。彼女のお母さんの友人が経営する、昼は喫茶店、夜はスナックになる店で昼間に働き、夜、たまに人手が足らないときにスナックを手伝い、夕方には十三駅前にあるＥＣＣ英語学校で勉強していた。そのため毎日決まった時間に〈フジヤ〉で晩ゴハン代わりにエッグトーストかハムトーストを食べとったみたいやねん。

ツレにめぐみを紹介すると、みんなその美しさにブッ飛び、どこで引っかけてん！　上手いことやりよったのうっ！　ちゅう感じで、めぐみみたいな人間が身のまわりにおらんかったから、みんなシドロモドロとなり、めぐみのきれいな標準語が伝染ってまい

3　日本テレビ「スター誕生」出身。1982年「私の16才」でデビュー。デビュー3年目に突然、髪をバッサリ切り刈り上げに。1985年にリリースされた「なんてったってアイドル」では自ら「アイドル」と称し、話題に

「そうですよねぇ～」「ちがいますよねぇ～」とかゆうて喋っとおった。

　めぐみと初めてヤったときは、そらもう嬉しゅうて嬉しゅうて……その日は俺が熱を出してフラフラになって仕事から帰り、めぐみに電話したら看病しに行くとゆうてくれてんけど、ツレらがおったから俺がめぐみんとこへ行ってん。

　めぐみがお粥作ったりして看病してくれて、メッチャ感激してんけど、それよりめぐみんちに泊まることの方が嬉しかってん。その前にめぐみが俺んちに泊まったことは二度ほどあんねんけど、一度はニンケらがおったからあかんかって、もう一度は「初めてで、まだ心の準備ができてないから、もうちょっと待って」といわれ、こんなきれいな女に、いままで誰も手ぇ出してないなんてほんまかいっ！　と眉唾もんの感じもあってん。

　今日こそできるんちゃうか思て、三十九度も熱が出てんのにオツムん中はもっと高温のオーバーヒート状態で、心臓は狂ったように太鼓を叩き、めぐみが俺の身体を拭いてくれ、自分も風呂に入り、「寝よかぁ」ゆうてベッドん中に来たときには、熱でフラフラの状態からシャキ～ンと筋肉マンになったような気分となり、かなり鼻息を荒らげとった。

　ベッドに入ってきて、ちょっとしてからキスをした。それはトロ～リとろけそうな甘く濃厚でワイルドなディープキスで、くちびるを離すとめぐみが突き放すようにして「マーちゃん、今日は熱があんねんからやめとこう？　また今度にしよっ、ねっ！　それよりも早く熱を下げるほうが大切でしょ？　熱が下がったらいつでもできるんだから、今日はやめよう？」ちゅうんで、心ん中で、じゃかあしいわいっ！　今日こそいてもうたんでぇっ思て、その喋ってる口を再びキスでふさいでパジャマの上をまくり上げて乳を揉みしだいてん。

めぐみの胸はCカップの95で、ほんまにでかく、また若いからかすごく艶も張りもあり、乳首なんてツーンと上を向いており、その上、吸いつくような、なめらかで、きめの細かい肌で、うっとりして顔を寄せ、乳首を吸おうとすると風呂上りのためプ～ンと石鹸のええ香りがし、めぐみもなにもいわなくなったんでそのまま前戯を続け、パジャマの下のゴムに手をかけパンティの上から撫でまわし、そしてパンティに手を突っ込みイジくり倒してん。

そこまでの様子だとめぐみは、ほんまにバージンのようで、俺がいろんな部分に触れるたびにビクッビクッと震え「アッアッ」と小さな声を漏らし、指を入れようとすると痛がるんで、クリちゃんやその周辺を充分に刺激してから、一本だけをソ～ッとソ～ッと、まわりをゆっくりと押し広げるように入れると「痛ッ」と、ちっちゃい声を出したんで、まだちょっと痛かったんかぁ思て、一本指で中を十二分にコネくりまわし、二本目を入れていってん。

二本目んときは、そんなに痛がりはせえへんかったけど、ハァハァと息を切らせながら身体がこわばって、ごっつい力が入っており、「めぐみぃ大丈夫やから、もっとリラックスして身体の力抜いてぇ安心せぇ。みんなやっとおることなんやから大丈夫やぁ」ちゅうてジックリジックリと責めていってん。

ほんで、よっしゃあ、いよいよいったんでぇっ！　思て、めぐみに身体を重ねて入れようとすんねんけど、やっぱり痛いらしく先っぽ止まりで、ずり上がって行きよるんでめぐみの身体を引っ張って元の位置に戻し「大丈夫や！　心配すんな。もっとリラックスして身体の力を抜いてぇ。自分がこのまま溶けていってしまうんちゃうかぁ思うぐらい身体の力を抜いていくねん」ゆうて、先っぽだけを入れた状態で腰を微妙に震わせるようにして徐々に徐々に広げるような感じでやっていくと、段々段々俺のが埋まっていきよってん。めぐみに「大丈夫かぁ？　大丈夫かぁ？」と声をかけると痛そうに歯を食いしばり、眉間にシワを寄せとおんねんけど「うん……うん」と頷いて、それを見ていると、その健気さにメッチャ感動してん。

ほぼ完全に入ったときにはメチャクチャ嬉しゅうて「めぐみぃ痛いか？　完全に入っ

たぞおっ！　俺のがお前に完全に入ってるう……わかるかあ」ちゅうと「うん……でも、すごく痛いねん。そうやってジッとしてるだけでも、なんかすごく痛くてジンジンしてんねん。これからどうすんのん？　早よ終わってぇ」ちゅうもんやから、このままここで抜いて終わってまおかなぁ思てんけど、ここまでいきり立ったチンコ君に対してそれは失礼やなぁ思て、ゆっくりゆっくりピストン運動を始めていってん。めぐみはまだごつつこと痛いようで険しい顔をしており、ピストンが激しくなってくると「マーちゃん、もうやめてえ。痛いねん。なんかアソコから引き裂かれそうな感じでお腹んとこかもすごい痛いねん」といわれたけど、こんだけ痛がっとおって処女やゆうてるわりにはユルいなあ、ほんまに処女なんかなぁ、痛がってるふりしてるだけかもなぁ、でも様子が嘘に見えへんしなぁ、そんなことどっちでもええやんけぇ思いながら、「めぐみぃ、悪いっ！　もうちょっとでイキそうやから、もうちょっと待ってくれぇっ！　もうすぐ終わるからあ」と、ピストンを激しくしていくと、めぐみの顔からさっきの険しさがなくなり、しかし俺は早よイったらなあかんという思いで神経をチンコに集中させ、めぐみん中にいま俺が入ってるんや～と感情を高ぶらせて、とうとうめぐみの腹の上にドピュッピュッピュッとぶちまけてん。

めぐみは放心状態でグターッとしており、なにもでけんような感じやったんで、精子がまかれた腹の上と、オメコを優しくティッシュで拭いたってん。ほんで自分のを拭いて、疲れきってるめぐみにキスをし愛撫をしてん。

愛撫をしていくとビクンビクンと反応し、とくに太腿の内側なんかはピクピクと痙攣しており、そうして身体中を撫でまわしているとめぐみが「ありがとう」ゆうてキスしてくれてん。ほんでシャワーも浴びんとめぐみを抱き続けそのまま寝てしもてん。

これは嘘みたいな話なんやけど、朝、目が覚めるとめぐみが素っ裸にエプロンだけをつけ朝食を作っており、俺に気づくと「マーちゃん、熱はどう？　もうしんどない？いまサラダ作ってんねんけどお粥にするぅ？　それやったら卵は目玉焼き？　半熟？それともよう焼くぅ？」ちゅうて、なんか夢の続きを見ているような感じで、そして裸にエプロンを引っかけただけで台所に立っているめぐみの後姿を見ていると、普通やったらムラムラっときてバックから犯してもうたんねんけど、そうはならず、すごく充実した幸福をしみじみと感じてん。

そんなめぐみをひどく傷つけてしもたときがあってん。

何度か身体を重ねていくうちめぐみが初めてフェラチオしてくれたときは、そらもう嬉しくって、あのきれいなめぐみが俺のを口に含んでくれていると思いながら目をつぶっているだけで感激でイキそうになり、すると実際に見たくなるもんで布団をめくり上げると、ほんまに俺のチンコをパックリとくわえためぐみがおって、恥ずかしいからと布団をかけて、それをめくって、布団をかけてめくってと繰り返してるうちに見られんのも平気になったようで、そのめぐみのフェラチオ姿がもう嬉しゅうて嬉しゅうて、舌でペロペロしてくれたり、あのきれいな顔でなんでもやってくれんのを見てるともうそれだけでエクスタシーの極地やってん。

ほんで二回目ヤったときはちょっとは痛がりよったけど、三回目、四回目ぐらいからは感じるようになってきたみたいで、そんなとき一回目で感じた、ほんまに処女なんかなあという疑念が再び頭をもたげ、血もちょっとついてたけど、あんなもん生理の終わりごろやったらなんぼでもごまかせるしなぁとかいう思いが段々と強くなっていって、とうとうめぐみに聞いてもうてん。

「正直ゆうて、そんなんどうでもええねんけど、お前ほんまに処女やったんか？　なんかあんとき処女の割にはえらいユルうて、他のヤリマンの女とあんまり変わらんなぁと思てん」

ちゅうと、そらそうやねんけど、えらい怒りだして、泣いてそこら中のをシッチャカメッチャカにして俺にぶつけまくり、なだめるのにすごい苦労してん。それからというもの、なにか違うことでケンカになるたびに、「私のはすごいユルくてブカブカで、そういうのんってなんなんやろう思て図書館行って医学事典調べたり産婦人科に相談しに行ったりしたんやからぁ」などと責められててん。ほんまにそこまでやったんかいっと思たけど、それをいわな気持ちがおさまらんっちゅうとこまでめぐみを追い込んでしまったことが、すごいショックやってん。

めぐみが田舎を出た理由の一つに、知り合いの男の自殺があったらしい。ある男がめぐみに交際を申し込み、それがあまりにもしつこいため、めぐみがその男にムチャクチャいうて罵声を浴びせ、それが原因かどうかはわからんけど、その男はホースで車ん中に排気ガスを引っ張り込んで自殺し、遺書の中にはめぐみのことも書いてあったらしい。

それでめぐみは恋愛に対してすごく憶病になってしまったようで、その日の俺の言葉によって忘れかけていたそういう気持ちが蘇ってきたとかいわれてん。正直なところ、申し訳ないことをしたなぁちゅう気持ちはもちろんあってんけど、反面、その話ほんまかいっ？　なんかでき過ぎてるやんけぇと疑う気持ちもちょっとあってん。きっとめぐみに対して信じきれないなにかを感じているのもあったやろうし、それまでの人生で関わってきた人たちの裏切りや嘘の部分、ツレとの間の騙し騙され悪ふざけしていた部分が根強く影響していたのかもしれず、そんな自分が嫌で、やるせない気持ちになってん。

また、おかんが男に走って家出してしまったことで愛情に飢えていたのかもしれない。

そのときの俺は、めぐみに対して、真正面からおもくそ誠心誠意でぶつかってくるような一二〇パーセント以上の愛情を求めてん。

泣く泣く坊主にしてん

　ある日、俺とめぐみが家におったら、おかんが森半《もりなか》のオッサンにどつかれて顔を腫らし、泣きながら帰ってきてん。オッサンは知らん間におかんの財布ん中の金を盗ってバクチするらしく「こんなんやったら森半さんの借金を返す尻から借金ができていくぅ」ちゅうて泣きまくりよるから、こっちとしてもたまらん気持ちになって、おかんが「バカラしに行ったからおらん」ちゅうのんもきかんとオッサンとこへ行ってん。

　バカラっちゅうのはルーレットみたいなもんらしいねんけど、森半さんは、しょっちゅう新大阪やミナミのマンションの一室に出かけて、バカラしとってん。

　行ってみると、やっぱり森半さんはおらず、はらわた煮えくり返る思いで家への道を歩いとってん。どないしたらあのオッサンをギャフンといわせることができんねんやろう。単にしばくだけやったら子供じみてておもんないし、そうや、おとんに相談してみよう！　他に頼みたかったこともあるし思て、家へ帰っておかんに「久しぶりにおとんとこ行ってくるわぁ。オッサンが帰ってきたら〝おとんとこ相談しに行ったから、お前タダでは済まさんからのぉ〃ってゆうとってくれぇ！」ちゅうて、単車《たんこ》でおとんの住んでる庄内に向かってん。

久々におとんに会い、ことの顚末を説明するうちに、よっぽど腹立ってたんか、おかんを守れん自分が悔しかったんか涙が溢れ出てきて、知らん間に泣きながら喋っとってん。涙が止まらず、おとんに「男がそんなことぐらいで涙をこぼすなあ！」ちゅうて怒られ「お前のおかんは、お前にとってはおかんでも、わしからしたら別れた女や！　わしにはなんもでけへんのや。別れた女の男のことでノコノコ出ていくアホな男がどこにおんねん！　お前に直接関わってくることやったらできても、それは無理や！」ゆわれてん。

ほんで今度は「高校の学費を払《はろ》てほしい。随分たまってもうてるし、そんな状態やから、おかんには頼めんし、俺も自分の生活で目一杯や」ゆうてお願いしてんけど「アホかいっ！　ワレが自分で行った学校やんけぇっ。それぐらい自分でせいっ！　わしが金出して行かした学校、勝手に辞めくさったくせに、なにぬかしとんねん。なんぼかかったと思とんねん。あんとき我慢して行っとったら、いまごろ国立大受けるかゆうてるとこやねん」ちゅうんで、辞めたときは、おとんがえらいエキサイトしてもうてたからゆえなんだ、寮での生活や先輩とのケンカのことを話したら「アホかぁ。なんでそんときいわんのんじゃいっ。ゆうとったら、アパート借りて若い衆に交代で行かしとったのにいっ」とかいわれてんけど、あとの祭りやってん。

それより最初、おとんと顔合わせたとき「なんじゃいっ、その頭はぁ？　お前とこの高校はそんな頭しとってもええんかいっ。そんなしょうもない頭は切ってまえ！　高校生らしい頭にせいっ」ちゅうていわれて生返事しとってん。

結局その日は、おとんとこに泊まってん。

翌朝目覚めると気のせいか頭がちょっと軽くなったような感じがして、歯みがきに行って鏡を見ると、なんと俺の自慢の金髪の頭がザンギリやねん！　サイドはそのまま残ってんねんけど、フロントとトップがツンツンで、まるで落武者のようで、なんじゃこりゃぁ思て、「こんなんしたん、おとんやろ〜」ちゅうとニッタァ笑《わろ》て「なんや、カッコええ頭になっとるやんけぇっ！　気に入らんかったら金やるから近所の散髪屋行ってこい。お前はゆうだけやったらきかんから、わしが散髪してみたってん。けど、起こすんかわいそうやったからそんなけしかでけんやったんやぁ」いわれて、しゃあないから散髪屋に行ってん。ほんで、えらい短いとこもあるんで坊主にするしかないといわれ泣く泣く坊主にしてん。先っぽだけが金髪の、なんか妙な坊主頭で親父んとこに戻ると、えらい喜んで「おっ、ええやないけぇっ！　高校生らしゅうなったやんけぇっ」ゆうてん。

ほんで去り際に「小遣いくれやっ！」ちゅうてんけど「アホかいっ！　お前そこら中で暴走しまくったり、なんやかんやと悪さしとおるらしいやんけぇっ！　こないだも、甚平着てイッチョマエに肩で風切って歩いとったちゅうていわれたぞぉ。そんなことしとったら、なにかとわしの耳に入ってきよんねや。なにも知らん思とったら大間違いや。そんな奴に金持たしたらなにしよるかわからんからやらん！」いわれ「そうかぁ！　ほな帰るわいっ！」ちゅうて帰ったってん。

家に帰る途中、バイト先に寄ると、みんなに笑われ、めぐみと会《お》うても笑われ、ツレに事情を説明したら思いっきり笑われ、「なんか、悪さしましたっちゅう感じそのままやんけぇっ！」いわれてん。

ヌノフンが刺してまいよった

学校では、こないだまで新入生であった一年生が、だいぶ慣れてきたからか一年生同士のケンカが相次ぎ、一人の奴を何人かで袋にしたようで、やられた奴の顎や頬の骨が折れてしまい、パリで日本人留学生佐川君が人肉を食ったというショッキングな事件[1]や、シャブ中の寿司職人が引き起こした深川通り魔殺人事件[2]で世間は騒いどったけど、同じ新聞の片隅に高校生のリンチ事件として扱われとった。

そんなことで学校側がピリピリしているさなか、俺がいつものように遅刻して、その日はなぜか正門から入っていくと正面玄関に救急車が停まっており、またなにかあったんかなぁ思て中に入ると、ウ〜ンとうなりながら担架で運ばれてくる奴がおって、ソイツの苦しそうな顔を見ていると、なんや知らん笑いが出てもうて、ゲラゲラゲラ大笑いしながらその担架のケツを追ってきた三年の奴に「なんやコイツえらい苦しんどんで〜。どっかから落ちよったんかい」と聞くと、俺を手招きしてちょっと離れたとこへ連れて行きよるから「なんやねん。どないしてん」と聞くと「ヌノフンが刺してまいよ

1　1981年6月11日、パリ第3大学で学ぶ日本人留学生の佐川一政がオランダ人留学生のLさんを射殺。尻、太ももなどをナマで、さらにステーキのように焼いて食べ、冷蔵庫に死体の一部を保存していた

ってん」ちゅうもんで「嘘やん！　アイツたまに来たと思たら刺してまいよったんかいっ！　ほんでヌノフンは」「逃げよってん。まだ捕まってないらしいわぁ」ちゅうことやってん。

ヌノフンは、具志の単車でこけたとき俺のケツに乗ってた関連桃太郎の奴で、髪を紫に染めてる割には気が弱く、いっつも白鞘のドスを持ち歩いており、それがなかったらたぶんよう歩かんのやろうと思うねんけど、そやからいつかはずみでやってまいよんでぇ思とったら、とうとうやってまいよってん。

でもなんか興奮してもうてワクワクしてきて「なんでやってまいよったん」と聞くと、やられた奴はダブリの一コ上で昨年まで同学年やから顔見知りらしいねんけど、渡り廊下んとこで互いに道を譲らず、肩がぶつかった、ガンつけたから始まって、その勢いで刺したらしく、よくもそんなしょうもないことで同級生を刺してまいよんなぁと感心し、しかしこれでボンボンで金をようけ持ってるヌノフンが退学になり、茶ぁやメシをおごってくれる人がいなくなると思うと悲しかってん。

教室に行くとすぐに緊急のホームルームが開かれ、新聞記者やなんかが来ると思うけど余計なこといわんように、とくにヌノフンと同い年で付き合いがあった俺はなにをいい出すかわからんからと厳重注意をされてん。

2　1981年、東京深川の商店街で元寿司職人の川俣軍司が柳刃包丁で主婦2人、幼児2人を刺殺。女性2人にも重軽傷を負わせ、さらに別の主婦を人質に中華料理店に立てこもった。川俣の尿から覚せい剤が検出された翌日、予想通りその事件は新聞に載り、刺された奴の名は出とったけど、ヌノフンは「A君」となっててん。ほんで、どないなったか楽しみで学校へ行っててん。

校内放送で校長は、この一、二カ月の間に二回も新聞沙汰になり、当校創立以来の快挙だといって喜んでいた。ヌノフンはまだ逃亡してるらしく、もし連絡があったら親か学校への連絡を伺すようにいわれ、刺された奴は経過がおもわしくないようで、昼食後すぐに刺されたため、消化されてない食物が刺されたとこから体内中に散らばり、その摘出作業で大量の出血があり、この二、三日がヤマだということであった。

ヌノフンよ、逃げて逃げて逃げまくって、この俺を楽しませてくれ〜と、その事件の行方が気になり、学校に行けば最新のニュースが聞けるので翌日も学校に行っててん。しかし、その次の日、ヌノフンが親と一緒に警察に出頭し、刺された奴も峠を越し命に別状はないという、あっけない結果で幕を引いてん。

ヌノフンは鑑別は確定で、年少はどないなりよんのかなぁ〜と思とったら、結局、鑑別も年少も保護観もなく、箕面のパチンコ屋に入り浸り、車の免許を取って、おかんのカマロを乗りまわし、いつもの調子で遊びまくっとったらしい。あんなけのことをやっといて、鑑別もなければ保護観もつかないとは、権力者に対して親がかなりの金を使いよったんやろという噂も流れてん。世の中すべて銭次第なんやろか、あ〜怖っ！

積極的な昼サロ姉ちゃん

バイト先のサ店は十三という土地柄か、学校を終えてバイトに入る五時から七時ごろと、店の終わりの十一時から十二時ごろには、水商売の姉ちゃん、というよりオバハンの方が多いねんけど、そういった夜の蝶が出勤前出勤後の一服や、客との待ち合わせで結構ようけ来てて、その時間帯になると女の化粧の匂いで店内はむせかえっていた。

俺は、客と待ち合わせて来てる姉ちゃんを見るとアイツら、いまからホテル街に行って一発ヤってこましよんねんなぁとムラムラきてた。

ある日、俺が店で二階の客席を歩いてると女の二人連れがいて、一見、場末のスナックのママみたいな——まぁ、ゆうてみれば十三自体が場末みたいなもんやからその通りやねんけど——メチャヤメチャヤ傷んだパサパサの茶髪で、パーマがとれかけてても気にしない、カッコだけはとにかく派手なオバハンに呼び止められてん。

「兄ちゃん、このコがあんたのことがカッコええゆうて気になってんねんてぇ。ちょっと、かもたってぇなぁ」といわれて、このオバハンなにオチョクってんねん思てん。ツレの女を見ると最近この時間によく見る客で、俺より二つ三つぐらい上の感じで、そのオバハンとおるから水商売なんかなぁとは思うねんけど、そんなコテコテではなく、緩いカーリーはかけてんねんけど、ＯＬといってもおかしくない薄化粧の女で、嗅いだことのない甘～い香りのする香水をつけており、顔は普通やねんけど、前歯がちょっと欠けてんのんがイヤらしい感じで、「そうなんですかぁ。ありがとうございますう」ゆうてさっさと行っててん。

それからしばらくして、カウンターの前におったら先輩が来て「二階の女二人連れの客が、お前呼んでんぞ。知り合いか？」といわれて、またそのテーブルへ行ってってん。

ほなら、そのオバハンが「せっかく呼んだってんからサッサと喋りぃ。この兄ちゃんも仕事で忙しいねんからぁ」ゆうて促し、そのちょっとミソっ歯に見える姉ちゃんが「髪の毛切らはったんですねぇ。前の金髪がカッコよかったのにぃ。でも坊主も似おてんでぇ。頭の形ええねんねぇ。うちなぁ、あんたのことかわいいなぁ思てここによう来てんねんでぇ。知ってるぅ？　どんな人かなぁ思て興味あるから今度外で会えへん？　これうちの電話番号やねん。電話かけてきてぇ。ほんで時間決めていっぺん外で会うてぇなぁ。それと似合いそうなシャツが飾ってあったから買うてきてん。着てちょうだい」ちゅうて紙袋と電話番号を書いた紙を渡されてん。

「いやぁ、こんなんいきなりくれるっていわれても困りますんでぇ」ちゅうて返そうとしたら、「ほんの気持ちやから。それに今日仕事中やのに手間とらせたし喋ってくれたやん。だからなにも気にせんと受けとってぇ」ちゅうて、横からオバハンも「この子、真面目な子ぉで、あんたをからかったろうとか、そんな気持ちちょっともないから気ぃ悪せんと受け取ったってえなぁ」というんで、ありがたくもらってん。ほんでその人らは話が終わったと思ったらさっさと帰りはってん。

紙袋は十三の紳士服屋ではヤクザ御用達っちゅう感じの高い服ばっかり売ってる〈まからん屋〉ので、高いシャツやろなぁ思て開けてみると、やっぱりブラックピアので、たぶん二万円以上するやろうから、それを気軽にポ〜ンとくれて、初対面やのに直球勝負できよるっちゅうことは水商売の女なんやろなぁ思てん。

でも興味がわいてきて、めぐみには悪いなぁ思てんけど電話して会《お》うてみることにしてん。その女は昼に仕事で、夜か土日しかあかんかったから、土曜の昼、めぐみが絶対に来そうにない栄町商店街の奥の方のサ店で会うことになってん。

話を聞くと淡路の人で、歳は俺の一コ上、そのサ店の近所でOLしてるっちゅうねんけど信じられへんかってん。カマかけてみたら貯金が三〇〇万ほどあるから金を使えるらしいねんけど、ファッションとか雰囲気がOLっぽくなく、それに高校にまったく行かんと中卒で働きに出たっちゅうこともなんか怪しかってん。

ほんで「彼女は?」と聞かれて「おるっ」ちゅうて、俺も相手も一人暮らしやから半同棲みたいなもんやねんっちゅうて説明してん。その人は俺とどっか行こうと思ったらしく、メシでもゆうて誘われてんけど、女と会うからっちゅうて断ったら「電話くれて会うてくれたし、彼女となにか美味しいもんでも食べといでぇ」ちゅうて一万円くれようとするねん。断ってんけど、無理矢理ポケットにねじ込んできて、ガタガタやっとったら店の人は見るし、カッコ悪かったからもろてん。

ほんで別れ際に「彼女がおっても、うちはかまへんからまた会うてえなぁ。うちからもするけどまた電話してきてえっ」とゆわれてん。

それからめぐみには悪いねんけど電話し合って、時々会うようになり、寿司やらステーキやら焼肉やら、ええもんばっかり食わしてくれよるし、そのたんびに小遣いやゆうて金くれよんねん。ほんで学費を先生に立て替えてもろてる身でありながら、服とか靴とか遊びに使《つこ》てもうてん。それが癖になって「五分か十分でええから、ちょっと出てけえへん?」ゆわれたら「ハイハイ〜!」ゆうて喜んで単車飛ばして行って、金だけもろてくるときもあり、いくら貯金が三〇〇万あるゆうたかて、こらなんぼなんでもおかしいでぇ思て、問い詰めたったら昼サロで働いてるっちゅうことで、やっぱりなぁと思てん。

昼サロっちゅうのは昼のピンサロのことで、昼はそんなに客も入らんから大したことないやろう思て、あなどってたら若いっちゅうのんもあんねんやろうけど、多い月には一〇〇万ほど稼ぐらしく、平均したら五〇万以上は稼いでるらしく、えらいもんやの〜と感心してん。

そんなん聞いて、正直ゆうて最初は、どんなオッサンのチンコでも金もろたらしゃぶんねんやろなぁ、なんか嫌やなぁ思てんけど蟻地獄に落ちた蟻のように、罠や罠や思うねんけど、どんどん深みにハマっていってん。

だから彼女とオメコの仲になるまではそんなに時間はかかれへんかってん。

最初は彼女から「ホテル行こかぁ」ゆうてきて、こんなに色々買うてもろてるし小遣いももろてんねんからまぁええかぁ思て行ってん。

彼女が先に風呂入って、出てくると普段の顔より目が細うてちょっとブスやってんなぁ。薄化粧や思とったけど騙されたぁ〜！　とショックを受け、俺も風呂に入って、出てきて身体拭きながらベッドに座ると、なんの前ブレもなくカッポリやられ、そんなん女の方からいきなりやってくるやなんて初めてやったもんやから、ちょっと驚いてんけど、やっぱ商売柄そんなもんなんやろなぁと思たのが精一杯で、やっぱ上手いねんなぁ、気持ちよすぎて神経がチンコまわりに集中してまうねん。ほんまダテに一日十本二十本吸うてないわぁ。舌さばきとか吸引の仕方がメッチャクチャ上手うて、これぞプロっちゅう感じやねんなぁ。それに俺は客やないから余計気が入ってたんちゃうかなぁ。それから足を抱え金玉やケツの穴が天井向いてるような状態で、そこら中舐めまわしてくれて、ごっついこと気持ちええねんけど、そのホテルは総鏡張りやってん。ほやから天井の鏡に、俺が両足抱えて気持ちよがってて、彼女が必死こいて舐めまくってる姿を見ると笑いが出そうで、それを堪えんのに体力いるわ、気持ちええわでほんま往生してん。

彼女の乳は十九やっちゅうのに形が崩れ、乳首が大きく、ひしゃげてて、やっぱピンサロで乳を揉み倒されるから、こないなりよんねんやろなぁ思てん。

ほんでお返しせなぁ思て、彼女に俺を責めたてるんをやめさして、俺が舐めていって乳首を吸ったり舌先で転がしたり、その周囲をねぶったりしてたら、ちょっと腋臭《わきが》っぽく、気になったもんやから脇の下を舐めるふりして嗅いでみるとやっぱりそうで、だからいつも香水をつけとってんなぁと理解できてん。毛深い下に手を這わせると、えらい濡れてたんで指突っ込んだったら、ほんまションベン漏らしたみたいに濡れとって、これがブカブカやねん。まわりの肉もえらいブニョブニョで、毎日いじくりまわされとおると、どないなんのか見たろ思て、舐めながら股間に顔を持っていき、なんもせえへんのもおかしいから指突っ込みながら観察してん。すると、ワレメんとこが外側向いてて花びらのようになっとんねん。子供んときはこんなんちゃうかったやろうに、ほんまえらいもんやなぁ文字通り身体張った商売やなぁ思てん。

さぁそろそろ入れよかぁ思てんけど、この女の商売のこととかを考え過ぎてしぼんでもうて、右行ったり左行ったりフニャフニャしてて、入りよれへんねん。

それに業を煮やした彼女が俺を仰向けに寝かして、口でくわえてシゴキまくってビンビンにし、上に乗っててん。

指突っ込んだときユルいなぁ思たけど、やっぱりそうで、ほんでも彼女は野獣のように腰を振りまくり、ブカブカでそんなけ振り倒したら普通は絶対抜けるもんやのに、抜けそうで抜けへんねん。その微妙なとこへ来たらキュッと腰を振って切り返し、ほんま上手いねんなぁ。また腰の振り方もバラエティに富んでて、まるで自分の膣内のいろんな場所に亀頭が当たるよう計算してるかのように、身体を前に倒したり後ろに倒したり、上にしゃくったり下に押さえつけたり、回転さしたり、足を開げる角度を変えたり、ウンコ座りのようになったりで、その方が俺も気持ちええねんけど、上に女が乗るっちゅうてもこんなけあんねんなぁと感心させられて表彰状を授与したい気分になってん。そんなけめいっぱいやったもんやから、さぞ疲れてんやろなぁ、「あ〜疲れたぁ。

今度あんたが上になってぇ」といわれて、俺が上でいこうとすると、もうフニャってしもて、また右行ったり左行ったりしよんねん。

ほんなら彼女が悲しそうな顔して「うちが嫌なんやなぁ。アソコは正直やわぁ」いうたもんで「いや、そんなことないでぇ。今日はちょっと調子悪いだけや」ちゅうて、早よ入れな彼女を傷つけてまう〜思て、必死こいてチンコをギュッと握って、先っちょだけを固くしたらスッポリ入ってん。入ってもたらこっちのもんで彼女の暖かいオメコん中で、あっという間に暴れん坊将軍に変化しよってん。よっしゃよっしゃ思てやってんねんけど、時々、腋臭が邪魔をして、入れながらも縮んでいくときがあって、それは彼女を傷つけとったと思うねん。そんでも想像や精神集中でだいぶ気張って、やっとイキそうになり彼女に告げると「今日は大丈夫やから中に来てぇ」いわれて、それを聞いたとたんウッヒョ〜ッてなもんで、チンコがもうひとまわり大きくなったような気がして、おもくそヘコヘコしまくって出してん。

終わって二人でシャワー浴びながら喋っとったら「今日はだいぶ無理したんちゃうん？　なんべんもちっちゃなっとったなぁ」といわれてん。

彼女は若いからピンサロの客や男店員にもチヤホヤされ、ほやから一〇〇万も稼げる月があると思うねんけど、その自尊心を随分傷つけてもたんとちゃうかなぁと思うねん。

「自分なんか若いから客にも結構モテるんちゃうん？　ヤらしてくれえっちゅうて迫られるときもあるやろう。それやのになんで俺みたいなんつかまえて、自分殺してしんどい思いして稼いだ金を湯水のように使いまくんねん」

と聞くと、いい寄られるより追っかける方が好きで、それに客はオッサンばかりで、やっぱり若い方が肌もスベスベでアッチも元気やしええっちゅうことで、ほんで俺に矢が刺さってもうてんなぁと思てん。

店では基本的には本番せんでもええらしいねんけど、やっぱ、ようけ金を使てくれたり、好みのタイプの人やったら店でヤることもあれば、外で会うてホテルへ行くこともあるらしく、基本的には売春とそんなに違わんねんなぁと思てん。外で付き合うのはオイシイらしく、一発ヤって最高ではポ～ンと五〇万もろたことがあり、一人のオッサンから一〇〇万引っ張るんは、ザラにあるらしく、すごいなぁと感心してん。

そんな話を聞いてもうたら彼女に対する罪悪感がなくなり、適当にオッサンから金引っ張っとんねんからええやんけぇ思て、気軽になんでもねだったってん。そやいうてもガキやから、革ジャンや時計、ライター、靴なんかで、一〇万を超えるようなことなかったから、かわいいもんやけど。

ほんで彼女の紹介でピンサロでバイトするようになんねんけど、当時、サ店が時給五〇〇円か五五〇円やったのが、九五〇円か一〇〇〇円くれるっちゅうもんで、喜んで飛びついてん。まだ十八になってなかったもんやから歳ごまかして、彼女の紹介っちゅうことであまり深く詮索されず、夏休み期間中の八月はピンサロも暇やということやったんで、九月からバイトすることになってん。

彼女は八月中旬ごろ、十三じゃ稼げる額が知れたあるからゆうてミナミの店に移っていってん。

彼女がミナミに移ること聞いたとき、年少に入って連絡なくなってもうたキョーコを思い出してん。前にキョーコもミナミのピンサロにおるっちゅうてゆうとったけど、アイツもそんなけ稼いでたんかなぁ。それにしてはシャバかったなぁ。やっぱりシャブ中やったからかなぁ。いまごろどないしとんねんやろうと思てん。

バレる浮気、バレない浮気

　その昼サロ姉ちゃんとの付き合いは、ほんの二、三カ月やったから名前とか忘れてもうてんねんけど、俺がバイト休みでめぐみはその日スナックを手伝わなあかんゆうてたから、その人と会う約束をしてサ店で待ち切っててん。めぐみはうすうす感づいてたんか知らんけど、学校から帰って、もうちょいしたらめぐみも行きよるし俺も行かな思てたら、いきなりめぐみが「マーちゃん。今日はせっかくマーちゃんが休みやから、わたしも夜、休みにしてもろてん。なんか美味しいもんでも食べに行こっ」ちゅうもんやから泡食ってもうて、その女の店の電話番号知らんし、こらぁ上手いことやって断りに行かなぁ思て、めぐみに「ゴンジと長いこと会うてなくて〝今日バイト先に行くわぁっ〞ちゅうてゆうたあるから、とりあえずゴンジとこの〈ボン〉に行って、そこでなに食うか決めよかぁ」ちゅうて〈ボン〉に行ってん。

　ゴンジに事情を説明して「見張っとってくれやぁ」と囁《ささや》き、忘れもんしたゆうて「絶対必要やから取りに帰ってくる。ちょっと待っとってくれえ」ちゅうて一人で〈ボン〉

を出てん。ほんでその女の待つサ店に走って事情ゆうて帰ってもらうことにしてん。ほんで「駅まで送って行くわぁ」ちゅうて外に出たら、たまたま後輩と鉢合うたもんで、ソイツと三人で十三駅へ向《む》こて、見届けて後輩と別れて〈ボン〉に戻っててん。

ほんならめぐみが怒った顔をして「さっき喫茶店から一緒に出てきた女の人誰？　あれがマーちゃんのいう大切な忘れ物なの？　最近なんか様子がおかしいと思て、ついて行ってみたら浮気しててんねんやん」と、いきなりババを出されてもうて、慌てふためいて、めぐみの斜め後ろに立ってるゴンジを睨みつけると「スマン」と詫びるようなカッコをしており、後輩とバッタリ出会ったんを思い出して「あの女は後輩の彼女や。お前つけとったんやったらサ店出たとこで待っとった男おったやろう。アイツの彼女で別れるどうのこうので揉めてるらしゅうて、後輩から相談受けたもんやから女呼び出して話聞いとっただけやんけぇ」ちゅうと「ほんなら最初からなんでそうゆうてくれへんのん？　嘘つかんでもええやないの。それに後輩の人、待っとったいうより偶然通りかかっただけなように見えたけど」といわれ「アホか。いきなりそんな話して、お前が勘違いしたら嫌やから嘘ついただけで、後輩は俺と話できてんのがバレたら嫌やっちゅうから偶然を装わせただけやねん」「ふ〜ん、恋人同士には見えへんかったよお」「ケンカしとおんねんからあたり前やんけぇ」ちゅうて、あ〜あんとき後輩が通りかかってくれて助かったぁと胸を撫でおろしてん。

でも、めぐみも浮気したことがあってん。相手が妻子持ちやったから、そんときはそんなに深みにハマらんかったんかもしれんけど、俺にとっては、それはそれは大ショックな出来事やってん。

めぐみんちでヤり終わって、俺がシャワーを浴び、めぐみがシャワーを浴びてるとき、身体を拭きながらベッドんとこへ行こうとしたら、ベッドの下にえらい分厚い本があってん。なんやコイツ、こんな難しそうな本読んどおんねや〜、なんの本やねん思て開いてみるとめぐみの字で「神戸オリエンタルホテル」っちゅうて書かれてあんのがパ〜ッと目に飛び込んできて、めぐみの日記やぁ思て、そこでやめときゃぁよかってんけど「ホテル」という三文字が日記を閉じさせてくれず、読んでもうてん。

その人は二十四歳のトラック運転手で妻子があり、何度となくデートに誘われ、好みのタイプで、初めて店で見たときから気になってたから一回ぐらいええか思てデートしてみたら、どんどん惹かれていってしまい、二回目のデートはあかんと思て断ってんけど結局来てしまった。それで神戸オリエンタルホテルでヤってしまった。俺に悪いことをしてしまった。もう二度と会わずにいよう。というようなことが書かれていて、そこまで読んだときめぐみがシャワーから出てきよってん。頭はパニクっており、他人の日記を見てしまったっちゅう後ろめたさも手伝い、どないしたらええねんやろうと短時間に思考がフル回転し、頭のネジがすっ飛んで行きそうになり、身体がワナワナと震えだし、なにがなにやらわからんようになっててん。そこにめぐみが「マーちゃんどないしたん？」と追い討ちをかけてきたもんやから、頭ん中のスペシャルパーツがピッキィ〜ンパッシ〜ンと音を立てて、すべて飛んで行ってもうて、いきなりその日記をめぐみの前に投げつけてん。

「これなんやねん。えらい難しそうな本読んどんねんなぁ思て開いてみたらお前の日記やってん。開いたページに〝神戸オリエンタルホテル〞って書いてあったから気になってしもて、読んだらあかん思てんけど我慢できんと読んでもうたわぁ。神戸オリエンタルホテルってなんやねん。どういうことやねん」と問い詰めると、顔色がサッと変わり今度はめぐみがワナワナ震えだし、俺の前に来てヘタッて「ごめんなさい！　もうせえへんから許してぇ！　ほんまにほんまに出来心やってん。その人とはもう会うつもりないから許してぇ〜」といわれてん。

俺はどないしたらええかわからず、めぐみのことは好きやけど、浮気されてのうのうとしてられるなんてアホやんけぇとか思て、それでも実際は俺かて他の女とヤってるし、めぐみだけ責めんのなんて自分勝手やんけぇとか、いろんな葛藤があって、許すべきかどうか考えとったら頭にカーッて血が昇って、裸やいうのん忘れて「ウオ〜ッ」と叫びながら外に出てもうてん。めぐみが他の男とヤったんも、俺が不甲斐ない男やからで、俺だけ見つめていたいと思うような男やったらそんなんなってへんねん。俺が悪いねん！　と自責の念がドド〜ッとあふれ出て、よその部屋の壁に頭突きをカマしまくってん。

そのマンションの壁はデコボコしてて額が痛く、コンクリートが脳の芯まで響き、それが自分を責めている俺にとっては心地よく、狂ったようにガンガンガン、パチキを食らわしとったら、エレベーターがガッシャ〜ンゆうて開き、カンカンカンとパンプスの足音が響き、しかし構うことなくガンガンやってたら視線を感じ、睨みつけたったら「キャ〜」ゆうて反対の廊下の方へ走っていってまいよってん。ヤッバー！　俺フルチンやぁ〜と我にかえったところでスウェットを着ためぐみが「もう〜マーちゃん裸でなにやってんのお〜早よ部屋帰ろう」ゆうて走ってきて、俺の顔を見るなり悲鳴を上げ「なにしてんのんもお〜っ。アホちゃう〜血ぃ出てんでぇ〜」といわれ、そのとたんドタマがズキンズキンと痛みだしてん。俺、えらいアホやなぁ。フルチンでメッチャ間抜けやんけぇっ思いながら走って部屋に戻ってん。

部屋ではめぐみが涙声で「ほんまアホやねぇ。マーちゃん、ごめんなぁ」いいながらマキロンで俺のデコを消毒し、メッチャ沁みんねんけど、めぐみが腕を動かすたんびに、でかい乳がユサユサ揺れて、それがえらい気になり、めぐみの涙がボタボタボタボタと目の前を通過して行きよんねんけど、やはり乳の方が気になってたもんやから、スウェットまくり上げて、豊満な胸に満足しながらパクッと乳首に吸いついてチューチュー吸うたってん。そんときめぐみも「もぉ～なにしてんの～」ゆうてゲラゲラ笑い出しよってん。

　そういったことがあって、ちょっとの間はぎこちなさがあったけど、雨降って地固まるの諺通り、前よりもっと強い絆で結ばれてるように感じてん。

　しかし俺の浮気については疑惑が晴れたわけではなく、結構敏感になっていたようである。

　前のサ店での出来事から一カ月ぐらい経ったある日、めぐみが休みで梅田の美容院にパーマをあてに行くっちゅうとってん。たまたまその前日に例の昼サロの女から電話があり、「明日休むから梅田かどっかで会えへん？　見たい映画あるから付き合《お》うてぇ。なんか美味しいもんご馳走したるわぁ」っていわれたんで、同じ梅田でもあんなけ広いねんからまさか鉢合わせるっちゅうことなんかないよなぁ思て会うことにしてん。

　とりあえず寿司食うて三番街シネマに行ってん。映画は『キャットピープル』[1]っちゅ

1　1981年製作。猫族の血をひき、同族以外のものと結ばれると豹に変身し相手を食い殺さなければ元の姿にもどれないという美女アイリーの悲劇のドラマ。ポール・シュレーダー監督

う洋画で俺は途中で寝てん。終わって起こされて「なんか服買うたるから行こう」っていわれて三番街で服を二、三着と靴一足買《こ》うてもろて、サンチカ[2]で茶ぁ飲んで、「焼肉でも食べに行こう。兎我野町に美味しいとこあるからっ」ちゅうことになって、三番街から一番エスト[3]寄りにあるエスカレーターで地上に向かってててん。昼サロの女はイチャついて胸を俺の腕にビッシリと押しつけてきよんねん。ほんで地上に近づいてくると、エスカレーターの脇の側道を見たことのあるスカートと靴と足がズンズン進んで来て、俺の頭が地上に出るころに、ちょうど真横を通り過ぎていきよってん。ま、まさかぁ〜と思て見ると、その姿かたち、歩き方はまさしくめぐみで、いまにもこっちを振り向きそうだったので、ヤバいっ！　と、昼サロの女の腕をつかんで兎我野町とは逆の国鉄の方に行き、阪急百貨店に向かうとこに入って動く歩道に乗ってん。

　なんでこんな広い梅田で同じ時刻に同じ場所で鉢合うねん、たぶん見られてないとは思うけどバレとったらどないしょ〜思て、兎我野町の焼肉は確かにうまかったけど、なんか食が進まず、そこはホテル街の真ん中にあったんで、それが狙いで連れてきよってんやろうけど、とりあえずホテルに入ったものの気が乗らんかってん。フェラってくれてるときだけが、なにもかも忘れて天国気分になれんねんけど相手もそれだけじゃあ許してくれへんやろうし、かといってめぐみのことが気になるもんやから、どないもしゃ

2　三番街地下
3　EST-1〈エスト一番街〉。大阪梅田、HEP NAVIO 前にある若者向けファッションモール

あないねんな。そやから女に金もろて電動コケシ買うてそれでやったってん。

家に帰ったらめぐみが来とおってん。ほんで「マーちゃんどこ行ってたん？　おると思ってなんべんも電話したけど出えへんし、それでもすぐ帰ってくるやろう思て来てみたけど、なかなか帰ってけえへんし、どこ行ったんやろう思ててん。見て見てぇ似合う？」ちゅうてお初のパーマを見せるもんで、機嫌取った方がええと思て「おっ、なんかきれなったなぁ！　ごっつい似合《にお》てるやんけぇ」ちゅうと、俺の身体をクンクン嗅いで「あれっ？　マーちゃん、なにか石鹸みたいな匂いする。どこ行ってたん？　あっそや、今日梅田に行ってへんかった」といわれ、ギクッとし、でもこの聞き方じゃ大丈夫やなぁ思て「梅田なんか行ってへんぞぉ」ちゅうて自分の服の匂い嗅ぎながら、「あれぇ、ほんまやなぁ。なんか匂いついてんなぁ。これ今日会うてたツレがつけとおる香水の匂いやなぁ。パーマ屋で働いとおる奴でなぁ。インターンゆうてデッチやから忙しいみたいで休みの日も練習やゆうてやっとおるからなかなか会えんもんで久々やったから話し込んでもうてん。ほんで一緒に風呂屋に行ってきてん」

「ふ〜ん。今日なぁ三番街のとこでマーちゃんによう似た人がエスカレーターで上がってくんのん見てん。でもなんかヘンな女の人がイチャイチャしとって、あんな女、マーちゃんの好みちゃうから似てるだけやわぁ思てそのまま行っててん」

という話を聞いて、とりあえず買うてもろたシャツと着替えててよかったぁ、紙袋を外に置いてきて正解やったなぁとホッとしてん。

でももうあの女とはあんまり会わんようにせな、ほんまヤバいなぁと、ちょっと距離を置くことにしてん。

昼サロ女がミナミに移って一カ月ほど経ち、落ち着いたんか頻繁に電話が入るようになってん。最初は上手いことゆうて避けとってんけど、そう長くは続かず、どないしたろかなぁって悩んでたとき、ハッカが口癖のように「あ〜あ、どっかに貢いでくれる女おらんかの〜。もう金さえくれたらどんなぶっさいくな女でもかわいがったるのにの〜」といっており、それというのも免許を取ってユニック付トラック[4]を借りて仕事をしているものの、持ち込みの方が金がええっちゅうことで、そのトラックを買い取り、そして乗用車のセドの３３０[5]を買ったんで、その両方の支払いがあり、なんぼ稼いでも出ていく一方で、生活するんで精一杯やから遊び金がほしいっちゅうことやってん。

俺はピ〜ンときて、ハッカに「金貢いでくれる女やったらどんなんでもええんか？」と聞くと「当たり前やんけぇっ！　カーデッキとか買うてもろた日にゃあ喜んでなんでもしたるわぁ！」ちゅうんで「よっしゃぁっ！　ほんなら金くれる女紹介したるわぁ。とりあえずカーデッキもらおかっ」ちゅうてニヤッと笑うと、えらい喜んで「ほんまか

4　ユニッククレーンのこと。貨物輸送や各種建設工事などにおける資材の上げ下ろしに不可欠

ぁチュチュ！　ほんまにそんな女おんのんかぁ。それやったら紹介してくれやぁ。顔なんかどうでもええわぁ」ちゅうんで「わかった近いうち紹介するわぁ。そんときカーデッキ買いに行こうやぁ」ちゅうてん。

ほんで早速、昼サロ女に電話して、俺の女にバレかけててヤバいと伝え、「もしよかったらツレ紹介しよかっ」ちゅうたら「紹介してえ紹介してえ」ちゅうて乗ってきよってん。ほんで「最後の頼み聞いてくれぇっ」ちゅうて、カーデッキ買うてもらうことになってん。ほんでハッカに話して約束の日に昼サロ女をミナミまで迎えに行って、梅田の〈オートバックス〉でカーデッキ買うてもろて、十三でメシ食うて、俺はそこで別れ、ハッカらはホテルに行ったみたいやねん。

次にハッカに会うたときにはえらい喜んでて感謝されててん。

5　日産セドリック330型。1975年発売。230型が度重なるマイナーチェンジを経て、フルモデルチェンジ、330型となった

ノグっさんの誕生パーティ

夏休み前にノグっさんちで、ノグっさんの誕生パーティーをすることになり、みんなが集まってん。

しかし時間を過ぎてもカン、マク、イーマン、ケンジは現れず、しばらくしてカンがベロベロに酔っ払って来よってん。「イーマンら三人は、またどこかでラリでもやっとおんねんやろうっ」ちゅうて気にせんと始めとったら、パーティーは結構盛り上がり、みんなにケーキをぶつけられ、真っ白な顔となったノグっさんは、マヨネーズをつかんだかと思うと、今度はマコトの頭の上からブリブリブリブリとババのようにひねり出し、そこでみんなエキサイトして「お〜ら、お好み焼きじゃい」ゆうてマヨネーズでグチャグチャになったマコトの頭の上にソースをかけ、青海苔や鰹節を撒き散らし、そうやって野口宅はシッチャカメッチャカ、マヨネーズと生クリームでツルツルベトベトとなり、こんなんなってもうてどないしよんねんやろうと思とったとこにイーマンら三人がやっと登場しよってん。

部屋に入ってきたとたん、ラリの臭いがプ〜ンとし、顔も喋り方もラリそのもので、やっぱりラリっとおってんなぁと思たとたん、完全なる酔っ払いジジイと化したカンが、「お前ら、またラリっとっんのかい！　ラリったら俺の前に姿見せるなゆうとおるやろうっ」ちゅうと、今度はイーマンが「いちいちガタガタじゃかあしい奴っちゃの〜」ゆうてカンに蹴りを食らわし、カンはいきなりのことに呆気にとられ、一瞬の間のあとニヤッと笑《わろ》て「ボン中が意表を突いてきよったの〜きっちり型ハメたるから表に出ぇ〜」ちゅうて外に行きよってん。

風がビュ〜ビュ〜吹いて、服がパタパタはためき、河川敷の草も波打ち、なんかまるで西部劇の決闘シーンのようにカンとイーマンが差し向かいになり、いよいよ始まんで〜ちゅうとき、カンがいきなり平手でパ〜ンとイーマンをひっぱたき、「これでラリも醒めたかいっ」ちゅうた瞬間、イーマンがひざまずいて「べーカンすまんかったぁ。もうラリやめるからぁ〜」ゆうてオイオイ泣き出してまいよってん。

俺は、なんじゃこりゃあ〜と拍子抜けしてもうて、カンとイーマンは仲直りしてノグっさんとこに戻ってん。ほんですぐにお開きになってん。

しかしこのバカ騒ぎの件でノグっさんは親とケンカしたらしく、家出して、マジソンバッグ[1]に着替えを詰めて、俺んちへ転がり込んできよってん。

1　紺の絹目ナイロン製バックに英文字を白くプリントしたスポーツバック。1968 年頃に中学生、高校生を中心に爆発的ヒットした。後にビニール製のものも現れた俺は夏休みに入りサ店のバイトも八月一杯で、九月からはピンサロでのバイトも決まってるし、遊ぶ方が優先してしまい、まぁええかっちゅう感じで休みがちになり、そうするうちにイーマンも親とケンカしたゆうて家出して転がり込んできよってん。

ノグっさんは二週間後にオバチャンが迎えにきて帰り、イーマンは俺がバイトに出てる間にラリっていて、洗濯しに帰ってきたおかんに見咎められたが居直り、「じゃかましいこのバババア」と怒鳴ったらしく、それで出入り禁止になってまいよってん。

どんと来い祭りのカン

十三の夏のイベントには、どんと来い祭りっちゅうのんと花火大会があって、どんと来い祭りには毎年、藤田まことや白木みのるといったテレビに出てる人が来とおって、えらいようけ人が集まっとおってん。

いつだったか一度行ってみると、藤田まことが大勢に囲まれ握手しながら歩いており、その顔はほんまエゲツのう長く、馬面とはまさしくこのオッサンの面をいうんやなぁと思たほどであった。偶然にも藤田まことが行こうとする先に俺が立ってたらしく、揉みくちゃにされながらも歩いてきて目の前にサッと手を差し出されたもんやから俺も咄嗟に手を出してしまい、不覚にも握手してもろてん。えらいゴツゴツした手ぇで、なんかあんまりそこらのオッサンと変わらんやんけぇと思てんけど、し終わったあと、なにが悲しゅうてあんなオッサンと握手せなならんねんと思てん。

そのどんと来い祭りんときに、当時、パチプロをやってたカンのとこへ行ってみてん。カンの場合、パチプロっちゅうても、どっかで二、三〇万の金積んでその台の完全マニュアルを買うてきて、するとよっぽど台が悪ない限り勝てるらしく、出そうと思えば日に二、三〇万も出せるが、勝ち過ぎると次にその店には行けんようになるからと、三万から五万でやめとくようで、それでも目ぇつけられると、なにかとややこしいから、時々店員を飲みに連れてったり小遣いやったりしとおってん。だからパチンコも毎日、三時ごろ行って五時ごろ帰るっちゅう優雅な打ち方で、生活するには充分過ぎるほど稼げとったみたいやねん。

カンのアパートに行くと、まだ寝とおったから叩き起こして「今日はどんと来い祭りやでぇ〜。ブラジルのサンバの姉ちゃんらがビキニ姿で練り歩いとおるから見に行こうぜいっ」ちゅうと「服を全部洗濯してもうて着ていくもんがない」っていいよるから、そんときダボシャツにステテコ、その下には黒のトランクスで黒のラメ入り腹巻きしとおってんけど、「なにゆうてんねん。ほんなもんすぐそこやねんから〈コナ〉の二階にでも行って上から眺めとったらええねんから、そのカッコで充分やんけぇ」ちゅうと「そうかなぁ、でもパンツが透けて見えてんちゃうん」とゆうんで、実際は透けて見えるんが当たり前で、そんなん人に聞かんでもわかるやろうと思うねんけど、そこがカンのヌケとるとこで「大丈夫大丈夫、透けてへんでぇ。そのカッコでええって。結構カッコええでぇ」ちゅうと「ほうかぁ、マーがそないゆうんやったら間違いないわの〜。ほな行こかぁ」ゆうて、ほんまにそのまま外に出ていきよってん。

　スケスケのダボシャツにステテコ、黒ラメの腹巻きして黒のトランクスまる見えで、エラそうにガニ股で肩で風切って歩く姿を見ていると、俺のゆうこと信じてほんまアホやの〜思て笑いこらえんのに必死やってん。カンは普段着のような感じで商店街の人ごみや〈ニチイ〉の近くや昼のネオン街を練り歩き、ブラジルのサンバの姉ちゃんを見つけると「ブラジルの姉ちゃんはええ身体しとおるの〜。乳なんか張ってプリンプリンしとって、ほんまむしゃぶりついてみたいわぁ。あんなん見たら日本人はほんまシャバいの〜。ガキよっガキ！　大人と子供ほどの違いがあんの〜。でも、アイツらみんなこっち見てニコニコしよるけど、ブラジルではわしみたいなんがモテるタイプなんかのぅ。ほんまなんや知らんけど、みんなわしの方見てニコニコしよると思えへんか。なぁ、マー」ゆうて、調子ブッこいてゆうとるんで「そうちゃうかぁ。なんか聞いたことあるわぁ。ブラジルの女ってベーカンみたいな毛深《けぶこ》うて丸顔で細い目をした典型的な東洋人っぽい顔に興味あるらしいで。試しに声かけてみたらええやん」ちゅうと「ほうかぁ。やっぱりほうかぁ。マーもそない思とったんかぁ。でもお前声はかけられんどぉ。アイツらアチャラ語喋りよんねんやろう。ほんなもんまったくわかれへんやんけぇ。ほんまに俺に惚れたんやったら日本語おぼえて喋りに来いっちゅうねん」と、かなりアホアホマン入っており、お前のステテコ姿がおかしゅうて笑い飛ばしたいけど、露骨に笑われへんからニコニコしとおるだけや！　と心ん中で呟きながら歩いとってん。ほんま、どこぞのネジが何本か切れてもうたあるんちゃうかなぁ思うねん。

そのまま歩いて〈コナ〉に行くと鈴木さんと後輩のコージが仕事しており「おう」ちゅうて声をかけあって二階に上がってん。窓から見下ろすと水商売風の姉ちゃんらが法被着て自分とこの店の名前の入った襷をかけダラダラと歩いており、そんなもんなんぼ見ててもしゃあないんで、さっさと冷コー飲んで下に降りて外に出てん。

カンが「とりあえず打ってくるわぁ」ちゅうんで、コイツもわかってない男やのう、そのカッコで人混みのパチンコ屋かい、どこまで行ってまいよるかついてったろう思て、パチンコ屋に入り、カンの隣りでパチスロしてん。カンはさすがにこれでメシ食ってるだけあって慣れた手つきでボタンを押していき「次来よんで～」ゆうたら必ず777を出し、順調に出し続けていきよってん。スケスケのカッコでエラそうに足を組み、ふんぞり返ってパチスロやってる姿はアホとしかいいようがなかったが、馴染みの店員も触らぬ神に祟りなしなんか喋ってきても服装のことには一切触れることはなかった。

笑いをこらえながらカンの様子を観察し一、二時間もしたころ「今日はこんなけ抜いたらもうええわぁ。メシでも食いにいこか」ちゅうて外で換金すると二万ほどあって、まだ気づかんと堂々と胸張って歩いてはるわ～思とったら十三駅近くでゴンジとノグっさんがおって、ゴンジがいつもの調子でナハハハハハハと、せんだみつお笑いしながら「どないしたんベーカン。そんなカッコしてぇ。パンツ見せびらかしたいんや」ちゅうて、ノグっさんも「そんなカッコでここらうろついてムチャクチャやん」ちゅうて、俺はこらえきれずにゲラゲラ笑い出してもうて、カンは「嘘やんっ！　このカッコおかしいかあ？　マーが全然おかしないっちゅうから、昼過ぎから、ずーっとこのカッコでそこら中歩いとったのにぃ」ゆうて、こっち向いて「なんやねんマー！　ゲラゲラ笑いやがってぇ。おかしないゆうたやんけぇっ」ちゅうて。ほんで「どっかメシいこうぜいっ」ちゅうて着替えに帰りよってん。

若葉マークのイーマン

イーマンが免許取ったからと喜んで、早速、マツダで一番安い赤のファミリアをレンタしてゴンジとケンジを乗せて「どっかドライブ行こうぜいっ」ちゅうて来よってん。ほんで「とりあえず箕面の山攻めよかぁ」ゆうて箕面へルンルン気分で行ってん。

イーマンは無免で運転したことはあるけど、こんなに長距離は初めてやったし、やっぱまだまだで、箕面の猿がおるとこまで辿り着くのに、なんべんもハラハラドキドキし、そこでちょっと休憩し缶コーヒー飲んで一服して「さぁ帰ろかぁ」ゆうて箕面の山を下っていってん。

最初は調子よう下ってってんけど、そのうちケツに単車《たんこ》がついてまくってきよってん。まだまだ不慣れなイーマンは「うっといのお〜[1]。ゆっくり行ってんねんから、さっさと抜いて行けや〜」いいながらぎこちなく運転しており、その単車に乗っとおる奴もヘタクソでへたれなもんやから山道のグネッたところではよう抜いていきよれへんねん。その割にはパッシングしたりローリング切ってまくってきよるから、イーマンもかなり頭

1 鬱陶しい

にきとってん。ほんで山から降りたところで信号で停まったとき、その単車が右折しようと右車線のちょうど車の右隣りに停まりよってん。

「単車に乗ってるガキ一人なんやからやめとったろうやぁ」ゆうてんけどイーマンは聞かず、窓を手でグルグルと開けて「こらぁ、ワレぇなにまくりまくっとんねん！　俺、免許取り立てやからドキドキしたやんけぇ」ちゅうと、完全にナメてきよって「ワレがトロトロ走っとおるから悪いんやんけぇ」ちゅうたとたん、イーマンの頭からプッチンゆうてプッチンプリンのポッチを折ったときの音がしたかと思うと、そのままドアに足掛けておもくそ蹴って開けよってん。ガッシャ～ンという音とともに単車は横倒しとなりイーマンが飛び出てソイツのヘッチン取ってそれでどつき倒し、俺らも飛び出て単車を壊し倒して、信号が変わったとたん車に戻り何事もなかったかのように走り去ってん。

イーマンは「あのガキィ～こんなシャバいレンタのファミリア乗ってるから思てナメやがってぇ～。あ～これでスッキリしたわぁ」いうて、またもやルンルン気分となって帰ってん。

これで終わったかと思いきや、その夜「せっかくレンタがあんねんから六甲行こうぜいっ」ちゅうことになってん。ほんで俺を含め、ノグっさんやマクなど何台かの単車とイーマンのレンタの赤のファミリアとニンケのゴールドのケンメリ、満タンの白のケンメリなどでR43を西宮の夙川のとこを曲がって甲山を抜けて六甲山から六甲山牧場への道を走っててん。六甲から見る神戸の夜景は、そらもう美しく、港町やからかオレンジ色の光で彩られた景色を見ながら、ゆっくり走っててんけど、車は若葉マークのイーマンがおるからか随分と遅れをとっており、適当なところで待っとこう思て見晴らしのいい駐車スペースに単車を入れてん。そこには神戸の族の奴らが単車だけで十数台休憩しており、「俺ら大阪の十三やねん」ゆうて喋っていくと気安う迎え入れてくれたんで一緒にダベっとってん。

ほしたら車の連中がやっと来よって、ファミリアからイーマンが降りてタンベをくわえながら歩いてきて「なんやケンカかいっ！ 誰がわしらに文句ゆうてんのんやぁ」ちゆうて「ちゃうちゃう、ただここでダベっとっただけや」という間も与えず一番近くにおった奴んとこに行って、顔を灰皿代わりにしてタンベをギュ～ッと消しよってん。ソイツはそらもう熱かったやろうなぁ「ギャ～」ゆうて悲鳴あげたと思たら、それが試合開始のゴングとなり、いきなりケンカになってもうてん。

そうなったらもうなにをゆうても誰の耳にも入らずシッチャカメッチャカで、俺も参加してんけど圧倒的に俺らの方が強く優勢やったからコイツらがすぐに追ってきたり、仲間呼んだり、ポリに行ったりでけんようにしてもうたろう思て、単車の鍵を抜いて山中に放り投げヘッチンでヘッドライトを叩き割ると「どうもすいませんでしたぁ。もうやめてください」ゆうて涙ながらに叫びだし全員が土下座して、イーマンも我に返ったみたいで、やっと「ただ喋っとっただけやで〜」っていうことができてん。

ほんなら「嘘やん！　もっと早よゆうてくれやぁ。嘘や〜ん、すまんかったなぁ。許してなぁ〜」ゆうて、みんなサーッと車に乗り、単車にまたがって逃げるようにそこでUターンして帰っていってん。

十三に戻るとみんな非難の嵐で「イーマンがおったらとりあえずはケンカかいっ！ほんま相手もえらい迷惑やでぇ〜。ダベってるだけでタンベ顔になすりつけられて、おまけに鍵は山ん中捨てられるわヘッドライト割られるわで、結局アイツらどないしよんねんやろう」ちゅうて、みんなでゲラゲラ〜笑いながら喋ってたてん。

夏になると、やはり海に行くことが多く、俺は無免ながらもみんなに助けられ、ポリが来れば車や単車で妨害して俺を先に逃がしてくれ、俺は適当なところでみんなを待ってて再び合流するっちゅう作戦で、若狭や天橋立、鳥取、和歌山など、いろんなとこへ遊びにいってん。

イーマンが免許取ってからはその車に同乗することが多くなり、ある日、みんなで泳ぎにいこうっちゅうて得意のファミリアをレンタしてイーマン、マク、ケンジ、ゴンジ、俺の五人で和歌山の加太へ向かってたん。

泳いで焼いて、夕方加太を出て、山行こかぁっちゅうて堺市の南にある信太山の女と一発ヤるとこへ行ってたん。大阪には昔の遊郭っぽいとこが結構残ってて、だいたいが入り口が路地のようになっており、そこを抜けると旅館、料亭といった看板が立ち並び、玄関んとこにはババアが「兄ちゃんええコおんでぇ」ゆうて手招きして座っており「ほんまかぁ？　ちょ〜見せてぇなぁ」ちゅうと、ちょっと奥にあるカーテンをジャ〜ッと開けて女の子を見せよんねん。気に入ったコがおったら個室に入んねん。

信太山のは自衛隊演習所が近くにあるからできたっちゅう噂で、他にも飛田新地や松島新地、戸の内、千林といった遊郭もあってんけど、この山が一番安くしかも若いコしかおらんっちゅうことで人気があってん。時間は十五分で一発でも二発でも、当時で四〇〇〇円か四五〇〇円やってたん。行くと最初に待合い室みたいなとこに通されてそこでテレビ見たりマンガ読んだりして、マムシドリンクやコーヒー出してくれて、それを飲んでるとオバチャンが来て「二階の何号室入って待っててぇ〜」とかゆわれて、そこで待ってると女の子が来んねん。ほんで、まずチンコをウェットティッシュで拭いてからフェラってくれて本番をいたすねんけど、時々思いっきり気を入れてくれる女の子もいて濃厚なキスをブッチュ～かまされてハニャホレロ～となるときもあんねん。十五分経つと部屋にある赤いランプが点滅して知らせるようになってんねん。システムとかは場所場所によってちょっとずつ違うねんけど大方そんなもんやってん。

そうしてみんなで一発ぬいてホクホク顔で出てきて帰路についてんけど、イーマンが「明日の朝までまだ時間あるからこのまま箕面行こかぁ」っていいだしてん。

ほんま免許取ったばかりやから運転しとおてたまらんねんなぁ思いながら途中でウトウトと寝てもうてん。目が覚めると勝尾寺の入り口から行ったようで、イーマンは調子にのり「こっちの道に行ってみたろう」ゆうて脇の林道に入っていきよってん。砂利道でデッコンボッコンするもんやから、みんな目ぇ覚まして「なんやねんこの道。灯りもなんもないやんけぇ。真っ暗でなにも見えへんやんけぇ。おまけにガードレールもないぞ～。イーマン大丈夫かぁ」ちゅうてブーたれており、イーマンも「マク～、この道怖いわぁ、代わってぇやぁ」ちゅうてマクと代わりよってん。

マクは無免やけど親父の車にしょっちゅう乗っとおるからツレん中では運転が一番上手いとされてててん。ほんでマクが運転しててんけど、コーナーでハンドル切り損ね「うわぁ～っうわっうわっうわ～っ」いいながら、ハンドルをグルグルまわしよるもんやから車がズルズルと滑りまくり、そのまま横に一回転しながら落ちていってん。うっわぁ

〜もうあかんと回転している際中に思とったら一本のでかい木に車がぶち当たり、それが支えとなって、傾いとったけど、七、八メートル落ちただけで済んでん。

みんなで「おいっ！　大丈夫かぁ」ゆうて声をかけ合い、バランスを崩さんよう窓から抜け出て「こんな夜中に、こんな山ん中でどないすんねん」いいながら山を降りていってん。ほんで阪急の箕面駅まで歩いて始発を待って帰ってん。

その間「車どないすんねん。あんなとこ落としてもうて、どうやって引っ張り上げるぅ？」ちゅうてゆうとって、「とりあえずレンタ屋に相談するわ。もしあかんかったらハッカのユニックで引っ張り上げてもうたらええやんけぇ」ちゅうことになってん。

十三に戻り、朝イチでイーマンがケンジと二人で俺の単車に乗ってレンタ屋に行きよってん。戻ってきて話を聞くと、レンタ屋に頼むと免責以外に、えろう高くつくらしく、「やっぱりハッカに頼もうぜいっ」ちゅうことになってんけど「あんな道、ハッカの4屯トラックが入って行けんのんかぁ」ゆうて心配しとってん。

夕方、仕事から帰ったハッカに事情をゆうて、人手がいるっちゅうことで先輩後輩おる奴かき集めて箕面へと向かってん。

砂利道に入ったとたん、ハッカが「こんなとこ行くんかいっ」ちゅうて嫌がっとおったけど「行けるだけ行ってみようっ」ちゅうてノロノロと登り、とにかく車のすぐ上までは行けてん。ほんで車にロープを何重にも通し、ユニックの先っちょを引っかけて、みんなで下から押しながら、引っ張り上げてん。ほんで無事、車の救出が終わってんけど、ここからがまた大変で道が細すぎてUタ～ンでけへんし、このまま登っていったら、いつ今度はトラックが落ちてまうかわからんから全員で声をかけながらトラックもファミリアもバックで降りていってん。

これにて若葉マークのイーマンの出費は免責と時間超過だけで済んでん。

ピンサロバイトは驚きの連続

九月になり学校とピンサロのバイトが始まってん。ウエイターとはいえ、生まれて初めてピンサロに入ってんけど、とにかく真っ暗やねん。慣れるまでには随分かかんねんけど、それまで何回もこけかけたもん。

客が来たらテーブルに案内してビールを出し、あとはテーブルの片付けとセッティングぐらいしか男の仕事はなく、途中でビールを運ぶんはほとんど女の人がしてくれ――女とはいっても驚くほどババアばっかりで俺のおかんより年いってんちゃうかなぁちゅう人が半分以上おったわ――手が離せないときは女の人がビール瓶を持ち上げて合図し、それでビールを持っていくと、フェラってたり客の上にまたがって本番してたりで、初めて見たときは面食ろてしもたわぁ。それに俺が若いっちゅうこともあって、からかい半分やと思うねんけど「ほれっ！」ちゅう感じでスカート持ち上げてハメてるとこ見せびらかしたり、なんか落としたから拾てくれといわれ、ひざまずいてペンライトで探しとったら、ここぞとばかりにケツ振りまくりよって、ケダモノ臭いし、ジュッポンジュッポンいう音がえらい大きく聞こえてきて、もうたまらんかったわぁ。

しかし商いっちゅうのはえらいもんで、なんぼ無理な姿勢でもフェラりながら常に大股開きで、客が指でイジくり倒したり、顔突っ込んだりしとおるから、最初はビビったけど慣れてくるとえらい滑稽やったわぁ。

ほんで一、二時間に一回ほどゴーゴータイムがあり、店長がマイクでそれを告げると、当時流行りのディスコミュージック「ジンギスカン」や「ソウルドラキュラ」とかの入ったジュークボックスのボタンを押し、音楽が鳴りだすと客についている女全員がパンツを脱いで椅子の上に立ち、客の頭をスカートの中に入れて腰を振りまくりよんねん。これがまたおかしゅうて、ボーッとなすがままってる客もいれば、音楽に合わせて頭を左右に振ってるオッサンもおって、ほんま笑ってまうねん。

忙しいときは精液の匂いと、なんや酸っぱい匂いが立ちこめ、頭がクラクラし、大量に消費されたオシボリをまとめて玄関に出すときがまたエグく、毎回えづいて咳込んだもんやってん。

その店は十三に幾つかのチェーン店があるうちの一つで、バイトの俺は手の足らんとこ足らんとこへとグルグルまわされとってん。どこの店へ行っても、俺が若いっちゅうことで女にからかわれ、オモチャにされとってんけど、あるとき夕子さんという見た目

二十四、五歳の、十三のピンサロでは若手で乳のでかい結構ええ身体つきした女に「一緒に遊べへん？　どっか若い子が行くようなとこ連れてってってぇやぁ」と誘われ、梅田のディスコに行ってってん。

踊って酒を飲んでるうちに夕子さんが絡んできて、酒乱っちゅうことがわかってん。「うちのフェラチオは天下一と、ようお客さんにいわれてんねん。一回だけやったらしたるからホテルに連れてけ～。その代わり絶対一回だけやでぇ、もう一回してぇってゆうたらあかんでぇ」というのでタクシーで十三まで戻ってラブホテルに行ってん。

部屋に入ると夕子さんはすぐにシャワーを浴び、ろくすっぽ身体も拭かずベッドに転がり大股開きでイビキかいて寝てまいよってん。俺が風呂から出ても、そのまま大の字になって豪快に寝ており、その太股には牡丹の花に蝶々がヒラヒラ飛んでおり、しかも花びらが真っ黒やったんでその黒さに驚き、なんじゃこりゃ、一体どないなっとんねん思て、ビラビラ引っ張ったりして、よう見とったら汁が出てきて、俺もピン勃ちで我慢汁出てたまらんかったから、そのまま突っ込んだってん。スッポンと軽～く入ってしまい、なんぼ腰を振りまくってもイビキかいて寝ており、ほんまこの女どないなっとんねん思て、そのまま中出ししたってん。ほんでもイビキかいとおるから、最初から最後までほんまに寝とおってんわぁとビビってしまい、俺も寝てん。

翌朝夕子さんに起こされ「約束やからフェラったるわぁ」ゆうて、昨夜あんなにグデングデンやったのにようおぼえとったもんやの〜と感心し、夕子さんが口をモゴモゴとしたかと思うと上下とも入れ歯で、それをはずしよってん。

若いくせに、もう入れ歯やっとんかい思とったら「愛人しとったころ、フェラは歯ぁない方がええってゆうから抜いてん。これはほんまにええらしいでぇ〜」ゆうてパックンとくわえてくれはってん。口をあんぐりした瞬間チラッと盗み見ると前歯が上下とも五本ずつ抜かれており、なんかお歯黒のような感じやってん。歯茎でチンコを圧迫し舌でローリングしながら上下にピストン運動すんねんけど、さすがに客が絶賛するだけあって歯茎の微妙な力の入れようがものごっつうよく、舌の絡め方や激しいピストンはこれぞまさしくプロっちゅう感じで、ガンガン責められ初めて口ん中でイってしもてん。

夕子さんが精液をゴックンと飲んでチンコをきれいに舐めまくりガバッと顔を上げ「も〜出すんやったら出すってゆうてくれな。ビックリしたや〜ん」と眉間にシワ寄せてゆうねんけど、その歯抜け顔が間抜けで、笑いこらえるのに大変やってん。

ほんで「うち、な〜んもええことないやん」ゆうて、再度チンコくわえて勃起させ、前戯もなしに、いきなり上に乗って入れはってん。腰振りながら「きのう、うちになんかせえへんかったあ」って聞いてきよったんで「いいやぁ」ゆうてとぼけてん。

それから店で顔合わすたんびに「もう誘てきてもあかんでぇ、一回だけの約束やろ」とか、俺はなにもゆうてへんのに勝手にゆうとんねん。それに元々は、お前が誘てきてんやんけぇ。なにぬかしとおんねん！　ほんまは誘てほしいんとちゃうんかいっと思いながらも「は〜い」と、かわいこぶって返事しとってん。

学校辞める約束してん

　このころ高校生の間では、なめネコブーム[1]で、ほとんど全員といっていいほど、みんながカード入れに、制服や戦闘服を着たなめネコカードやなめネコ免許証などを持っていた。

　テレビでは横浜銀蝿[2]が「ツッパリ High School Rock'n Roll」をうたい、俺らの間では、しょうもないカッコさらしてテレビに出やがってぇ～ほんまの不良やったらヤクザになっとるわいっ！　単に不良を売り物にしとおるだけやろうと不評であった。こういうツッパリの流行は結局のところドラマ「三年B組金八先生」から発生したもんと思うねん。

　それと松田聖子が大人気で聖子ちゃんカットやブリっ子が流行り、どないなっとんねんちゅう感じで、「太陽にほえろ」[3]に出ていた寺尾聰がいきなり歌をうたい「ルビーの指輪」で大ヒットを飛ばしていた。

　相撲ではウルフこと千代の富士が大人気で、俺らの間でも結構、相撲にハマっとおる奴も多かったもん。

1　猫にセーラー服やガクランを着せツッパリ暴走族に仕立て「なめんなよ」と書かれたポスターが全国的なブームとなった。ポスターのほかにバッジなどの雑貨類も作られた

ほんで牧野和子の『ハイティーン・ブギ』という少女マンガも大流行で、ほとんどの女子高生が読んでんのんちゃうかぁと思うぐらいで、俺が当時『ハイティーン・ブギ』の翔と似たような髪型をしてたもんで、何人かの女に「翔に似ている」といわれ有頂天になって、ピンクの表紙の『ハイティーン・ブギ』を全巻揃えたもんやった。ほんまに翔はカッコよくて桃子はかわいかった。銀バエの翔なんて、名前をこっから付けたんかどうか知らんけど、もし意識しとったんやったら全然ちゃうっちゅうねん。翔という名のイメージ崩れるからやめろっちゅうねんボケェッ！　と思てん。

そのころ俺は学校で、暑さも手伝ってか危ない行動を起こすことが多かった。

三階の教室の窓から、下を歩いている二年の奴を呼びつけて、水が満タンに入ったバケツを放り投げ、水も滴るいい男を作りあげることは日常茶飯事であった。

担任に「副担の大崎先生がお前の学費を払てんのはおかしい。自分で払え」と、なにも知らんくせにグチャグチャいわれ、頭にきて、傘の先で教室の窓を突き破り、「ガラス窓割れてるから直してくれや〜クーラーがきけへんやんけぇ。学費で文句あるんやったら窓直してからいえや！」とツッパった。

甚平と便ゲタで学校に行き、園芸科の顔も知らん先生に注意されたんで大便所へ連れ込み、「ワレみたいな顔も知らん、世話にもなってない奴にグチャグチャいわれる筋合

2　1979年「THE CRAZY RIDER 横浜銀蝿 ROLLING SPECIAL」として活動開始。「ザ・ベストテン」には81年2月19日にスポットライトで登場、その後「ツッパリ・ハイスクール・ロックンロール（登校編）」でランキング

いないんじゃあ」と、ちょっと脅したった。
授業中、俺が世話になってる大崎先生に「口の端に唾ためて喋んなぁ。エキサイトしてもええけどあんまり唾飛ばさんと喋ってくれぇ」と、ふざけたことをヌカす奴がおって、授業が終わってからソイツを呼び出して、ビンタ食らわしたった。

ほんま好き放題やっており、そんなある日、校長に呼びつけられ、学費のこと、家庭環境のこと、金髪にパンチパーマ、変形制服にアロハや甚平といった身なりのこと、うるさい単車《たんこ》でそこら中を走りまわり、しかも無免で、近所の人らが怖がっていること、他の生徒に与える影響も大きいこと、二回も留年して勉学に勤しもうという姿勢がまったく見られないことなどを指摘され、「幸い大きな事件は起こしていないが今後どうなるかわからないんで、できれば自主退学してほしい」と勧告され、「一カ月ほど時間を与えるんで、じっくり考えて結論を出すように」といわれ校長室をあとにしてん。

大崎先生にも「いまのお前を見ていたらあまりにも大変でかわいそうだ。社会人としてちゃんとやってけてんねんから、学校辞めて生活一本に絞ったらええ。いずれ余裕ができたら大検取ったらええ」といわれてん。

ほんで俺は学校辞めることを決め、せっかくやから一カ月後の文化祭が終わったら退学すると約束してん。

3　寺尾聰は 1966 年、GS ブームの中、「いつまでもいつまでも」をヒットさせたザ・サベージの元メンバー。「太陽にほえろ」には喜多収役で出演。81 年、「ルビーの指輪」が大ヒットし「ザ・ベストテン」では 12 週連続 1 位を獲得

淀警が単車を永久没収

ピンサロのバイトで結構潤ったんで単車《たんこ》にバックステップ付けたろう思て、バイク屋に注文しに行ったその帰り、信号手前でチャリポリ二台が横道からこっちに向かって来てるのが見えてん。

無免で乗ろうと決めたとき、ナンバープレートを捨て、普段はナンバーなしで乗っててん。どっちみち止まれいわれても止まれんから、ナンバー付けてビクつきながら走るより、ハナからブッチ覚悟の方がええわ思て捨ててたんけど、そんときはタイミング悪く前からパッツンも来て、たぶん面も割れてるし単車のこともわかっとおるから来よるやろなぁ思とったら、案の定、赤色つけて[1]サイレン鳴らして反対車線に入ってきて「そこのオートバイ、そのまま停止してエンジン切りなさい」ゆうて単車の前に停まりよってん。するとチャリポリが急いでこちらに向かってきて、俺はキルスイッチでエンジンを切って、すぐONに戻し、いつでもエンジンをかけられるようにしとってん。信号が変わり横の車がスタートし、俺がエンジンを切ったのでポリがパッツンから降りてドアを

1　赤色の警光灯。サイレンを鳴らさずこれを点灯させるだけで、緊急走行扱いになる

閉め、こちらに向かって「そのまま逃げんなよ〜」ゆうて歩いてきよったんで、アホかいっ！　逃げるに決まってるやんけぇ思て、あらかじめギアをローに入れクラッチを切っとったんでセルでエンジンかけて隣りの車線に移ってダッシュかましたってん。

パッツンが慌てて追っかけてきよったけど話にならず、あっという間に逃げて適当に時間つぶして、もう大丈夫やろう思て家に帰ってん。たまたま、おかんが洗濯に来とおって「今日も学校サボってんのんかいなぁ」いいながらグゥォングゥォンとまわってる洗濯機の中を見とおってん。

単車を家の近所に置いたんがまずかったようで、ドアをノックする音が聞こえ「淀川警察ですが吉永さんおられます〜？」ゆうとおるから、おかんに「俺、便所に隠れるから、どこ行ったか知らんゆうとってくれぇっ」ちゅうてトイレに入って聞き耳立ててん。ほんなら「淀警交通課ですが息子さんは？」と聞こえ、おかん上手くゆうてやぁ思とったら「あっ、あの子はトイレに隠れてますわぁ。すぐ呼びまっさかい待っとってください」ゆうて、アッチャ〜あのババア頼んだのにそんなそぶりもなくいきなりかいっ思てたら「マサユキィ〜交通課の人が来てはるから隠れんと出ておいでぇ」といわれ、ほんまドタマくるけど、ここまでされりゃぁ笑うしかないやんけぇ思て、なんちゅう母親やっちゅう感じでゲラゲラ笑いながら出てきてん。

玄関に出るとポリが「下に置いてある単車、お前のやなぁ。さっきパトカーの制止を振り切って逃げたなぁ」っていいよるから「元々俺のやけど、もう売ったでぇ。ソイツがトンコかましよったんかぁ。やるやん」ちゅうと「嘘つくなぁ！　ほんならなんでさっきトイレに隠れたんかぁ」「隠れたんと違てババしとったんやぁ。部屋ではでけんやろ」「ほな誰に売ったんや？　ソイツに事情聞いてみるから」「それが知らんねん。ツレのツレに売ったから誰かよう知りませんねん」「ほぉ～そうかぁ、それやったらそれでまぁええわい。ほなら下の単車没収してええんやなぁ？」ちゅうんで「ほんなもん俺のんちゃうから知らんがなぁ」ちゅうと「ほな永久没収するからそのツレのツレにはようゆうとってくれぇ」ちゅうて、おかんに「お母さん、どうもすみませんでしたぁ。わし、引っ張っていく車の手配してきますんで息子さんどっこも行かんように見とってくださいい」ちゅうて行ったもんで、シメシメ思て単車のキーを握り、おかんの「こらぁ！　あんたどこ行くんや」ちゅう声を無視して外に出てん。

すでにポリはおらず、パッツンまで連絡しにいきよったんやぁ思て、ポリが歩いて行った反対の道を途中まで単車押して、押しながらクラッチ切ってローに入れ、いきなりエンジンかけてそのまま逃げたってん。

ほんでモックんとこへ行くとラリっとおって、ほんま常にラリっとんの～思いながら事情をゆうて倉庫に単車を入れ、家に電話すると「こらぁ！　あんたなにやったんやぁ？　警察がようけきて取り囲まれて〝お母さん見張っとってくださいゆうてお願いしたのにぃっ〟てゆわれたわぁ。近所の人は何事や思て集まるし、メッチャカッコ悪かったわぁ」ゆうんで「そうかぁ、すまんすまん。ほんでポリは帰りよったか」ちゅうと「〝ずう〜っと無免で走りまわりやがってぇ。また逃げられてもうて警察のメンツ丸潰れやぁ。今度こそ絶対にパクる〟ゆうて家んとこ二、三人の私服が張り付いとんでぇ。帰ってきたら捕まんでぇ〜」ちゅうていいよるんで、それからツレんとこ泊まり歩いてん。

　毎日電話は入れとったけど四日目にやっとポリが引き上げたらしく、帰り際に、俺の単車を淀川管内で見たら有無をいわさず永久没収にするゆうとったらしく、こらほんまにヤバいなぁ思て、マジに売ることを考えてん。

　買い手を探すと、なんと三谷が売ってくれといいだしてん。「ボアアップしてるからメッチャ早うて七五〇cc《ななはん》なんかブッチできるけど、ナンバーもないし車体番号削られてて車検通れへん」などといい、あんまり知り合いに売るのは乗り気じゃなかってんけど、どうしてもっちゅうことで、ボアアップに一五万かかり、そないに走ってないから二八万で売ることにしてん。即金は無理やっちゅうことで四、五回に分割してもらうことになってん。

しかし三谷もアホで、乗って一週間もせんうちに白バイにやられ無免でパクられよってん。単車が戻ってきて、ヤバいと思とったんか一カ月もせんうちに売り手を探し、転売してまいよってん。

次の乗り手は生野連合に入ってる生野の巽の奴で、ソイツも即金は無理らしく分割になったんで、チョボチョボチョボチョボ金をもらわんならん結果となってしもてん。

そのうち生野の奴が銭払い悪なったらしく三谷が俺に金を払えんとぬかしよるから「ワレが勝手に売りさらしといて、なにぬかしとんじゃあ。俺にそれとなんの関係があんねん。おのれのケツぐらいおのれで拭けやぁ～」ちゅうてんけど、やっぱ放っとけんから三谷にその話持ってきた奴と三谷の三人で生野の奴とこまで行ってん。ほんで残り一四万をとりあえず仲介人とソイツとで折半で作らして話は終わってん。

ケンジがパクられ精神病院へ

ピンサロのバイトにも嫌気がさし、おかんが彼氏の森半《もりなか》のオッサンとこの一階でポーカーゲーム機を置いたゲーム喫茶を開店し、俺もバイトが終わってからチョイチョイそこを手伝うようになってん。

そこのゲーム機は先輩のカンペイちゃんがひいてきた機械をリースしてるようでツレも結構遊びに来てくれててん。

そんなときケンジとマクがラリでパクられたという報せが入った。なにを考えてたんか俺んちの文化の裏の路地でやっとって、近所の人に通報されてパクられたらしいねん。マクは大丈夫やろうけどケンジはもってかれてまうやろなぁゆうとってん。とりあえずマクはヨンパチで出てきよってん。ほんで、どうやらケンジはあかんみたいやわぁと聞いてどれくらいになんのんかなぁと思とってん。

それから一カ月ほどして、誰かがケンジんとこの銀子に聞いたところ、茨木の方の精神病院に入れられたということであった。家裁で両親に年少か精神病院かの選択を迫られたようで、ほんで精神病院に入院することにしたらしいねん。

みんなでそれを聞いたときには驚いてしもて、うっわぁお〜悲惨やの〜っちゅう感じで、ほんでも実際の精神病院がどんなとこかわからんし、見舞いにも行かれへんし、半年以上かかるらしいわぁっちゅうことだけ聞いててん。

半年後、ケンジが退院してきて「退院祝い代わりにサ店でも行こうぜいっ」ちゅうてゴンジがバイトしてる〈ボン〉に行ってん。

ケンジはすっかり変わってしまってて、鳩のように落ち着きがなく、サ店の椅子に正座して、そんときやってた春の高校野球の歌をうたいだし、いろいろ喋りたかってたんけどそんな状態ではなく、しかも「まわりの人らが俺を睨みつけてる〜。人の眼が怖い〜。もう帰るぅ〜」と叫んで、ほんまに一人で出ていってまいよってん。ほんでみんな「とりあえず今日は家に連れて帰ろう」ゆうてイーマンの車で送っていってん。

それから三、四カ月経ったころ、ケンジと道で会い、ずいぶんと元に戻ったみたいなんでサ店へ行ってん。

精神病院での生活を聞くと、初日から一、二週間はベッドに手錠とロープで縛られて、メシは三角コーヒーとパンで、看護婦か看護士に食べさしてもらうらしく、自殺願望の強い人間が多くて、しょっちゅう壁に激突して頭が割れるなどの事件があり、まともな人間があんなとこおったら反対に病気になってしまうっちゅうことであった。

ケンジもそんなとこおったもんやから、おかしくなっていったようで壁にぶつかって何度も死のうとしたらしい。その上、看護士とかに、ひどいことされるからどんどん対人恐怖症になり、退院さしてなんか事件でも起こされたらあかんから「大丈夫や」ゆうてもなかなか出してくれんかったらしく「こっちまでおかしなってまうでぇ。ほんまあんなとこ最悪やでぇ。年少の方が絶対ましや〜」と、えらい勢いでゆうとった。

しかしケンジはそれにも懲りず、またもボン中街道まっしぐらに突っ走っていきよってん。

めぐみにふられてしもてん

　ある日、天気図の気圧配置がよく、「琴引の漁協で高波」という情報を仕入れたんで「明日、波乗り行こかぁ」とハッカとゆうてたら、ここんとこ俺らの溜り場によく顔見せる後輩の高一の女子が「うちも行きたい、連れてって〜」ちゅうんで「夜十時に俺んち集合な」と、俺んちを教えてん。いろいろ誘てんけど結局、俺とハッカと彼女の三人だけが行くことになってん。

　俺はめぐみんとこへ行って、波乗りに行くことを告げると、めぐみは夜のバイトに入らなあかんらしく「見送りでけんけど楽しんでおいで」とゆうてくれ、翌朝めぐみんとこから学校へ行ってん。

　夜九時ごろ、なんか落ち着かんからと、その後輩の女子が早めに俺んちに来やってん。俺がウェットやワックスなどの用意をしている横で、彼女はテレビでナイター中継の最終回あたりを見ていた。よ〜く見ると彼女が結構かわいく。べっぴんさんであることに気づき、まだ随分時間はあるし、ちょっと粉かけてみたろ思て、彼女の横に座り肩を組んでキスかましていってん。最初は「嫌ですう。ダメですう」と抵抗しとったけど、それほど力が入ってなかったんで、こらいけるでぇ〜思て、そのまま押していったら受け入れ、舌を絡ませてきよってん。そうなったらこっちのもんで、電気もテレビもつけっぱなしで彼女を抱えて奥の万年床に連れていき、そこで念入りに愛撫してハメてん。

高一とはいえ、経験はそこそこあるようで、すべてスムーズに事が運び、終わったころには十時をまわってたんで、そろそろハッカが来てもおかしないなぁと思て、サッサと服を着て、彼女は何事もなかったかのようにテレビの前に座り直した。敷布団が、まぁるく濡れとったんでヤバいなぁ思て、掛け布団をきれいに重ね、何事もなかったかのように座ってハッカを待ってててん。すると突然、そこにめぐみが来てん。

「マーちゃん、仕事暇やから上がらしてもろてん。まだ見送り間に合うわぁ思て急いで帰ってきてん。あれぇ、誰か女の子来てはんの〜ん？」ゆうて入ってきよってん。

うっそや〜ん！　ウッワァ〜、ヤバかったぁ〜。あと十分、めぐみが早かったらヤってる最中やったやんけぇと思い、冷や汗かきながら、めぐみを見ると顔色が変わってお り、俺がそのコを紹介し、彼女も挨拶したけど耳に入らなかったようで、そして女の勘が働いたんか奥のきれいにした布団に直行し、いきなり捲り上げよってん。きっと普段グチャグチャやのに、きれいになっとったからやと思うねん。ほんで濡れてんのを確認すると「マーちゃん、これナニ？　どういうこと？　ここでなにやっとったん」ゆうて、こっちの部屋に来て彼女をキッと睨みつけ「アンタなぁ、ようヌケヌケとそこで座ってられんなぁ。ええ根性してるわぁ。気分悪いから飲みに行ってくるわぁ。波乗りへでもどこでもどうぞ御勝手にぃ。ついでにまたそのコにでも乗ってたらええねん」ゆうて靴も履かんと裸足で行ってまいよってん。

「おい！　ちょ〜待てや〜」ゆうて、靴を持って追っかけるけど、どんどん行ってもうて、やっと大通り手前でつかまえてん。めぐみは顔をしわくちゃにして泣いており、「おい、そんな泣くなや〜。誤解やんけぇ。あのコはハッカの彼女で、今日ハッカが部屋借してくれゆうから借したってんやんけぇ。ほんで波乗りの用意しに帰りよってん。信じろや〜」ゆうと「こんなんこれでもう何回目やのん。そんなん信じれるわけないやん！なんせ私は飲みに行くからぁ。ほんで気が向いたら電話入れるからぁ。それだけぇ！」ゆうて手ぇあげてタクシー拾いよってん。

「なにゆうてんねん？　今日波乗りに行くねんぞ〜」ちゅうと「うちはそんなん知らん」ゆうてタクシーに乗ってピュ〜ッ行ってまいよってん。

俺は呆気に取られて見送るしかなく、家に戻るとハッカがおり「どないしてんチュチュ〜。コイツは泣くばっかりやし、どないなってんねん？　さぁ波乗り行こかぁ」ちゅうたんで「今日は俺やめとくわぁ」ちゅうと「そんなんゆうなやぁ。チュチュ行けへんかったら俺一人やんけぇ。一人で行ってもおもんないやんけぇ行こうやぁ」と「やめとく」「行こうぜいっ」「やめとく」「行こうぜいっ」と何度も押し問答してんけど、結局やっぱり俺は波乗り命じゃいっ！　と行くこととなってん。

　しかし車中で考えんのんは、めぐみのことばかりで一睡もできずに琴引きに着いて、めぐみに電話してもつながらず、陽が出て波乗りして十一時ごろ電話したらやっと出て「いまどこ？」と聞かれ「琴引」ちゅうと「やっぱり行ったんやぁ。なんべん電話してもおらんはずやわぁ。そんなに波乗りが大切だったらそこに住みついて一生波乗りしとけばいいじゃない。私のことなんてなにも考えてくれてないのね？　家にいてくれればよかったのにぃ」と一方的に切られてしもてん。その後、なんべん電話しても出てくれず、戻ったらすぐ、めぐみんとこへ行こうと思てん。

　家に着いてすぐ電話したけど、おらんみたいやったから、部屋ん中で待っとったれ思て、めぐみのマンションへ行ってん。部屋の灯りがついており、消し忘れて行きよったんかなぁ思いながら、鍵を開けようとするとチェーンロックかけられとってん。十センチほどの隙間に顔を突っ込んで「めぐみぃ、開けてくれ。なんやねん！　こんなことすんなやぁ～電話も出やがらんと」ゆうても、ウンともスンともいいよれへんから、もういっぺんゆうたら、やっと返事があって「もう話すことなんかなにもない！　もう会いたくないから、そっから合鍵入れて帰って。こっちから電話するから電話もせんとってやぁ」といわれ、いきなりなにぬかしとんねん思て、四の五のゆうて粘ってんけど、まったく相手にしてくれよれへんから、ゆう通りにしてマンションから出てん。

来たときには降ってなかった雨がタイミングよう降ってて、なんかいまの俺におあつらえ向きやなぁ思て、俺んちまで二、三キロ、三十分ほどの道のりを泣きながら、あんとき波乗りに行かんかったらよかったぁ〜電話待っとくか、アイツんちで待っとけばよかったぁ〜と思いながら、ときには立ち止まり、気持ちよく雨に打たれながら帰ってん。

翌日もその翌日も電話に出てくれず、やっと電話があったと思ったら別れ話で、いままでの女関係のこと、波乗りに行ったことをいわれ、ちょ〜待ったれやぁ思て、部屋に行ってん。しかしドアを開けてくれず「帰ってぇ〜」と、わめきちらしよるんで、開けるまで待っとったろやないけぇ思て、待ってたら部屋の灯りが消え、十月終わりか十一月やったんで、やっぱり寒うて、ほんでもそれがなんぼのもんじゃいっ思て、ガタガタ震えて待ってたら朝になってもうて、住民の出勤が始まり、このままおったら仕事にも行きよれへんのんちゃうかなぁ思て、とうとう開けてくれよれへんかったなぁ……と寂しい気持ちで、眠気でクラクラしながらトボトボと歩いて帰ってん。

しょうもない国やで日本は

めぐみと別れたころカンも同棲してた女と別れたようで、たまたまカンの住む新大阪駅裏の東中島の文化に、どぶろく担いで「女にふられたぁ〜。一緒に酒飲んでくれぇ〜」ちゅうて行ったら「わしもや〜」ゆうて「グッドタイミングやんけぇ〜」ゆうて白濁したどぶ二升を朝まで飲んで酔いつぶれてん。

俺の話をカンにすると「そらぁお前が悪い！　ほやからあんなええコ逃げよんのよ〜」と、ケチョンケチョンにいわれ、俺もカンにケチョンケチョンにゆうてもうたんねんと構えてカンの話を聞いてん。

ずっと同棲っちゅうわけにもいかんからと、カンはスーツ、ピッシィ〜きめて親御さんとこに挨拶にいった。

「娘さんをくださいっ」ちゅうたら、女の父親に「お前みたいな朝鮮にうちの娘はやらん。娘もまだ若いから気もすぐ冷めるやろう思て、ちょっと時間おいて様子見とったら図に乗りやがってぇ。娘とちょっとの間一緒におれただけでも幸福やと思え。わかったら娘を置いてとっとと出て行けぇ〜。娘の荷物はあとで取りに行く！」といわれ、カッときて、お膳ひっくり返して暴れてもうて、女連れて帰ったらしいねん。

しかし数日後、親が女を連れ戻しに来て、スッタモンダあったらしいねんけど、女に決めさしたらええねん思て、「お前どないすんねん？」と聞いたら「ごめんね」と一言だけゆうて親の背中に隠れ、そのまま行ってまいよってん。二人の生活のために買った洋服ダンスと食器棚と大量の食器類だけが、こんなもんどないすんねんっちゅう感じで寂しく残りよってん。きっと女と親は話できとったと思うねん。

聞き終えるとケチョンケチョンどころか涙が出て止まらず、なんやかんやゆうても俺らは十七、八のガキで相手は大人で。大人がよう平気な顔してそんなこといいよんの〜と情けのうなってん。

日本で生まれて日本で育ち日本語と日本文化しか知らん人間に対し、あまりにも大人げない言動で、そんな形でしか物を見れない人間が多いから、しょうもない国に成り下がんねん。我々は地球人で、国籍なんて単なるクラス分けみたいなもんで、そんなとこにそんなしょうもない賎しい自我が出るぐらいやったら、国籍なんてなくなったらええねん。「いまここにおる」という現実だけが重要で、その他はなんでもええやんけぇ。みんな同じ人間で平等で心もあれば熱い血も流れてんねん。なにが違《ちご》たら、そない悪ういわれなならんほど、後ろ指さされなあかんほど、あかんことになってまうねん。それもこれも国の、国籍の出し惜しみと外登証携行の義務[1]っちゅう、ほんまわけわからんことしてるからこないなってまうねん。そのことによって、どんだけの人間が苦しめられてると思うねん。同じ人間やったら、もっと相手の立場に立って考えたれや！　ほんましょうもない国やで日本は。差別をなくそうとかゆうてるまえに、まずおのれらのオツムん中を掃除せぇ！　そこにおる人間に国籍を与えんっちゅうことの方が、法に則ったタチの悪い一番の差別やんけぇ！　などと思いながら涙酒しまくったってん。

1　日本に90日以上残留する外国人は入国後90日以内に、外国人登録をし、外国人登録証明書を発行しなければならない。外出時にはこれを持ち歩き、警察官などに提示をもとめられた際、それに従う義務がある

十三極道戦争勃発？

　ある日、ツレらとウロチョロしとったら二コ下の奴が慌てて俺らを探しにきて、イーマンの弟のコージが何人かの男に袋にされてるっちゅうことで至急現場へ直行してん。行ってみるとやった男は、園芸におったトンダであった。コイツは一度、俺にインネンつけてきて、そのくせ、俺一人を相手にゾロゾロ仲間引き連れてきよったんで、「こんなもんケンカになるかいっ」ちゅうてヤクザの名刺出したったらビビッてもうて詫び入れてきたっちゅう過去があり、ほんま筋金入りのへたれであった。

　トンダは自分がしばいた相手が、俺の後輩とわかるや否や「すまんかったぁ」と詫び入れよってんけど、弟をやられたイーマンの怒りはおさまらずボコボコにしてまいよってん。挙げ句の果てに、トンダがグリーンのシルクの上下を着てたもんで「ええべべ着てるやんけぇ。そんな奴はこうじゃあ」ゆうてビリビリに破いてしまいよってん。トンダは「兄貴に借りてきたボルサリーノのスーツがぁ」と泣き入れとったけど、容赦なく破り倒しよってん。これがのちに怖ろしい事件を引き起こすことになんねん。

とりあえずしばいて気分転換して、またウロチョロしていると、今度は、なんやエラそうにしてる奴がおって、すぐにケンカになってん。相手はTとゆう右翼の白石っちゅう二十六、七歳の男とその一味で、白石は園芸の一年の女子と付き合っており、そのコが泣きながら「やめてぇ！」と叫びまくるもんやから、かわいそうになってツレを止めるも、一度上ってもうた血は下がることを知らず、ツレの一人が「右翼かなんか知らんけどワレも男やったらサシで勝負せんかいっ」ちゅうてもノッて来ず、結局、詫び入れて逃げるようにして去っていきよってん。

その去り際にイーマンが「わしら十三や。〈ブレロ〉っちゅうサ店で溜ってるから、文句あるんやったらいつでも来いや。誰でも連れてこんかい！」とゆうたもんやから、二、三日後ほんまに連れてきよってん。

いつものように〈ブレロ〉で溜っとったら、白石が天下取ったような顔して「ちょう面貸してくれぇ」ちゅうて呼び出しにきよってん。外に出ると大型乗用車が三台並んでおり、中からパンチのオッサンが出てきて「ワレらかい！　わしらにアヤつけとんのはぁ。これなにかわかるかぁ、うん？」ゆうて背広の襟につけた代紋をちらつかせ「ワレらゴミがなんぼ集まってもゴミはゴミなんじゃい。おどれらを簀巻きにして淀川に沈めんのは容易いことなんやぞ」ゆうて、トランクから白鞘の日本刀出して刃がついてんのを見せびらかすように半分ほど抜いて見せよってん。ほんで「白石を袋にしてかわいがってくれたそうやのぉ。やるんやったらサシでせんかいサシでぇ」ゆうて、白石の奴、自分がカッコ悪いから反対のことゆうて連れてきよってんな思てん。するとイーマンが俺をヨコからつついて「チュチュ悪い！　誰か知り合いのヤクザ呼んできてくれえ」ちゅうもんで、ホイ来たっ！　ちゅうて行こうとすると「オイこら、ちょう待たんかいっ！ワレどこ行くんじゃい」といわれ返事に困っとったら、白石が「コイツはええんですわぁ。ケンカを止めとってくれてた奴ですわぁ」ゆうて助け舟を出してくれたもんで、スタコラサッサと家に帰ってん。

ほんで知り合いのN組の人が来てくれることになり、喜び勇んで〈ブレロ〉に戻ると、すでに奴らの姿はなくなって、イーマンらがしょぼくれており、「N組の人が来てくれることになったけど、どないなってん」ちゅうと「チュチュ〜、もうええわい。ちょっと遅かったわぁ」ゆうて話しだしてん。結局、隣りの〈カッコウ〉というサ店で土下座させられ上から靴で踏んづけられたようで、俺が「来てくれるから、いまから殴り込みいったろうぜいっ」ちゅうても戦意喪失しており「もう土下座までさせられてんから、これ以上、事を荒立てんとってくれぇ」ゆうもんで、それはそれで終わってん。

その後、今度はトンダが兄貴分っちゅうのを連れてきて、ほんま弱り目に祟り目で、その兄貴分ちゅうのはM組の男で、服を破いた件について「とにかく誠意を見せぃ！」といわれ、みんなで話し合った結果「誠意っちゅうても、とにかく金っちゅうことやろう」ということになり、みんな1万ずつ出し合って一〇万近くの金を作り、その二日後ぐらいに三国の〈ダイエー〉近くのサ店で会うて金を渡してん。

　ほんなら「お前らの誠意ってこんなけのもんかい」と、もっと金をせびったろうっちゅう感じで来よったんで「こっちも大人しゅうしとったけど、そっちが先にヤクザの看板出して能書きたれてんやから、わしらもそないさしてもろてもよろしいねんで。わしら十三やから親がヤクザやってる奴も多いねん。なんやったらそっちから話もっていくようにしまひょか？」ちゅうたら「しゃあないのう。これで勘弁しとったらぁ」ゆうてそそくさと帰っていきよってん。

　しかし、これですべての事件が解決したと思とったら甘いんよ〜ぉ。一週間ほどして、ニンケらとナビオ前にニンケのゴールドメタのケンメリ停めて女引っかけとったら、白石がシャブで飛んだ目ぇして缶コーヒー飲みながら来よってん。ほんでバックの力で俺らをゆわしたへたれのくせに、天下取ったような顔して「ワレら、こんなとこでなにさらしとんじゃい！　鬱陶しいからわしの目の届く範囲でウロチョロすんなやぁ。さっさと十三帰って大人しゅう寝とけや！　またゆわしてまうぞぉ」ちゅうてニンケのケンメりの屋根からコーヒーかけよってん。こんな奴にゆわされっ放しで黙ってられるかいっ！　思て、やってもうたるうでぇと機を狙っとったら、中津の方からソレタコデュアルのけたたましい音を響かせながら、思いっきりバーフェンつけたオレンジの240ZG仕様[1]が、アホみたいにスピード出して走ってきよってん。あっ！　日の出のトシ坊やぁ思たら、やっぱりそうで、ギャンギャン、エンブレかけてタイヤ鳴らしながら俺らんとこに急ブレーキで停まり、窓を開けて「どないしてん」ちゅうてん。

　ほんでニンケが「こないだゆうとった、ヤーコようけ連れてわしらゆわしにきよったんコイツやっ！」ちゅうたら「コイツかぁ！　なんやシャブ中みたいな面しやがってぇ、こんな奴いっぺん刺したらなわかりよれへんどぉ」ゆうて車ん中に積んであった白鞘のドスを抜いて車から降り、ブッシュ〜と左足太腿を刺してまいよってん。アッチャア〜やってまいよったぁ〜思たけど、俺もトサカに来とったし片足ぐらいじゃあ追ってくるかもしれんし甘いわのぉ思て、そのドスを引っこ抜いて右足太腿に刺したってん。白石は下半身血だらけになって、立ちつくし囲りの人間はギャーギャーいいよるし、白石の子分が二、三人おったけどビビってガタガタ震えとおってん。子分がおるからどないかしよるやろう思て「とにかくトンコじゃいっ！」ちゅうて十三に帰ってん。

　しかしすぐに追っ手がまわって俺とトシ坊はつかまり茨木にある事務所に連れて行か

1　日産フェアレディ 240ZG

れてん。ほんで俺らは縛られ、どつきまわされ、頭からションベンかけられ、ムッチャクッチャやられ「簀巻きにして淀川に沈めてもうたるぅ」と脅され、ほんまに俺の人生もこれでもう終わったなぁと思てん。

ほんで、しばき倒されとったら事務所の電話が鳴り、なぜか受話器を渡され不思議に思いながら出ると、その相手はなんと、おとんやってん。やったぁ、助かった！　と目の前にパァ〜ッと花が咲いてん。俺らがさらわれたことをツレの一人が、おとんに知らせ、おとんはTに知り合いがいたため直接電話をかけ、話をつけてくれてん。

あとから聞かされてんけど、なんでもおとんは治療費にと三〇〇万ほど包んだらしい。

女を食い物にしたる

ロッキード事件が世間を騒がせ、田中角栄、児玉誉士夫という名をよく耳にし、銀座のママかなんか知らんけど榎本三恵子という女の証言がすごかったらしく、巷でも「蜂のひと刺し」という言葉が飛び交っていた。

そんな折、俺は学校を辞めてん。一応、自主退学という形やけど、校長や先生らに勧められたもので事実上は完全なる退学であった。先生らは、高校は社会に出るための準備期間のようなもので、すでに社会に出て立派にやっていってる俺には来る必要性がないということを説いた。まぁ、なんじゃかんじゃゆうても俺が厄介者っちゅうことがよくわかり、他の生徒たちも俺がおることによって、なんかピリピリしてるようなところがあったんで、なんかせいせいしたなぁっちゅう感じであった。

ピンサロでのバイトにも嫌気がさしてきて、転職しようと考えていた。

単車もあれへんし暇やのぉ思て、チャリキでプラプラしとったら、知らん間にめぐみのマンションの近くに来てしまい、どないしとんかのぉ思て、エレベーターで上がり、めぐみんちのベランダの見えるとこまで行くと、男物のトランクスが干してあって、うっそぉ～俺と別れて十日ほどしか経ってないのに、いきなり男と住んどんかい！　思て、ショックに打ちひしがれ、つながるまで電話かけまくったってん。

その日の夜、めぐみにつながり、聞くと、一緒には住んでいないが彼氏ができており、その男は俺が日記で見てしまった二十四、五歳の妻子持ちのトラック運転手で、それを知らされたときのショックときたらメガトン級で、電話を切ったあと、もう女なんか信じれるかいっ！　この際、女を食い物にした商売をやってやるぅと決めてん。それにはホストしかないっと思て、水商売の知り合いから情報収集し、開店したばかりの新地のホストクラブにベージュのスーツを着て面接に行ってん。

オーナーマスターに面接してもらうと「十七のガキが、なにぬかしとんねん。お前みたいな、経験もなければ男前でもなく、仕事用のスーツも持ってない、ないないづくしの奴は雇えん！」と、サッサと断られてん。スーツがダサあてあかんかったんかなぁ思て、翌日、オフホワイトのスーツに替えて再度行ってん。

「なんや、お前また来たんかい？」ゆうて、あきれられたけど「その根性が気に入った。その代わり時給は四〇〇〇円で、客を引っ張ってきたら、店とお前と五分五分やけど、それでもよかったら来いやぁ！」といわれて、その日から働くことになってん。

とはいえ、なにも知らん俺は、一日目は様子見で、翌日、ホストらしいスーツを作れとスーツ屋を呼んでくれ、店にバンス[1]して紺のシルクのスーツと、黒のジャガードのスーツの二着を作ってん。最初はウエイターとして働き、人手が足らんようになると先輩客のヘルプとして客席について、お客さんの相手したりしとってん。

しかしホストの世界には、それなりにルールがあり、あるとき永年ホストをやってる先輩の健さんに、飲み物をストックする倉庫となっている部屋に呼び出されてん。

健さんは、いかにもっちゅう感じのホストらしいホストで、男前やけど背は低く、歌手くずれなんで歌がメッチャ上手く、店が暇なときには湯呑みに日本酒を入れ、手を震わせながら酒をあおっている、ちょっとアル中気味の人であった。

なにかなぁと思て行ってみると「お前、人の客に慣れ慣れし過ぎるんや」といわれ、わけわからんかったから「はぁ？」ちゅうと、いきなりどつかれ、こっちもドタマんきて「なんやワレェ」となってん。「俺の客にヘルプでついてるくせに楽しませ過ぎや！こっちにはこっちのやり方があるんやから、もっと大人しゅうして適当に喋っとったらええんや。あんまり人の客を喜ばそうとすなや」といわれてん。こっちとしたら金払《はろ》てきてる客なんやから楽しませなぁ思て、一生懸命にやったんが裏目に出たみたいで、そうなんやぁとあらためて知ってん。

1　水商売などで新人が入店する際の支度準備金。基本的に無利息で出世払いだが店によっては月々の返済額が設定されている場合も。語源は advance より

そんなことがあって徐々にそういう世界のしきたりをおぼえていってん。

店はだいたいが夜十一時開店、朝六、七時に閉店で、バーテンのチーフは夕方前から出てるので、もし早くに客を連れてくるんやったら電話一本でオッケーやってん。週に二度ほど、夕方から七時ごろにダンスの先生が来て、ジルバやチークのレッスンがあった。俺みたいに客を持ってない新人は七時前には店に入って新地をウロチョロして出勤前のホステスに声かけたり、ボトル無料券を配ったり、時間に関係なく女引っかけたり、堂山町のピンサロ女を引っかけに行ったり、太融寺、兎我野のソープや水商売女を引っかけに行ったり、女を見ていけそうやと思たら、とにかく引っかけて、ボトル無料券を渡す。そういう日々やってててん。

客はそう簡単にはついてくれず、時給四〇〇円の俺は、月給一〇万にも満たなかった。しかし一カ月二カ月経っていくうちに口コミもあり、ボトル無料券を持ってくる客も増え、そん中には水商売女ばかりでなく、看護婦や、ちょっと給料のいいＯＬといった女らもいて、徐々に自分の客も増えていってん。

店からは、「すぐに女を抱くな。とにかく引っ張れるだけ引っ張ってからにせえ」といわれとったけど、若かったし、男やからセンズリ搔くぐらいやったら入れる方がええし、ヤりたなったら店がひけてから自分ちに連れ込むか、女んちに行ってヤってててん。

手相見のゆうこと当たってん

仕事にも随分慣れ、よくツルむ先輩もできて結構楽しくやっててん。

その先輩っちゅうのは、大ちゃんといって当時二十四、五歳で背は低いねんけどメッチャ男前で、やっぱ「女殺しっ」ちゅう風格のある人やってん。しかし金に厳しく、ホストってこういうもんなんかと思い知らされた。

大ちゃんの客にはホステスだけやのうてＯＬなんかもおってん。金がなくて店に来られへんときなんか、女が店に電話してくんねんけど、そのやりとりがケッサクやってん。大ちゃんは東京から流れてきた人やったから関東弁で喋んねん。「お電話変わりましたぁ。大です」というフレーズから始まって、次の言葉は相手によって変わんねんけど、だいたいが「あれぇ、今日はどうしたのかなぁ？　店に遊びに来れるの？　お金ないの？　君の給料日はいつだっけ？　じゃあその給料日に電話してきてね。じゃあねぇ、バイバ〜イ」と金の切れ目が縁の切れ目っちゅうんか、いつもそういった調子であった。

相手が給料日のときは「君の給料日は僕の給料日みた〜い。席をリザーブして君が来るのを待ってるからね～」と調子よく電話を切って、手帳をチェックし、給料日の女にのきなみ電話しまくりよんねん。ほんま見習わなあかんなぁと思たもんやねん。

そんな大ちゃんがある日「今日仕事ひけたら祐[1]んとこ行ってええか？」ちゅうんで、帰って片付けしながら待っとったら、看護婦してるっちゅう客連れて来てん。

三人で酒飲んで喋って「さぁ寝よかぁ」ゆうて電気消したら、大ちゃんが「祐、この女抱いてええぞぉ。俺、今日はもう疲れてでけんわぁ。お前、祐んとこの布団行って一緒に寝てこいっ！」といってん。その女は最初「うち嫌や～。大ちゃんがええ」ゆうて駄々こねとったのに、飢えてんのかしらんけど、俺の布団へもぐり込んできよってん。結構、かわいい顔してるから、いい寄ってくる男もいてるやろうに、どないなっとんねんゆう感じやってん。大ちゃんにあてがわれてるみたいで嫌やったけど、まぁええかぁ思てヤってもうてん。ほんなら「やっぱり大ちゃんのそばで他の男となんかでけへん」ゆうて泣き出して、しかしその割には身体を俺に差し出すような感じで、大ちゃんの手前、一応カッコつけとおるだけねやろなぁ思て続けたら、その通りやったようで、大声出してヨガりまくりよってん。ほんで、終わったら俺の隣りでぐっすり寝よるから女っちゅうもんは怖いですわ。

これも、女に負い目をしょわしといて、うまい汁吸うという大ちゃんの作戦やったよ

1　吉永マサユキのホストクラブでの源氏名

うで、ホストってほんま大変なんやなぁ、オツムも使わんならんねやぁと感心してん。

先輩の客がらみといえば、店が休みの日曜日に、マキさんの客の忍さんから電話があり「相談したいことがあるから、いまから祐ちゃんとこ行ってええか？」ゆうて来はってん。忍さんは俺よか幾つか上の新地で働くホステスで、近くまで迎えに出てたらタクシーから降りてきてん。そのカッコがジーパンにジージャンで、新地の女にはまったく見えないスタイルでちょっと驚いてん。

俺とこの汚い文化に案内して話を聞くと、マキさんが店の外ではまったくかまってくれないということであった。それがマキさんのやり方やからしゃあないやんけぇといった感じで、ホステスかて、来る客来る客みんなを店外でも客のように扱っとったら大変で、きっとそれと同じやと思うねん。結局、忍さんは寂しかっただけやと思うねん。

ほんで「泊まってってええか？」っちゅうもんで俺のベッドを貸して俺はコタツでねることにしてん。電気を消してちょっとしたら忍さんが「祐ちゃん、こっち来て一緒に寝てえなぁ」とゆうてきて何度かは断ってんけど、なんや結局ただヤりたかっただけちゃうん？　とか思いながらベッドに入ってん。そのとたん忍さんが俺の手をつかんで自分の股間に持っていきはってん。すでにパンティを脱いではって、えらい女やなぁ思とったらチンコを握ってきて、まぁええかぁ、ヤったれぇ思て乳をつかみにいったら、なんとスッポンポンで、ほんま無茶しはるなぁ思てん。アソコは汁があふれてベッチョリで、このことしか頭になかったんかいなぁ思いながら触っとったら、しゃぶってきはって、えらい積極的でんなぁっちゅう感じで、そのうえ「大丈夫な日やから中で出してえぇよ」いわれて、これがほんまに互いに初めてヤる相手かいなぁと驚きながらも、とりあえず気持ちよう中出しさせてもらってん。忍さんは着痩せするんか、ほんまはえらい乳のでかい人で、両手に余るほどで、超ラッキーっちゅう感じやってん。

しかし一方で、ホストになってからは金のためとはいえ、そこまでせなあかんのんかぁっちゅうこととの連続でもあった。

あるクラブのママが俺を気に入ってくれ、当時流行ったミラ・ショーンのリバーシブルのタイやピアジェの時計、カルティエのライターなどプレゼントしてくれ——でも現金はよその女に使われんのを怖れて、よっぽどじゃないとくれよれへんねん——店の方からも「祐、あの女いってこい！」と指令が出ており、出勤前にメシ食うたり店がはねてから飲みに行ったりしててん。その人は新地におってきれいにしてはるから若く見えんねんけど、ほんまはおかんより年上で五十過ぎちゃうかなぁと思うねん。

ホストクラブといえば有閑マダムが集ってるように思われがちやけど、その店にはそんな客は一人もおらず、ほとんどが水商売の人らで、やっぱそういったプロの人達を楽しませるのはとてもしんどかった。しかし客からすると、かえって俺みたいなド素人の方が新鮮でええんかもしれん。

ほんで、その五十がらみのママさんに呼ばれて豪華なマンションに通ううちに、せなあかん破目になんねん。それは、女の人がヨガったり甘えたりする様は、若くても歳食うてても同じで、なんやかんやゆうても女は女なんやと思い知らされる体験やってん。

その日、俺は仕事帰りやったから黒のジャガードのスーツを着てて、一緒に飲んで喋ってると「ちょっとシャワー浴びてくる」ゆうて行きはってん。ほんでガウンをまとって出てきて「祐ちゃんがそのスーツを着てるとシャープで、なんか犬のドーベルマンみたいやねぇ」ゆうたかと思うとガウンをバッと開けてダラ～ンと垂れ下がった身体をさらけ出し股を思いっきり広げて「祐ちゃん、うちのここを犬みたいにペロペロ舐めてぇ」ゆうて使いまくったアソコを指さしよってん。躊躇しとったら「早よしてぇ～」ゆうて甘ったるい声出してきて、ええ歳こいたババアがなにぬかしとんじゃいっ！　ほんまたまらんのう思とったら、今度はキッツい口調で「なにしてんの！　早よ、サッサとやりぃ。たまっとる飲み代払えへんでぇ」といわれ、うるさいババアやの～、そんなに舐めてほしかったら舐めたるやんけぇ思てスーツ着たままひざまずいて、くっさいオメコに顔を寄せていってん。ほんなら人が変わったように、うなりまくりよるから、ほんまやっとれんの～思いつつチンコ入れたってん。

それからしばらくして、健さんの客の由美さんがマンション売って、ええとこ見つかるまで実家に帰ることになり引っ越しを手伝ってん。実家といっても市内の芦原橋なんで、べつにどうっちゅうことないねんけど元いた新大阪のマンションが立派なとこで、由美さんは健さんに入れあげて毎晩飲みに来とったし、プレゼントもよう買うとったから、それも原因やったんかなぁ思うねん。そんなこと考えると空しなってくんねん。オーナーマスターの口癖が「ケツの毛ぇまで貢がしてもうたれえっ」ちゅうのんで、そのころの俺は、金ってなんなんやろう？　金のためっちゅうてもどこまでやねん？　自分のためっちゅうのはないんかなぁ？　とか悩んどったもん。

引っ越しを手伝う健さんのジャージ姿っちゅうのが笑えて、身体は華奢やし、一応オールバックにしてて、運動靴を持ってないから革靴履いてるし、ほんまに不釣合いで、俺は永年ホストやってきた人はそんなカッコしたらあかんねんやろなぁと思てん。

それから少しして、俺が十三駅前を歩いとったら、手相見のオバハンに呼び止められ「お代はいらんからとにかく見せてみなさい」といわれてん。手相、顔相、生年月日、名前などを見せ、いまなにをしてるか聞かれたんで「水商売」というと「いましてる仕事そのものか、勤めてる店をすぐにやめなさい。もし、そのままそこにいると刃傷沙汰となって大変なことになる」といわれてん。俺の思い詰めた顔に、気性の荒さや相手を殺してでもっちゅうのんが現われているらしいねんけど、俺としてみれば無茶なこというオバハンやなぁっちゅう感じで、それでも心配してせっかくゆうてくれたんやから思て「いらん」といいはったけど一〇〇〇円だけ置いて帰ってん。

ある日、俺の客のラウンジのママに「うちの店マネージャーが辞めたからマネージャーとして来てくれへんか？　女の子の教育はうちがするんで祐ちゃんはスカウトしてきてくれたらええから。そこらにおるちょっとかわいい女の子をつかまえてきてくれたらええねん。ほんなら給料とは別に一人につき幾らか渡すから。その子らの売り上げも何パーセントかバックしてもええしぃ」といわれてん。でも俺にはバンスがあるし、客から飲み代をもろても店に入れずに遊び金にしてたり、なんやかんやで二〇〇万ぐらい借りがあって、その話をしてん。ほんならその金も出してくれるっちゅうんで、どないしようかなぁって悩んでてん。

そのママは結構べっぴんさんで、俺好みのタイプで、歳は四十前なんやけど父親違いばかりの子供が四人おって、一番上が俺より五つ上、次が二つ上、その下が一コ下、一番下は幾つか忘れてしもたけど、その娘だけ自分が引き取って、他の三人はそれぞれの父親が育ててるらしいねん。すごく優しくて男に尽くすええ人やから、男たちが自分の子供産ませたい思て、中出しした気持ちがわかるような気がした。それに歳のわりにはメッチャええ身体してはってん。

そのころ、店ではオーナーマスターの売り上げに対する要求がキツ過ぎて「頭ん中がノルマだらけで自身がちっとも楽しめてないし、客もそんなこっちの心境なんてすぐ見破ってしまう」といって二人ほど辞めていきはってん。それから店の雰囲気がギスギスしだして、ホスト経験の長い健さんとマキさんの派閥ができ、なんかムード悪いなぁ思いながら仕事しててん。

そんなとき閉店後のミーティングで、俺の客の一人が飲みに来る回数が減ったことをオーナーマスターに指摘されてん。その客は俺より二コ上のピンサロで働いている女で、店に通うために貯金はたいてしもたから、以前ほど来れんようになっててん。そのことをマスターに伝えると「祐、その女、祐に惚れとんのやろ？　ほんならトルコで働かせえや！　わしがええ店紹介したるから。ピンサロの何倍も稼ぎよるし紹介料も二、三〇くれよるからええやんけぇ。店には前みたいな感じで飲みに来させてくれるぐらいでええから。お前も店もハッピーになってちょうどええやないかぁ。決まったたぁっ！　ほな早速その女にナシつけとけやぁ。俺もトルコの方ナシつけとったるさかい」といわれてん。喜々として「女トルコに売ってまえ！」っちゅうマスターの顔見とったらムカついてきて、なんか俺、人身売買の手先みたいやんけぇ思えて「嫌ですわぁ。そんなんでけまへんわぁ！」ちゅうたら「お前、なにガキみたいに青くさいことぬかしとんねん。そらあの女が、べっぴんさんやったら話も違てくるけど、どっちかっちゅうたら並の下やでぇ。そんな女トルコに売りとばすしかしゃあないやんけぇ。ほんならなんぼ並の下でも一〇〇万ぐらいは稼いできよるから、せいぜいかわいがったって骨の髄までしゃぶりつくしたらんかいっ」ちゅうて、どんどん図に乗ってきよったんで「すんまへんなぁ。わしガキでっさかい。おたくのゆうてることようわかりまへんわぁ」ちゅうたら、やっと理解してくれたみたいで「祐！　ワレ誰に向こてそんな口きいとんじゃいっ！　わしを誰やと思とんじゃいっ。そこのＩ組と心安いんやぞ。なんやったらいまから電話して若い衆呼んだろかぁ」といわれてカーッときて、カウンターに入ってペティナイフ握ってマスターの前に行き「ワレこそ誰に向こて口きいとんじゃいっ！　ヤクザ呼ぶんやったらなんぼでも呼んだれやぁ。そうやのうても、わしがいまから刺してもうたるさかい救急車先に呼ばんならんと思うけどなぁ。わかったらちょう立ったらんかいっ！　刺しやすいように立ったってくれやぁ。それともヤクザに電話しに立ったれやっ」ちゅうてん。すると後ろからチーフに「祐、やめとけぇ～！　こんなしょうもないオッサンのためにパクられてもしゃあないやろぉ」ゆうて羽交い絞めされ、マスターが電話しに行こうとしたんで「ヤクザに電話してもええけど泣き見んのんワレかもしれんどぉ。俺とこの親父も極道やっとんやぞ！　そこの曾根崎に事務所あるから電話一本入れたら詰めてる若い衆がすぐ飛んできよんぞ！　ヤクザ同士で話つけてもうてもかめへんけど、この店営業でけへんようになってまうど。どないするんじゃいっ」ちゅうたら態度がガラッと変わり、しかし半信半疑なようで「祐、お前、わしをからこうてんとちゃうやろなぁ。ほんまか？　ほんまにお前んとこの親父ヤクザやっとんかぁ？」とぬかしよるから「嘘や思たら、いまから呼んだろかぁ。呼ぶぐらいやったらなんぼでも呼んだんでぇっ」ちゅうたら信じたようで「すまんかったぁ〜。いまのは水に流して、まぁこれからも仲良うやっていこうやぁ」ゆうてニヤニヤ機嫌とるように背むし男みたいに寄って来やがったんで「嫌や、こんな店辞めたるわい！　バンスは近いうちに耳揃えて払《はろ》たるから心配すんなや。ほなね」ちゅうて、世話んなった先輩らに挨拶して出て行ってん。

ほんで誘われてたママんとこ行って金を都合してもろて、借りた金をきっちりと精算して、その店とオサラバしてん。

しかし十三駅前で手相見にいわれたことがこうも見事に当たってまうとは。ほんでその後、その手相見を探してんけど十三駅前では見かけんようになってもうてん。

保険屋は踏んだり蹴ったり

正月恒例でツレと環状に走りに行っててん。今年も環状を埋め尽くすほどの族車が来ており、みんなケツを跳ねながらフラッシュをちらつかせて左右にローリングきって走りまわっており、ポリがおらんようになる午前二時、三時ごろにはピークを迎え、各車一斉にスピードを上げ、これがワルや族の新年の迎え方じゃあ！　といわんばかりに、けたたましい爆音と三連などのエアーホーンを鳴らしながら、時折タイヤを鳴らして走りまわっとってん。まだ誕生日を迎えていないため免許がないのは俺ぐらいで、ほとんどのツレが車に乗っており、当時流行ったアース・ウインド&ファイアーの「レッツ・グルーブ」[1]やオリビア・ニュートン・ジョンの「フィジカル」[2]なんかをかけて走りまわっとおってん。

朝まで環状を走って「ナビオ前に女でも引っかけに行こうぜいっ！」ちゅうて繰り出してん。しかし人は少なく、女といっても男連れが多く、女同士でも初詣にこれから行きますっちゅう感じで着飾っており、俺らなんてまるで相手にされなかった。俺はツレ

1　EARTH WIND & FIRE は 1970 年デビュー。ディスコ／ソウルの永遠の王道として知られる。79 年に初来日。「レッツ・グルーブ」は翌年の大ヒット曲

と会うんが久々で、女引っかけるんは仕事で毎日やってたんで、むしろツレと喋る方を精力的にやっててん。

マクは知り合いから名の如くマークⅡを買い、メッチャでかいラメを入れた黒で塗装をして、ソレタコデュアルにシャコタンにしたのはよかったが、長いことプーやってるもんやから金が払えず、どないしたらええもんかの〜と悩んでおり、早い話が真面目に仕事したらええやんけぇっちゅうことなんやけど、それをいっちゃあ身もふたもなく、おもんないんで「なにかええ方法はないかの〜」ちゅうて話しててん。

ほんで「そやったら誰かポリに面の割れてん奴にオカマしてもろて、鞭打ちで首痛いっちゅうて保険屋から銭ひっぱったらええやんけぇ。ほんで修理は知り合いんとこ頼んで高い請求してもろて、安く修理してもろたらええねん」ちゅうことになりマクも「それええやんけぇっ」ちゅうて乗ってきて「それやったら早速やろうぜっ」ちゅうことになり、ナビオ前でやろうとするんで「一応事故る当人同士はツレとちゃう形やねんからここでやったらまずいでぇ。地元でやった方が真実味があんでぇ」ちゅうことで「女も引っかからんし十三へ帰ろうぜいっ！」ちゅうて帰ってん。

帰りしなダメ元で車に乗りながら女を見つけるたびに寄っていって「姉チャン、オメコせえへんか？」ちゅうてストレートにゆうてんけど「キャ〜」ゆうて逃げられるばっ

2　1981年発表のアルバム『虹色の扉』に収録。10週連続で全米ヒットチャートNo.1を記録

かりで「やっぱり今日はあかんでぇ」ちゅうて帰ってん。
帰ってポリに面の割れてへんチャメ垣が「俺がやったるわぁ」ちゅうことになって、マクの車のケツからチャメのローレルでおもくそオカマかましよってん。ほんで二人で仲良く淀警に事故届け出しに行きよってん。

これで話が終わったと思たら大きな間違いで、このあと話は上手く進み、マクの車を修理する間、仕事もしてないのに知り合いんとこで働いてることにして休業補償ももらえるようにして、退院したら退院と通勤で車がいるからとレンタカーを用意させた。そのころのマクはシャブとラリでイケイケで、飛びまくっとったから、そのレンタもスプリングを切ってシャコタン[3]にし、マフラーに釘で穴を空けてうるさくして走りまわっとおってん。

しかしある日の早朝四時か五時ごろ、小雨が降ってる中「シャブをひきに行こうぜいっ」ちゅうて港へ向かって調子ぶっこいて走っとったらしく、西淀の大和田交差点近くの信号んとこを赤信号やけどブッチしていったら横から車が来て、慌ててハンドルを右へ切り、その車も左から真横にぶち当たってきて、フルブレーキしたけど濡れた路面で滑ってしまいそのまま右角にある民家に突っ込んでしもたらしいねん。

その車はお釈迦になってしまい、ほんま保険屋も踏んだり蹴ったりで、レンタした車

3 「ベタベタ」に同じ。車高を低くすることで、コーナーリング時の操縦安定性を高めるという説もあるが、自己主張のためのドレスアップとみなされるのが一般的。言葉の由来は「車高ダウン」から。「車高短」とも書く

は大破されてまたレンタられるし、その事故も保険屋が支払わなあかんし、マクの車もチャメ垣の車も保険やし。保険ゆうてもほとんど掛け捨てで、使えへんかったら保険屋が丸儲けで、人の銭かき集めて他人のふんどしで相撲とっとおんねんから、それでもええんちゃうかなぁと思うねん。

免許とったら事故三昧

ホストを辞めて上通りにある、バンスを用立ててくれたママの店に移って働き始めてん。そこは三十坪ほどのラウンジで、女のコが六人にチーフとママといった構成で、店の規模の割には女の子が少なく、華のある人もおらんかってん。

支配人という肩書きの俺の名刺が用意されていて、そこでの俺の仕事は女の子の補充と、女のコと一緒に客のとこに挨拶まわりをすることで、平たくいうと女のコを管理する立場にあってん。それとツケのたまっている客への集金もあり、支配人とはいっても、かなりヤクザなことをせなあかんハメになってててん。

店には知り合いの女を何人か入れてん。ママは、とにかく女のコに時給二五〇〇円用意するから、それより安く入れた場合はその分俺にまわしてくれるっちゅうんで、一五〇〇円から二五〇〇円の間で女のコを入れてん。女のコ一人入れるごとに給料に三万から五万を乗せてくれ、女のコの売り上げの一〇パーセントをくれるということになっててん。だからホストんときと同じように精出してナンパを繰り返しやってててん。

ほんで車が必要やからと、俺もじきに十八になるんで、時間あるときに教習に行くようにと金をくれ、自動車教習所通いが始まってん。

教習所は空いてる時期で予約を入れやすく、また無免で乗っていたこともあってスムーズに進み、二週間ほどで修了し、誕生日がきてすぐに免許を取ってん。それからは店の車で挨拶まわりをしたり集金に行ったり、ママや女のコを送迎したりしててん。

そんなとき先輩から「車検残り一カ月しかないけど、ソレタコデュアルかましてシャコタンで、ケツだけアルミの205でフロントはノーマルのケンメリやけど五万でいらんかぁ」といわれ、車検受けたらええか思て買うてん。

自分の車を手に入れたことが嬉しくて走りまわっとったある日、クニと安子が学校帰りで歩いとったんで、「サ店でも行こかぁっ」ちゅうて車に乗せてん。停める場所探して神津神社の裏の細い道をウロチョロしとって、このまま行ったら商店街に出るからあかんなぁ思てUターンかましたれぇと細い道の中でもとりわけ細い道に入ってん。ほんで真っ直ぐ走ってると昼間っからやってる飲み屋から遊び人風の男が三人出てきよってん。こっちはノロノロ走ってんのに、よろけたふりしてわざとらしく車の前に出てきて、ちょっと腕が擦れてん。ほんならソイツがいきなり「イタタタタァ〜」ゆうてしゃがみ込み、あとの二人が「大丈夫かぁ」ゆうてるんで、面倒やからブッチしてもうたれとアクセル踏み込んだってん。すると仲間の一人が手を広げて飛び出してきよって慌ててハンドル切ったら、停めてあったチャリキに当たり、なぎ倒しながら進むと何台ものチャリキが絡まって車の下に引っかかり、フロントが浮いてハンドルが効かず、そのまま八百屋の裏口に突っ込んでしもてん。うわっちゃあ、なにがなんでもトンコかましてもたんでぇ思て、ギアをバックに入れて行こうとするけど、やっぱシャコタンがあかんのか、チャリキが引っかかったままで身動きできず、クニと安子が口を揃えて「うっわぁ～、まるで西部警察みたいやぁ～」ゆうていいよるから笑いそうになってしもてん。

オッサンの一人がドアを開け、俺を引っ張り出し「ワレぇ、アイツの腕の骨折っとんて、なにトンコかまそうとしてんじゃあ！」ゆうてしばきまわしだしよってん。あんなんで折れたんやぁ、アッチャ～悪いことしたなぁ、どないしよ～思てしばかれとったら、もう一人も加わりエキサイトしてきよったんで身体を丸め自分が悪いんやから……と我慢しとってん。やがて、そのうちの一人が後ろのドアを開けクニと安子に「こらぁ！ワレらも、なにボッサ～と車に乗っとんじゃいっ！　やってもうたるから降りて来い」と怒鳴ったんで、ヤバいっ！　巻き添えにしたらあかんと思い、「ワレら、なにさらしとんじゃい！　こんなけ俺をしばいたらもうええやんけぇ！　ソイツらになにが関係あるんじゃいっ！」ちゅうたら「ほんなもん知るかいっ！」ちゅうて引き摺り出しよったからキレてしもて、オッサン二人をしばき返し、ひとたびキレてしまうと戻りできず、「骨が折れたぁ」ゆうてるオッサンとこ行って「ワレぇ、あんなチョコンと当たったぐらいで、なにが骨折れたじゃあ！　寝言こいとったらあかんぞぉ、ほんまに折れてんやったらこの際じゃっ！　複雑骨折にしてもうたるぅ」ゆうて押さえてた腕を踏みつけたってん。

気がつくと、まわりにはえらいようけギャラリーがいて、カッコ悪う思とったら八百屋の兄ちゃんや豆腐屋のオッサンが出てきて「兄ちゃんも、ワヤすんなぁ。ムチャクチャやんけぇ。壊れたチャリンコと店の裏口はきちんと修理してもらうからなぁ」ゆわれてん。そのうちポリが来てサッササと事故処理をして帰っていきよってん。

壊したとこの弁償について話してると、三人のオッサンらが「事務所来い！」ちゅうてわめき散らしよるんで、クニと安子に「サ店に行けんで悪かったなぁ。すぐ話つけてくるから、ちょう待っとってくれや〜」ゆうてオッサンらについて行ってん。

オッサンらがいう事務所っちゅうのはＩ組の事務所のことで、えらいとこ連れてきよったなぁ思とったら、えらい強気になって「オイ、こら！　こんな大ケガさしといて、どない落とし前つけるんじゃあ！」ちゅうんで「あんまりあこぎな真似せん方がえぇどぉ、オッサンらＩのオッチャンと盃でも交わしてんか？　Ｉ組の人間知ってるだけで俺をここに連れ込んで、でかい口叩いとったら知らんどぉ」ちゅうて、事務所番してる人に「Ｉのオッチャン呼んでくれぇ」ちゅうて呼んでもろてん。

Ｉ組の組長は、おとんの友人で、俺がちっちゃいとき道で会えば「マサユキ、元気かぁ。おとうちゃんどないしとんねん！　元気してるかぁ」ゆうて小遣いをくれるような人で、ここに連れ込まれたんが渡りに舟で助かったぁ〜っちゅう感じやってん。

オッチャンはいつものように近所の麻雀屋におったみたいで、すぐに来てくれてん。ほんで「マサユキ、どないしてん」と聞かれ「なんかその人が腕折れたぁゆうてここに連れてこられてん。オッチャン知ってんのん？」と聞くと、ソイツらを知ってたようで「ワレら、まだそんなことしとんのんかぁ。コイツは、わしのツレの息子や。ほんでどないしたいんや」ちゅうと三人は顔が青ざめ、まずオッチャンに詫びを入れ、そのあと俺にも詫びを入れ、そして後日、喜八洲の酒饅頭を持って俺んちに挨拶しにきはってん。

事故のあった翌日、たぶんオッチャンがゆうたと思うねんけど親父から電話があり「どないしたんや。わけのわからん遊び人がグチャグチャゆうとるらしいの〜。わしとこ連れて来いや〜！」といわれ「もう話ついたから大丈夫やっ」ちゅうと「ほうかぁ。また、なんぞゆうてきよったら、わしとこ連れて来いや！」ちゅうて電話切ってん。

その後、事故処理として、壊したチャリキは中古の買うてきて、裏口は安子の親父が大工やったんで一升ビン担いでいってお願いし、芋洗い機も壊れたらしく、それは修理代を出し、なんとか丸くおさまってん。

今度はそれから二週間ぐらいした日曜日、ツレらと軽く走りに行った帰り、淀川沿いの長い直線を右折したとき、タイヤが鳴り、えらいフロントが滑りよんなぁと思てたら、そのままツッツーと滑っていってハンドルが効かんようになってもうて、吸い込まれるように信号機に突っ込んでん。ドッカ〜ンゆうてけたたましい音がして、ラジエターから白い煙がもうもうと上がり、外に出てみると、信号が黄色の点滅に変わっており、どないしょうと焦ってたら近所の人がゾロゾロ出てきよってん。とりあえずトンコじゃい思て、その場を離れ、近くに隠れて様子を伺ってってん。

ネグリジェにカーディガンをはおったようなオバハンらが集まって「えらいおっきい音しましたな〜地震かと思いましたわぁ。事故でしてんなぁ」「あれ？　運転手の人どこ行かはったんやろう。嫌やわぁ」「ごっつい音する前に暴走族かなんかえらい音さして走ってましたやろう。その車違いまっしゃろか」「誰か警察呼びはったん。嫌やわぁ、標識も、えらい形して曲がってしもてぇ、早よ警察呼びはった方がええわぁ。なんでしたら、うち電話してきまひょかぁ」などと喋っており、そこにツレらがどっかに車を置いて走って戻ってきよってん。

車を覗き込みながら「チュチュ〜大丈夫かぁ。あれぇっ、おれへんやんけぇ。すんまへん、この車運転しとった奴どこ行ったか知りまへんん？」「それがどこ行かはったか知りまへんねん。出てきたときには、もうおらしまへんでしたでぇ。おたくらのツレかいなぁ」ちゅうて喋っとってん。俺は、その車は先輩の名義になってるから、とりあえず放っといたろかぁなどと思ててん。ツレらがみんなで大声出して「チュチュ〜どこにおんねん。近くにおったら出て来いや〜。ケガないかぁ。出て来ても大丈夫やぁ、単なる事故なんやからパクられることないねんぞ〜」とかゆうてる間にポリが来て、ツレらに事情を聞きだしてん。「運転しとった奴どこ行ったかわかりませんねん。とりあえず事故処理だけでも早よ終わらせてください。状況は知ってますから説明しまっさかい」とかゆうてんのんを見てて、いまさらカッコ悪いけどツレらに悪いので出ていってん。

「どこにおってん。嘘やん、こんなけぶつかっといてケガないんかい。でもよかったのぉ、助手席に誰かおったら大ケガしとんでぇ」とかいわれながら、ポリに状況を説明し、車は翌日取りに来てもらって廃車にしてん。

結局、道路標識の棒と信号の機械のバンド、工事した人の人件費で七万八〇〇〇円、車の移動と廃車代で二万円ほど取られ、計一〇万ほど払て終わってん。

しかし不幸中の幸いやったんが信号の機械が壊れてなかったことで、それがいってもうてたら二〇〇万してたそうで、ほんまによかったぁと思てん。

女の管理とツケの取り立ての日々

信号機に衝突する事故で俺の車がお釈迦になったため、店で俺専用の車を用意してくれることになり、グロの430[1]の程度のいい中古を知人から安く譲り受け、俺の名義にして買うてくれはってん。

仕事は目一杯頑張って、次から次へと女をゲットしては店に放り込んでてん。俺も若かったもんやから、ゆうこときかすんはハメてまうんが一番手っ取り早いと思て、自分個人の力で入れた女のほとんどはハメてもうててん。たぶんママは薄々感づいとったと思うねんけど、それで仕事が上手くいくんやったらっちゅう感じで、べつに注意されたりはなかってん。いまから思えば、ほんまムチャクチャで、ママはハメてるわ、店にお る女の半分はハメてもうてるわで、ようバレへんかったなぁと思うねん。夜の女の世界は見栄と虚勢の張り合いで、本音で語り合うことなどなく、また俺が他の女のことをいろいろ吹き込むもんで余計に警戒心が強くなり、ほんまにこっちの思うつぼであった。みんな俺とのことは自分だけと思て、ほくそえんでたと思うねん。だから辞めるまでバ

1　日産セドリック／グロリア430型。1979年12月には国産車初のターボモデルも登場

レることもなく超ラッキーやっててん。

そうやって懇ろになってると、相手は楽してゼニ稼いどおるから、ちょっと金がないっちゅうと数万のはした金などポ〜ンとくれよるから、ほんまに超の上に超がつく超々ラッキーやっててん。このころは店がはねてから毎晩のようにゲイバーなんかに飲みに行っとったから、年の割にはいい給料もろてたんけど、店にバンス分の天引きされて飲み代払たら、ほとんど金が残らず、そこで彼女らの出番となんねん。その金が家賃や光熱費電話代、食費となってたてん。いま思うと、ほんま綱渡りのような生活をしてたてん。

でも仕事は一生懸命やってて、ほとんど毎日のように女のコと一緒に挨拶まわりをし、女のコを早く出勤させて、お客さんに「お元気ですか」「顔が見たい」「来てください」「待ってます」コールをさせたりと、ほんま多忙な日々を送ってたてん。

その上、金払いの悪いとこへの集金もあってたてん。集金に行く先は、俺が入ったころには、すでにまったく来なくなってしまっているような人たちのところばかりで、俺は一度も会うたことないねんけど、ママから「いままで生ぬるいことやってきたら、あんたが行くときは強気で行ってええからぁ。アイツらぁ女や思てナメくさっとおるからキツいこと散々ゆうて嫌がらせしてくれてええからぁ。あんな客には二度と来てもらいたないねん」てゆわれてたてん。

だから集金のときは、ホストんとき着てた白やシルクジャガードの一見強面風のスーツにディオールとかの派手目のサングラスかけて行ったんねん。

中之島の古いビルに入ってる、でかい会社に行ったときは、受付があり、かわいいい姉ちゃんがおんねん。最初はダンディに店の名前をゆうて集金に来た旨を伝えて待ってると、いつものように「あいにく席を外しております」と逃げの態勢をとりよんねん。「ほな、帰ってくるまで待たしてもらいまっさ」ゆうて「こんなとこで長いこと待つんもしんどいんで、どっか応接室か待合室でお茶かコーヒーでももらえまっか」ちゅうと「ちょっと待ってください」ゆうて抵抗してきよったんで「姉ちゃん、かわいいいやん。うちの店で働かんけ」といって肩でも抱こうものなら、とりあえず通してくれてん。

応接室に入ると違う女が茶ぁ持ってきてくれ、それを一口飲んで「なんじゃいこの茶は！　メッチャまずいやんけぇ、お〜い誰か来てくれぇ」ちゅうて、その女を呼んでコーヒーに換えてもらい、そんときにその姉ちゃんにも店に来いと薦め「アイツが来るまで、ず〜と、この調子でおるからなぁ。嫌やったら早よ呼んでくれやぁ」ちゅうと、やっと真打が登場しよんねん。

「ただいま戻りました。永らくお待たせして申し訳ありません」ちゅうて入ってきよってん。次の台詞はほとんどの奴が同じなんやけど、コイツもそうで「払いたいのは山々なんですが、いますぐにといわれましても」っちゅうてきよったから「よしわかった。ほな財布出してくれっ」ちゅうと、とりあえず今日んとこはこれで終わると思て安心しよるみたいで無防備になりよんねん。そんときに銀行のカードを盗み見て、これから一緒にその銀行で有り金引き出して「今日んとこはその金で我慢したる」ちゅうて外につれて行こうとすると、これまたほとんどの奴と同じく「近いうちに必ず支払うから勘弁してくださいっ」ちゅうねん。ほんで支払いの期日を確認し「もしその日までに振込まれんかったら、また寄らしてもらいまっさ。でも次はこんなもんでは済まんでぇ。俺はパクられようがどないしようがええけど、おたくはクビになんでぇ。いままで築いてきたもんが、すべてパァになってまうでぇ。そんだけは覚悟しとけや！」ちゅうて帰ってたん。その後すぐにママに連絡が入り、何回かに分けて全額払てくれたらしいねん。

もう一つ集金しておもろかったとこがあって、そこはカラオケのリース屋で、聞いただけでもいかがわしそうなとこで、実際いかがわしかってん。その会社は西区の四つ橋筋の本町駅近くの古めかしい匂いのするビルの中にあり、訪ねていくとガラの悪そうな目つきの鋭い連中がおってん。店の名前をゆうて集金に来たことを伝えると馬鹿にしたような感じで笑いやがるから、こっちも頭にきてもうて、よーし、コイツらから絶対にゼニとったるからの〜っちゅう感じになってもうてん。

ほんで俺がソファで待たしてもろとったらツケの張本人の社長が来よってん。ほんで「とにかく、いまは払いとうてもそのゼニがないっ」ちゅうて、のらりくらりと逃げよるから「そうでっか、ほならゼニができるまで気ぃ長うして、ここで待たしてもらいまっさ」ちゅうて居座りを決めたってん。相手は何時間かしたら尻尾巻いて帰りよるやろうぐらいに思とったみたやけど、こっちもキレてもうてるから、ず～っとおったってん。その間、若い奴らが脅しに来よったけど、こっちはそんなときのためにマイクロカセットを持ってきており、録音しながら、ソイツらが出前を注文しようとしたら「わしにも注文したらんかい！」とクダを巻き、そうこうしてるうちに翌朝になってしもてん。

俺は、見とけよ～おどれらキャンとゆわしてもうたるからのぉ思てん。若い奴らも俺のしつこさに頭にきよってんやろなぁ、とうとう本格的に脅してきて、早よ手ぇ出してどつきさらさんかい！　と思てんねんけど、なかなか手は出してきやがれへんねん。

その代わり組の名前を出してきよってん。それがミナミのN組やったもんやからしめたもんで、以前、俺が兄貴と慕ってついて歩いとった岡山さんがN組やったし近所のオッサンもN組にかんでる人がおったから、一応、相手の声を録音させてもろて「Nやったら岡山さんいう人がおってなぁ。随分と心易いねん。飲み代払わんと監禁された話したらどないゆうかの～。嘘や思うんやったらN組に連絡して聞いてみい。それとも昨日から俺を脅してた文句全部録音してたんねんけど、これ持ってポリにタレこんだろか？　ワレらリース屋風情がなにゴチャゴチャゆうて極道みたいな能書きたれとんや！　うちの親父も親父の兄弟もみんなカタギとちゃうねんど。なんやったらそっちから話もっていってもうたろか」ちゅうたら、俺がそれまで、ずーっと大人しゅうして、あんまり喋らんかったもんやから、みんな驚いてしもてん。

ほんでツケの張本人の社長が「わかったわかった！　いままでの飲み代払うから。しかし、ほんまにいまゼニがないんやぁ。近いうちに用意して払うから堪忍してえなぁ」ちゅうてきたんで「アホか！　あんなけのうのうと能書き垂れられて一泊して、どの面さげて帰るんじゃやいっ！　ガキの使いとちゃうねんど！　いまゆうたことがほんまやったらママんとこ一本電話入れてえなぁ。ママが帰って来いっちゅうんやったら、いんだってもええわぁ」ちゅうたら、すぐさまママんとこ電話入れよって、俺のこと怖いだの、えらい人間送り込んでくれたただの糞みそにぬかしやがんねん。ママも納得したみたいで俺と電話を代わり「もうええから帰っておいでっ」ちゅうたんで引き上げてん。

結局そこはほんまにゼニがなく、つぶれかかってたようで全額は回収でけんと三分の二で手を打ったみたいやってん。

そのころの俺はこうして無茶をしながら突っ走っていっとってん。

それが現実やからしゃあない

店では頑張って女のコを入れててんけど、ママがオーナーママやからかキツいようで、みんな「あんな女のとこでは働けんわぁ」といって次から次へと辞めていってん。ひょっとしたら俺と女のコたちとの関係に我慢の限界を超えてイケズしてたんかもしれんけど、俺かて懸命に女のコ入れてんのに、ちょっとしたことで無理ゆうたりして辞めさしてもうて、なかなか十八、九の女なんてつかまらんのに嫌になってくんの～補充する側の身にもなってくれよぉ思ててん。

それやったらなんでもかんでも放り込んでもうたるぅと思てスカウトする年齢を下げ、十六、七のコを店の人間には十八で通すようにといって入れたってん。その年ごろのコは十八、九より手玉に取り易く、時給一五〇〇円出すといえば喜んでホイホイついてきよるし、世間をちょっとでも知ってる奴より知らんガキの方がヘンなとこで度胸があり、しかも俺の毒牙にもよくかかり、とりあえず店に入れる前に入れてまうパターンもあってん。そうすれば、ちょっとやそっとのことでは泣き入れてきよれへんから好都合やってん。バージンのコも何人かいて、それはそれでなにかと面倒で、夢見がちなとこがあるから、悪いなぁと思いつつ、その夢を叩き潰してやってててん。

十六、七のコには、うぶなところがあり、なんぼ背伸びして大人ぶってても、それが出てまうことがあって、そんなとき、そのコの気持ちを考えると、仕事と板挟みになって、つらいときもあってん。

ある日、店のウリの女のコと俺が入れた十七のコと一緒に、客と寿司食いに行ってん。金と気分次第でいくらでも客と寝るのがウリのコで、いくら新地といえども、店にそういう女のコは必要であった。短時間で金が稼げるから、みんなホステスやってるわけで、だから金次第で転ぶのは当たり前やけど、一流のホステスは、ちょっとやそっとの金では転ばず、そこに自分のプライドや意地といったものがあんねん。しかしウリのコというのは正味、そこらに立ってる売春婦とあまり変わらず、しいていえば売春婦が立つのをやめて新地に来てるみたいなもんで、それ相当な額を出せばとりあえず行きますわよ〜てな感覚の人たちなのである。

そのとき客は一人やってんけど、ウリのコと一緒やったもんやから、どないなるかなぁと思い、とりあえず早めに家に帰ってん。夜中の二時ごろ十七歳から泣きながら電話があり「どないしてん？」と聞くと「ウリコさん（仮名）が、いきなりお客さんとホテルに入っちゃったんですぅ。どうしたらいいですか」「そんなんほったらかして帰れ」「そんなこといわれてもウリコさんが心配ですぅ。今日初めて会ったお客さんとそんなとこ入るなんてどうなってるんですかぁ。私、何度も腕引っ張って〝一緒に帰ろう。お客さんとそんなとこ行ったら駄目ぇ〟って止めたんですけど、私の腕振り払って入っていってしまったんですぅ。お客さんがもしヘンな人だったら心配ですぅ。なにかあったときのためにここで見張ってますぅ。でも怖いのでマネージャーも来て私と一緒にいてください」といわれ、彼女の気持ちを思うと胸が苦しかってんけど正直に現実を伝えた方がええと思て、ちょっとキツい口調になってもうてんけど「グチャグチャゆうてんと、早よ帰れ！　もし家に帰りたなかったら俺とこへ来てもええからタクシー拾え！　お前は若いからようわからんかもしれんけど、そんな世界もあんねん。あのコはそういうのを商売としてやんねん。だからお前に止める権利もグチャグチャゆう権利もないねん。お前のしてることはあのコの商売の邪魔をしてることになんねん。そうやってしか生きていかれへんねんから、ほっといたれや！」ちゅうたら余計泣き出してまいよってん。

正直、気持ちはわかるけどそれが現実やねんからしゃあないねんなぁ。そのコはタクシーで俺んちに来よってん。いくらギャーギャーギャーギャーぬかしとっても結局、お前もあの女と一緒やねんぞ。早よ、それに気づけよと思いながらオメコしてん。

俺は、嫌な現実に直面せなあかん商売につき、自分を傷つけ、若い女を巻き添えにしていることに嫌気がさしてきていた。

そんなときタイ人ホステスの礼子さんがママに叛旗を翻してん。礼子さんはきれいな人でママの弟と籍を入れ日本におれる形をとり、働いてはってん。ママの弟とは戸籍上では夫婦でも一緒に暮らしたことはなく、一人で生活しており、そんなこともあり、礼子さんにとってママのいうことは絶対であった。複数の客の事実上の愛人のような状態で、ママが「あの客と寝てこい」というと断れず、そういった生活を送ってはってんけど、給料はよそでそんだけやってる女と較べたらすこぶる安く、俺はママもむごいことすんなぁと思ててん。ほんでいつか礼子さんが、それに気づいて、一悶着あるやろなとは思ててん。やがて無断欠勤や遅刻も多くなり、そろそろ大事になるかもなぁと思てたら、やっぱりそうなってん。

ある日、俺が外で知った顔の客はおらんか、ええ女はおらんかと物色しとおったら本通りから上通りに抜ける道を、スウェットの上下で猛烈な勢いで歩いてくる女がおってん。ホステスが着飾って一斉に出勤してくる時間やったもんで、この時間にこんな場所へ、えらいカッコして来る女がおるもんやなぁと思て見てたら、髪はボサボサで化粧はしてないけど明らかに礼子さんやとわかり、近づいていって「礼子さん、そんなカッコでどないしはったんですか」と聞いても、般若のような顔で口もきいてくれず、いろいろ喋りかけたけど、まったく無視して、そのままズンズンと店ん中へ入っていきはってん。こらぁヤバいで〜と思とったら、店の奥でチーフとカウンター越しに喋っとったママのとこへ行き、いきなりビンタを食らわし、セットしてきれいになった髪をつかんで引っ張りまわしよってん。俺は慌てて駆け寄り礼子さんをつかまえてん。チーフもカウンターから出てきてママの様子をうかがい、ママはヒステリックになって「警察に電話してえ」とわめき散らしてん。

不幸中の幸いで、店に客はおらず、しかし店にいた女のコらは、普段は大人しかった礼子さんの狂乱を目の当たりにして驚きと恐怖とで青ざめとってん。ほんで礼子さんとママのやりとりを聞いとったら、どうやら給料の未払い分をまとめて支払ってくれというてるようであった。ママは最近の礼子さんの態度が悪いからと先月先々月分の給料をカットしたらしく、それでのうても安い給料でこき使われてんのにいきなり告知もなしにそういうことされたらかなわんと、店を辞める腹で乗り越んできたのであった。ほんでも永年新地で生きてるママは女狐で、のらりくらりと上手くかわし、それに業を煮やした礼子さんは、まわし蹴りと前蹴りでママを吹っ飛ばしてしまいはってん。俺は取り押さえられていながら、よくぞあんなけ威力のあるキックを放ちよったなぁ、さすがはタイ人やなぁと感心してん。

ママが狂ったように「警察呼んで〜警察っ！　すぐに外につれてって〜」とわめき散らし、とりあえず引き離した方がええと思て、礼子さんをドアの外まで連れ出してん。ママはついてこんでもええのについてきて「散々、いろんな男と転んできた売女《ばいた》が拾てやった恩を忘れやがってぇ」「散々、助平男を私に押しつけて売り物にしてやがったくせに、私は店のためにどれほど自分を犠牲にしてきたと思てんのや」と売り言葉に買い言葉で、ママは「吉永ぁ、サッサと一一〇番してコイツをつれてってもろてぇ！」といってドアを閉めて店ん中へ入っていってん。

礼子さんは追っかけようとしたけど俺が引きとめ、そうやってジタバタしていると急に泣き出して、いままでのいきさつやなんかをいろいろ聞く破目になってしもてん。俺は礼子さんを連れて近くのサ店に行き、話の続きを聞いてなだめて、金のことは俺の一存ではなんともいえんけど、できる限り礼子さんと意向どおりにことを運んでいくと約束するから、今日のとこは帰ってくださいとお願いしてん。

話を聞いてると新地で生きてる人たちの外面と中身の違いがようわかり、外見ばかり気にせなあかんような仕事って内面はすごくドロドロしとって汚いんちゃうかなぁと思てん。

愛染恭子の思い出

映画『白日夢』[1]でヒットを飛ばした愛染恭子[2]が昨年ごろから年に一、二回のペースで〈十三ミュージック〉に出演しており、近所の食堂やスナックなどに出入りし、俺んちの前の小汚い〈トラヤ食堂〉にまで来てサインして帰ってるんで、今年も来てたからどっかで会うことないかなぁと期待しててん。

おかんの行きつけのスナックにも時々飲みにきてたようで、おかんも一、二度会《お》うたことがあるらしく、酔うと「私は顔のことここを整形した整形美人なんですう」とか「二十七歳といってるけど本当は三十四歳なんですう」とかいってたそうで、やっぱり酔いがまわると、嘘で固められた業界の疲れが出てきよんのんとちゃうかなぁと思ててん。

ある日、仕事が終わって十三へ戻りホットでも飲んだろう思て、おかんの店の斜め向かいの二時ごろまでやってるゲーム喫茶に入ってん。

顔馴染みの水商売帰りの兄ちゃんや姉ちゃんがおる中に、見たことのない水商売っぽ

1　谷崎潤一郎の同名小説を武智鉄二が監督した「白日夢」（1964 年）の監督自身による 1981 年のリメイク。愛染恭子と佐藤慶の本番濡れ場が話題を集め大ヒットした

い姉ちゃん二人がギャラクシー[3]やりながらキャッキャッキャッキャッキャッゆうて騒いどおんねん。奥の席は全部詰まってて、手前のその姉ちゃんらの両隣りのテーブルしか空いてなかったんで、顔馴染みと挨拶交わしながらドアに近い手前側のテーブルに座ってん。騒いでる姉ちゃんらをよく見ると、ひときわ騒いでる、いまギャラクシーやってる最中の女がえらいきれいやねん。べっぴんさんやの〜！　この辺に住んでんのかなぁ思いながらさらによーく見ると、あれぇ？　この顔どっかで見たことあんぞ〜思て、見続けとったら、その姉ちゃんが視線に気づき、丁度面変わりとなったようで、こっちを向いてニコッと笑いはってん。

うつわぁっちゃあ〜。愛染恭子や〜！　と、そんとき初めて気づいてん。それにしてもシャツは派手やったけどジージャンにジーパンといったラフな格好で田舎くさく、髪にゴム止めなんかしてるから、ほんまわからんかってん。しかし映画で見るよりずっときれいで、やっぱり肌のシワ取りなんか毎年やってはんのやろかぁなどと思いながら、ジィ〜ッと見とったら気になったみたいで、ゲームが終わってからこっちを向いて、「仕事帰りですかぁ？　水商売？　でも随分と若いでしょう？」と聞かれてん。

「はぁ、新地でやってますねん。ごっつい声出してましたけど、そんなにギャラクシーおもろいですか？」と聞くと「おもしろいわよぉ。あなたもやってみるう？」と誘われ

2　映画、日劇ミュージックホール、各地の劇場、クラブなどで活躍した。1994年に引退

て一緒にギャラクシーを楽しんでん。

しかし、それから三十分ほどして、なんか用事があったみたいで一緒におった女の人と帰りはってん。

3 スペースインベーター時代の次に登場したテーブルゲーム。ロケットを動かして敵のエイリアンを撃墜する

関東へと走らせてん

おかんがやり始めた店は調子よかったようで数カ月もすると区役所の裏に二軒目を出しよって、俺が店をはねてから手伝うこともあった。夜中の商売やから客層が悪いんは、しゃあないんかもしれんけど、シャブ中や遊び人など、まともな職に就いてないようなんが多く、そんなアホみたいな連中と関わりあうんはダルかってんけど「用事がある」「人手が足りん」といわれれば、むげにもできんから手伝っててん。

そのころゲーム賭博のことは客の家族の投書があったりしてニュースやワイドショーで取り上げられとったから、もうそろそろヤバいんちゃうんかいっとは思とってんけど、おかんらはパクられるまで稼げるだけ稼ぐと腹を決めとおってん。

それになぜか、おかんの店だけいつもタイミングよく摘発を逃れとったもんやから、シャブ中の溜り場となり、挙げ句シャブの売買まで公然と行なわれるようになったからムチャクチャで、ほんまあのおかんだけはなにを考えとおんねんっちゅう感じやってん。

それに「稼げるだけ稼ぐねんっ」ちゅうてカッコつけてゆう一方で、使えるだけ使《つこ》とおって、残さなあかんもんまで残しよれへんから、いつもキューキューゆうとおってん。森半《もりなか》のオッサンは、似合いもせんくせにサン・ローランのシャツやタニノ・クリスティの靴といった高級ブランド品、18金のブレスやネックレスといった成金趣味なものを身にまとい、手伝いに行ってみれば、オッサンはその日の売り上げ持ってバカラしに出かけたっちゅう話で、俺は大したゼニにもならんのに手伝わされて、本人は博打かい！どないなっとんねんちゅう感じやってん。

資本金はおかんが用立てて、森半のオッサンの借金はおかんの貯金で返済し、結局オッサンが一番ええとこ取りで、ぷらぷらしてるだけで好きなギャンブルを毎日できて、ええべべ着れて、ほんまゆうことなしやってん。おかんも男にボケてもうてアホなんやなぁ。もうそんな歳でもあるまいに、いつまで少女やねん。こっちが借金抱えて苦しんでたときに「オッサンに、こんなん買うたったぁ。あんなん買うたったぁ」ちゅうて聞かされんのん、ほんまつらかったもん。

こっちはメシが食えんから、満タンに中坊んときに貸した一万五〇〇〇円のことを思い出し、家まで取り立てに行き、オバチャンに「そんな息子の借りた金なんかうちらに関係ない。うっとこの家かて金ないんや！」と罵られ、頭にきて「お前ら一家全員、毎日ちゃんとメシ食えてるやんけぇ。それに借りてる張本人は、ええ車乗って毎日ガソリンまき散らして走りまわっとおるやんけぇ。あれはゼニまいてんのんと一緒じゃぁ。なにが金返せんじゃぁ、ふざけんなぁ。そんなこといいさらすんやったら家にある金目のもん根こそぎ持っていって質屋で金に換えてまうぞっ」ちゅうて、ツレの親に対して無理矢理金返してもらうような恥さらしてまで金作ったこともあった。

そやから、おかんと森半のオッサンに都合のええことばかり、いつまでも長く続くかい！　そのうちキツ～い、しっぺ返し食ろうてまうでぇ～っと思とってん。

ほなら神さんもそない思とったみたいで、ある日〈トラヤ〉で昼メシ食いながらテレビのニュースを見とったら、なんや見たことある景色が映り、ゲーム賭博がなんちゃらゆうて､見たことある顔が映り、名前が出たとたんハッと我に返ってん。ウワッチャア！　森半のオッサン、パクられてまいよったぁ！　さっき映ったんは、おかんの店やってん。俺は慌ててメシをかき込んで、おかんとこに行ってん。

おかんはパクられてなかったんで、ひとまずホッとしてん。店は両方とも営業停止食ろたもんやから、これからのゼニと、パクられた森半のオッサンと従業員の保釈金集めに走らなあかんといっており、俺はこんとき初めて、見てみい、あまりにも派手にやり過ぎて、いろんな人の気持ちを踏みにじるようなマネさらしてきたから、バチが当たったんじゃいと思てん。

最初は順調やったから、二軒目オープンの資本金を高利やけどすぐ貸してくれるヤクザ金融から借り、それが返済できぬまま二、三カ月でポシャってもうてん。おまけに貯えがないもんやから、ほんまどないなっても知らんでぇっちゅう感じやってん。

しかし、おかんも懲りん女で、店で営業でけんのやったら家ん中でやったれと、ゲーム機を家に運び込み、そこに客を入れ、シャブの売買の仲介までしだして、なんぼ金が要るからっちゅうても、すぐにこれやから、二の舞どころかもっと大きい罠にゆわされてまうでぇと思とってん。

ほんま、いろんなことがあり過ぎて、気がつくとなんか卑屈になってる自分がおってん。

ここ最近ではツレらを見ても、いつまでも親に甘えてメシ食わせてもろて、自分らはまともに仕事もせず、シャブやラリでとびまくり、そんな甘っちょろいことばかりできてええのぉ！　俺はお前らとはちゃうんじゃあ！　お前らと全然違う人生を歩いて、いつかお前らをギャフンといわせてもうたるぅとか思てたから、段々と疎遠になっていき、一緒にツルんでたツレやのに、道で会うても「おう」とか、つれない挨拶を交わすだけとなってしまっていた。

男に狂って危ない橋を渡る、そんなおかんのそばにおるだけでつらかったし、店もおもんないし、ママの顔を見るだけで、いままで懸命に女を入れてきた俺がアホに思え、反吐《へど》が出そうになるし、めぐみは俺と別れてから一緒におる男が原因やと思うねんけど「もう自殺したい」とかなんとかゆうて電話してきよるし、男も女も人なんか信じたくないという気分で、正直、おかんのことは気がかりやってんけど、大阪を離れてどっかで波乗りしながら暮らしたろう思て、九州、四国じゃあ仕事もないし、関東方面の伊豆か千葉に行ったろう思て、ママが買うた俺の名義になってるグロの430を下取りに出し、中古のブルの810[1]を手に入れ、残った金で借金を払《はろ》て、そのまた残った金をママに送ろうと思とってんけど、ほとんど残らず、二〇万送ってママへの借金を残り丁度一〇〇万にしたら残り三万になってしもて、まぁええわい思て、少しの着替えと板とウエットを持って、新しい愛車ブル810に乗って関東へと走らせてん。

1　日産ブルーバード810型。日産を代表する車種・ブルーバードの5代目で1976年発売

本書は実際の出来事をもとに創作されたものであり
実在の人物・団体等とは一切関係ありません。

吉永マサユキ
1964年生まれ。十三出身。写真家。

［写真集］
slang（共著）
髪型東京
ニッポンタカイネ
申し訳ございません
Bosozoku
族

へたれ
2005年3月4日　初版第1刷発行

著　者　吉永マサユキ
装　幀　原 耕一
編　集　浅原裕久　加藤 基
発行人　孫　家邦
発行所　株式会社リトルモア
〒151-0051東京都渋谷区千駄ヶ谷3-56-6
電話　03-3401-1042
FAX　03-3401-1052
e-mail　info@littlemore.co.jp
URL　http://www.littlemore.co.jp

印刷・製本所　図書印刷株式会社

ISBN4-89815-148-5 C0093

定価はカバーに表示してあります。
乱丁・落丁本は送料小社負担にてお取替えいたします。